제6판

교원임용고시
일반영어 필독서

임용영어 수험생 대다수가 선택하는
전공영어의 보통명사

- 교원임용고시 전공영어 독보적 전국 1위
  (2025년 예스24 전공영어 부문 박문각 누적 판매량 1위)
- 미국 버클리대학 유희태 박사의 일반영어 필독서
- 2S2R 원리를 유형에 구체적 적용

유희태 일반영어
2S2R ❷ 유형

LSI 영어연구소 유희태 박사 저

● 모범답안 및 번역

박문각임용 동영상강의 www.pmg.co.kr

박문각

CONTENTS

PART 01 기입형

빈칸추론 ··· 6

PART 02 서술형

A형 서술형 ··· 58

B형 서술형 ··· 176

- 모범답안 및 번역

유희태 일반영어

② 유형

2S2R

유희태 일반영어
② 유형
● 모범답안 및 번역

PART 01

기입형

| PART 01 기입형 | **빈칸추론** |

01 하위내용영역 일반영어 A형 기입형 배점 2점 예상정답률 35% 본책 p.008

모범 답안 race pride

채점 기준
- 2점: 모범답안과 같다.
- 0점: 모범답안과 다르다.

> **한글번역**
>
> 미국 흑인의 몸속에 서로 양립하지 못하는 두 개의 영혼이 있다는 개념은 마지막으로 NAACP(전미유색인지위향상위원회)의 공식 기관지인 "Crisis" 지의 편집장으로서 일하던 두보이스에게 20세기 초에 그 이미지('두 개의 서로 양립하지 않는 영혼')를 처음 사용했던 때만큼이나 중요했다. 인종적 자부심과 국가와의 일체감 사이에 있던 긴장은 1918년 7월 "Crisis" 지에 "간극을 좁히고 단결하자"라는 제목의 사설을 실었을 때 가장 극적으로 드러났다. 그 글에서 두보이스는 흑인들에게 1차 세계대전 동안에 "우리의 특별한 분노를 잊고, 백인들과 함께 민주주의를 위해서 싸우자"라고 주장했다. 흑인들에게 신랄한 비판을 받았지만, 두보이스는 두 달 후 자신의 주장을 거의 굽히지 않았는데, "우선 우리의 국가, 그런 다음에 우리의 권리가 필요하다"고 그의 독자들에게 주장했다. 아마도 편집장(두보이스)은 의도 이상으로 'forget'이란 단어를 많이 사용한 것 같다. 왜냐하면 그 전이나 후나 사설을 통해 인종주의에 대한 그의 비판은 전혀 줄어들지 않았기 때문이다. 하지만 그는 연합국과 독일의 야망을 구별했고 전자의 패배가 그가 충성하던 '세계 연합국'에 있어 비참한 일이라고 주장했다. 그런데도 두보이스는 흑인으로서 자신의 아름다움을 인정하지 않는 사람들에 의해 부정당하는 인종적 자긍심을 부정하는 것을 위험하다고 봤다. "Crisis" 지의 책무는 인종적 자긍심을 옹호하는 사람들과 인종들 사이의 차이를 부정하는 사람들 사이를 중재하는 것이다. 이러한 점에서 이 잡지의 노력의 핵심 포인트는 마커스 가비의 출현과 함께했다. 가비는 자메이카 태생의 뛰어난 흑인 지도자로, "아프리카로 돌아가자" 운동을 주도했는데, 두보이스에 따르면 이 운동은, "검은 피부는 그 자체로 고귀한 것이다."라는 전제에 기반을 두고 있다.

NOTE

Step 1	Survey
Key Words	Black American; Du Bois; race pride; identification with the nation
Signal Words	At the end of his years; when he had first used; July 1918; two months later; with the rise of
Step 2	Reading
Purpose	To describe Du Bois's stance regarding Black American's race pride and identification with the nation
Pattern of Organization	Not clear
Tone	Neutral
Main Idea	Du Bois was an advocate of seeking proper rights for Black Americans, but also saw the importance of protecting America from the threat of outside dictators.
Step 3	Summary
지문 요약하기 (Paraphrasing)	Du Bois, as an editor of *Crisis*, was an advocate of promoting racial pride for Black Americans, but also saw the importance of supporting America to defeat Germany in war. Criticized for first stating that Black people should "forget" their issues for the war, he later rephrased this to putting the war effort first while retaining pride, which was the focus of *Crisis*.
Step 4	Recite
	요약문 말로 설명하기

02

모범 답안 attention

채점 기준
- 2점: 모범답안과 같다.
- 0점: 모범답안과 다르다.

> **한글번역**
>
> 　유명한 철학자 윌리엄 제임스가 자발적 집중과 비자발적 집중 간의 차이를 주장했다. 우리가 교통량이 많은 교차로를 지날 때는 자발적이고 유도된 집중력의 한정된 비축량을 소모하는 중이다. 해결책은 어두운 방에 조용히 앉아있는 것이 아니다. 환경은 우리의 비자발적 집중, 곧 흥미(심취)를 작동시키기 위한 종류의 자극을 가져야 한다. 도시 환경은 분명 비자발적 집중(타임스퀘어에서 경적을 울리는)을 유도하지만, 더 중요한 자발적 집중을 요구하는 너무 엄격하고 독단적인 방식이다. 반면, 자연환경은 부드럽게 흥미를 유발하는 자극을 제공한다. 우리의 눈은 나뭇가지의 모양이나 물의 잔물결에 사로잡히고 마음이 뒤따른다.
>
> 　한 저명한 학자가 연구를 시행했다. 그는 지원자들을 수목원과 도시 중 한 곳에서 50분간 걷게 한 뒤, 그들에게 인지 평가를 줬다. 자연을 산책을 했던 사람들은 반대의 사람들보다 기억력과 집중력 테스트에서 약 20% 더 나은 수행을 했다. 비록 점수에 영향을 주진 않았지만, 그들은 또한 더 나은 분위기에 속한 경향이 있었다. 하지만 사람들이 이익을 얻기 위해 자연과의 상호작용을 꼭 해야 할 필요는 없다. 몇몇 산책은 6월에 진행된 반면 다른 것들은 1월에 진행됐다. 대부분의 사람은 혹독한 미시간의 겨울에 산책하는 것을 특별히 즐기진 않았지만, 그들의 점수는 여름에 시도한 것만큼 많이 상승했다. 당연하게도 유도된 집중력을 가장 많이 소모한 사람들이 가장 큰 이익을 얻는 것처럼 보인다. 일과를 마치고 자연에서 뛰노는 것은 아침에 하는 첫 번째 것보다 더 강력한 회복의 효과가 있고, 그 상승폭이 임상 우울증 진단을 받은 사람들 속에서는 다섯 배 더 크다.

NOTE

Step 1	**S**urvey
Key Words	(In)voluntary attention; natural environments; walks; cognitive assessment
Signal Words	Those who had…; However; Not surprisingly
Step 2	**R**eading
Purpose	To demonstrate the cognitive benefits of walking in nature
Pattern of Organization	Compare/contrast
Tone	Neutral
Main Idea	Walking in nature helps improve mood and cognition as natural environments elicit involuntary attention.
Step 3	**S**ummary
지문 요약하기 (Paraphrasing)	Walking in nature helps improve mood and cognition as natural environments elicit involuntary attention. Cities deplete one's voluntary attention, but the beneficial elicitation of one's involuntary attention is found in nature, even during unpleasant seasons.
Step 4	**R**ecite
	요약문 말로 설명하기

| 03 | 하위내용영역 일반영어 A형 기입형　　배점 2점　　예상정답률 50% | 본책 p.012 |

모범 답안 utility

채점 기준
- 2점 : 모범답안과 같다. usefulness, good으로 했어도 맞는 것으로 한다. 하지만 goodness는 답이 될 수 없다.
- 0점 : 모범답안과 다르다.

> **한글번역**
>
> 　　개인의 자유가 감소하는 현상은 계속될 가능성이 크다. 왜냐하면 그렇게 된 데는 두 가지 지속적인 원인이 있기 때문이다. 하나는 현대적인 기술이 사회를 좀 더 조직적으로 만든다는 것이고, 다른 하나는 오늘날 사회학이 제공하는 지식 덕분에 어떤 사람의 행위가 타인에게 유익하거나 유해하게 되는 인과의 법칙들을 사람들이 점점 더 많이 알아차리게 됐다는 것이다. 만일 미래의 과학 사회에서 어떤 특정한 형태의 개인적 자유를 정당화하고자 한다면, 그 논의는 대부분의 경우 해당 행위들이 그 행위자를 제외한 그 누구에게도 영향을 미치지 않는다는 근거가 아니라, 그런 형태의 자유가 사회 전체의 이익에 도움이 된다는 근거에서 출발해야만 할 것이다.
>
> 　　더는 옹호할 수 없어 보이는 전통적인 몇 가지 원칙들을 예로 들어보자. 내게 떠오르는 첫 번째 사례는 자본 투자에 관한 것이다. 오늘날에는 누구나 돈이 있으면 크게 간섭받지 않고 자기가 선택한 대로 그 돈을 투자할 수 있다. 이 자유는 최고의 수익을 보장하는 사업이 늘 사회적으로도 가장 유용하다는 근거에서 무간섭주의의 전성기 동안 옹호됐다. 오늘날 감히 그런 신조를 주장할 사람은 거의 없을 것이다. 그런데도 그 낡은 자유는 존속하고 있다. 과학 사회에서 자본은 가장 높은 수익을 올리는 곳이 아니라 사회적 유용성이 가장 큰 곳에 투자될 것이 분명하다. 수익률의 확보는 아주 부수적인 환경에 의존하는 경우가 흔하다.

NOTE

Step 1	**S**urvey
Key Words	Liberty; modern society; invest
Signal Words	On the one hand; The first example; At present
Step 2	**R**eading
Purpose	To show problems with the liberty to freely invest in modern society
Pattern of Organization	Not clear
Tone	Critical
Main Idea	There should be restrictions on the liberty to invest.
Step 3	**S**ummary
지문 요약하기 (Paraphrasing)	There should be restrictions on the liberty to invest. Though in the past this was seen as an acceptable liberty, the emphasis on profit in modern society can be harmful.
Step 4	**R**ecite
	요약문 말로 설명하기

04   하위내용영역 일반영어 A형 기입형   배점 2점   예상정답률 40%   본책 p.014

모범 답안   concordant

채점 기준
- 2점 : 모범답안과 같다. concordantly도 맞는 답으로 한다.
- 0점 : 모범답안과 다르다.

> **한글번역**
>
>   대마초는 유명한 기분 전환 약물이며, 그것의 법적 지위는 지속적인 논쟁의 대상이 돼왔다. 최근 연구에서, 데이비드 팔리아초 박사와 공저자들은 대마초 흡입이 뇌 용량과 연관이 있는지 밝히기 위해 쌍둥이/형제자매 그룹으로부터의 데이터를 분석했다. 어떤 중요한 차이가 선천적인/가족성의 혹은 인과관계의 요소에 기인하는지 밝히기 위해 쌍둥이/형제자매 간에서 뇌 용량을 비교했다. 241쌍의 쌍둥이/형제자매 중에서 89쌍이 대마초 노출에 불일치했고, 81쌍은 일치했으며 71쌍은 양쪽 다 대마초에 노출되지 않았다. 모든 482명의 연구 참가자 중, 대마초 노출이 더 작은 왼쪽 편도와 오른쪽 복부 선조 용량과 연관이 있었다. 용량 차이는 정상 변동 범주 내에 있었다.
>
>   하지만, 뇌 용량은 대마초 노출에 불일치한 형제자매 간에 차이가 없었다. 노출된 쪽과 노출되지 않은 쪽 모두 대마초에 노출되지 않은 쌍과 비교해서 더 작은 편도 부피를 보여줬다. "노출에 대해 단순한 지표(경험 있음 vs 전혀 없음)를 사용했을 때, 우리는 편도 부피에 대한 대마초 노출의 인과 영향을 보여주는 증거가 없음을 발견했다. 대마초와 관련된 다양한 수준의 신경 변화를 뒷받침하는 인과적 및 선천적 요인의 역할을 특정할 추후 연구는 약물 남용 정책과 방지 프로그램에 대한 목표를 제공해줄 것이다."라고 저자들은 결론지었다.

NOTE

Step 1	**S**urvey
Key Words	Cannabis; twin/sibling pairs; brain volumes
Signal Words	However; Both; the authors conclude
Step 2	**R**eading
Purpose	To outline results of a study on cannabis' effects on brain volumes
Pattern of Organization	Compare/contrast
Tone	Informative; neutral
Main Idea	A study on cannabis exposure on twin/sibling pairs shows no evidence for it changing brain volume.
Step 3	**S**ummary
지문 요약하기 (Paraphrasing)	A study on cannabis exposure on twin/sibling pairs shows no evidence for it changing brain volume.
Step 4	**R**ecite
	요약문 말로 설명하기

05 하위내용영역 일반영어 A형 기입형　배점 2점　예상정답률 40%　　본책 p.016

모범 답안　scientific technique

채점 기준
- 2점: 모범답안과 같다.
- 0점: 모범답안과 다르다.

> **한글번역**
>
> 　자유의 축소를 제안할 때에는 전혀 다른 두 가지 의문을 항상 고려해야 한다. 첫째는 만일 그러한 축소가 현명하게 수행된다면, 그것이 대중의 이익에 부합할 것인지 여부이다. 그리고 둘째는 만일 그러한 축소가 일정 정도의 무지와 몽니로 수행되더라도, 그것이 대중의 이익에 부합할 것인지의 여부이다. 이 두 가지 의문은 이론적으로 완전히 다르다. 그러나 정부의 관점에서라면 두 번째 의문은 존재하지 않는다. 왜냐하면 모든 정부는 자신들이 무지나 몽니와는 전혀 거리가 멀다고 믿기 때문이다. 결과적으로, 전통적인 선입관 때문에 제약을 받는 일만 없다면, 모든 정부는 현명하게 처리할 수 있는 수준 이상으로 자유를 더 많이 간섭화하고자 할 것이다. 따라서 어떤 식으로 자유를 간섭하는 것이 이론적으로 정당화될 수 있는지 고려하고 있을 때도, 너무 성급하게 그러한 간섭이 실제로 옹호돼야만 한다는 결론을 끌어내서는 안 된다. 그렇지만 나는 언젠가는 이론적인 정당화가 가능한 한 거의 모든 경우마다 자유의 간섭이 현실적으로 실행될 확률이 높다고 생각한다. 왜냐하면, 과학 기술은 정부를 점점 더 강하게 만들고 있어서 굳이 정부가 외부의 여론을 고려할 필요가 없기 때문이다. 그로 인해 앞으로 정부는 자기들 내부적인 견해 중에 개인의 자유를 간섭할 수 있는 좋은 이유가 있으면 언제든 그 일에 나서게 될 것이고, 방금 제시한 그 이유로 그런 간섭은 꼭 필요한 경우보다 훨씬 더 자주 일어나게 될 것이다. 이런 이유로 과학 기술은 세상을 정부의 독재로 이끌어갈 가능성이 높고, 그것은 곧이어 큰 폐해가 될 수도 있다.

NOTE

Step 1	Ⓢurvey
Key Words	Curtailment; liberty; governments; tyranny
Signal Words	First; When; therefore; The result of this; For this reason
Step 2	**Ⓡeading**
Purpose	To show the concerns with increased interference in liberties by governments
Pattern of Organization	Cause/effect; series
Tone	Alert; concerned
Main Idea	The allowance of government interference and improvement of scientific technique may lead to concerning government tyranny.
Step 3	**Ⓢummary**
지문 요약하기 (Paraphrasing)	The allowance of government interference and improvement of scientific technique may lead to concerning government tyranny.
Step 4	**Ⓡecite**
	요약문 말로 설명하기

06 하위내용영역 일반영어 A형 기입형　배점 2점　예상정답률 45%　　본책 p.018

모범 답안　ⓐ communication　ⓑ contact

채점 기준
- 2점: 모범답안과 같다.
- 1점: 둘 중 하나만 맞았다.
- 0점: 모범답안과 다르다.

> **한글번역**
>
> 　피진어와 크리올어는 의사소통을 위해 언어를 공유하지 않지만 피진어가 이 목적을 위해 선택된 이미 존재하는 언어 또는 방언으로서 출발하지 않는다는 점에서는 국가 및 국제 언어와는 다른 사람들의 필요에 따른 결과이다. 피진어는 오히려 두 언어의 특별한 조합이다.
> 　피진어는 공용어를 갖지 않은 사람들 사이에서 특정한 제한된 의사소통의 필요성을 충족하기 위해 생겨난 그리 중요치 않은 언어이다. 연락의 초기 단계에서, 의사소통은 종종 생각의 세밀한 교환이 요구되지 않고 한 언어로부터 거의 독점적으로 나온, 적은 어휘로 충족되는 거래로 제한된다. 피진어의 통사적 구조는 연락을 위한 언어의 구조보다 덜 복잡하고 덜 유연하다. 그래서 비록 많은 피진어의 특성이 연락을 위한 언어 용법을 명백히 반영하지만, 다른 특성들은 피진어 특유의 특성이다.
> 　크리올어는 피진어가 한 언어 공동체의 모국어가 될 때 생긴다. 피진어의 특성을 나타내는 단순한 구조는 크리올어에도 영향을 미치지만, 모국어로서 크리올어는 인간 경험의 모든 범위를 표현할 수 있어야 하기 때문에 어휘는 확장되고 종종 더 정교한 통사구조로 발전한다. 크리올어가 종종 '진짜' 언어로서 여겨지지 않고 결과적으로 열등한 것으로 간주되기 때문에 예를 들어 프랑스어나 영어가 둘 다 피진어의 결과일 수 있다는 점은 주목할 만하다. 첫 번째 경우엔 토종 갈리아족 사람들과 점령국 로마 사람들 사이의 접촉을 통해, 두 번째 경우엔 토종 앵글로색슨족과 잉글랜드의 동쪽 해안에 거주했던 데인족 사이의 접촉을 통해서이다.

NOTE

Step 1	**S**urvey
Key Words	Pidgin; creole; mother tongue
Signal Words	A pidgin is …; A creole arises when …; for example
Step 2	**R**eading
Purpose	To define the development and qualities of pidgins and creoles
Pattern of Organization	Definition; compare/contrast
Tone	Neutral
Main Idea	Pidgin is a marginal language based on an existing language and creole is an expanded result of a pidgin becomes the mother tongue of a speech community.
Step 3	**S**ummary
지문 요약하기 (Paraphrasing)	Pidgin is a marginal language based on an existing language and creole is an expanded result of a pidgin becoming the mother tongue of a speech community. Pidgin has a less complex and less flexible syntactic structure that reflect their source languages. Creole has an expanded lexicon but is often considered inferior, but it should be noted that French and English may have come from pidgins.
Step 4	**R**ecite
	요약문 말로 설명하기

07 하위내용영역 일반영어 A형 기입형　배점 2점　예상정답률 50%　　　본책 p.020

모범 답안　① energy　② jobs

채점 기준
- 2점: 모범답안과 같다.
- 1점: 둘 중 하나만 맞았다.
- 0점: 모범답안과 다르다.

> **한글번역**
>
> 　　전기는 빛처럼 초속 30만 킬로미터로 매우 빠르게 이동한다. 이것은 금속선을 통해 쉽게 흐른다. 특히 구리와 은은 매우 좋은 전도체이다. 전기는 또한 대부분의 물체를 통해 흐를 때 열을 생산한다. 이것은 많은 다른 기술들을 이용해 쉽게 통제되고 유용하게 된다. 전기는 많은 다른 종류의 에너지로 전환될 수 있기 때문에 매우 유용하다. 전기는 전구를 밝혀서 빛이나 심지어 열이 나는 코일을 이용해서 열로 전환될 수 있다. 그것은 운동 혹은 심지어 저장된 화학 에너지로 전환될 수 있다. 전기는 상품을 생산하거나 서비스를 공급하고 물체와 사람들을 운송하는 등 어느 곳에나 사용된다. 전기는 또한 상업, 농업, 의학, 통신, 연예, 그리고 다양한 다른 분야에서 사용된다. 전기 사용법의 확장은 꾸준히 개발되고 있다. 전기는 에너지를 공급해 줄 뿐 아니라 일거리도 제공한다. 총 510,595의 노동자들이 1990년 말 송전선 수리하기에서 전기 고객에 대한 정보제공, 새로운 발전소 건설과 같은 넓은 범위의 다양한 직업의 전기사업체에 의해 고용돼 있다.

NOTE

Step 1	Survey
Key Words	Electricity; useful; jobs
Signal Words	Also; not only...also
Step 2	**Reading**
Purpose	To explain the usefulness of electricity
Pattern of Organization	Series
Tone	Neutral
Main Idea	Electricity is very useful and helpful for human beings.
Step 3	**Summary**
지문 요약하기 (Paraphrasing)	Electricity is useful and helpful for human beings. Its use comes from being easily converted into many forms of energy and used in many technologies. Likewise, it creates many jobs.
Step 4	**Recite**
	요약문 말로 설명하기

08 하위내용영역 일반영어 A형 기입형　배점 2점　예상정답률 50%　　본책 p.022

모범 답안　poet

채점 기준
- 2점: 모범답안과 같다.
- 0점: 모범답안과 다르다.

> **한글번역**
>
> 　그것들 중 하나는 당신이 정말로 흥미로우면서도 해결 가능한, 그래서 그것을 해결하기 위해서 목성 탐험을 기다릴 필요가 없는, 그러면서도 중요한 문제를 찾아낼 수 있어야만 한다는 것이다. 그것들은 남극 대륙에 있거나 화성의 표면에 있는 것이 아니다. 그것들은 바로 우리 주위에 있다. 나는 바로 이 건물에서 블랙홀에 대한 놀라운 대화를 들었다. 드위넬(미국 버클리대학에 있는 건물 이름)에 있는 모든 강의실마다 수십억의 미세한 블랙홀이 있을지도 모른다. 이것은 창의적인 대화였다. 우리가 모르는 것이 바로 우리 주위에 있다는 것을 알 수 있다. 물고기가 세상을 연구하기 위해 나간다면 그것들이 결코 발견해 내지 못할 것은 바로 대양일 거라고 한때 누군가가 말했다. 왜냐하면 우리는 일상의 것에 너무 몰두해 있기 때문이다. 과학자들은 과학 종사자들과 매우 다르다. 사회가 '과학자'라고 부르는 대부분의 사람은 내가 '과학 종사자'라고 부르는 사람들이다. 과학자들은 시인과 매우 많이 비슷하다. 당신은 오후에 깨어 있는 상태로 누워서 당신의 최상의 작업을 한다. 당신은 꿈을 꾸고, 되는대로 생각을 하고, 당신이 이해하지 못하는 것에서 동기를 얻고, 다양한 곳에서 수집한 정보에서 약간 벗어나고, 아이디어를 얻는다. 그리고 이러한 아이디어는 시와 같다. 의사이기도 했던 존 키츠는 갑자기 아름다운 시 한 줄이 그의 머릿속에서 떠오르곤 했다. 나는 그것이 진정한 과학자들이 일하는 방식이라고 생각한다.

NOTE

Step 1	**S**urvey
Key Words	Scientists; poets
Signal Words	Like; what I call
Step 2	**R**eading
Purpose	To explain what makes a real scientist
Pattern of Organization	Definition
Tone	Subjective (persuasive)
Main Idea	A scientist must look closely at the world around him and be inspired to solve a problem which is right around us.
Step 3	**S**ummary
지문 요약하기 (Paraphrasing)	A scientist must look closely at the world around him and be inspired to solve a problem which is right around us. In this way they are like poets, inspiration comes out of chaos for them.
Step 4	**R**ecite
	요약문 말로 설명하기

09 하위내용영역 일반영어 A형 기입형　배점 2점　예상정답률 50%　　본책 p.024

모범 답안 succeed

채점 기준
- 2점: 모범답안과 같다.
- 0점: 모범답안과 다르다.

> **한글번역**
>
> 　20세기 초는 개인과 사회의 역할을 재정의하기 시작했던 사회의 급속한 산업화와 기술적인 변화의 시대로 특징된다. 막스 베버와 지그문트 프로이드는 이러한 관계의 중요성을 인식하고 사회와 개인의 힘의 균형이 하나의 특정한 방향이나 다른 쪽으로 치우치는지 알아내려고 노력했던 그 시대의 혁명적인 사상가였다. 점점 더 복잡해지고 제한되는 세상은 이 사상가들이 그들 스스로 사회가 너무 역동적인 세력이 돼서 개인이 다루기에 힘이 드는지를 질문하도록 만들었다. 즉, 사실상 인간을 조종하는 것이 사회인지 아닌지 말이다. 두 사상가가 비록 급진적으로 문화와 사회에 대한 다른 견해를 제공하더라도, 그들은 본질적으로 둘 다 똑같은 질문에 답하려고 노력했다. 개인이 사회를 통제하는가? 사회가 개인을 통제하는가?
>
> 　누군가 이 질문에 대해 의심하며 다음과 같이 반응할 수 있기 때문에, 이 논쟁의 타당성이 논의돼야 할지도 모른다. 확실히 우리는 스스로를 통제한다. 바로 이 순간 우리는 자신의 능력을 통제하지 않는가? 당신이 이 글을 읽거나 읽어야 하는 이 순간, 만일 이것이 어떤 즉각적이고 분명한 욕구를 만족시키지 못한다면 그것은 다른 목적을 성취하고 있는 것이다. 아마도 이 목표는 교육을 성취하는 것이지만 대체 왜 그러고 싶은가? 분명 우리는 학자적 자질을 계발하고 우리의 정신을 발달시키려고 하는 것이다. 하지만 그 궁극적 목표는 바로 사회에서 성공하는 것이다. 사회는 대부분의 경우 성공하기 위해 교육이 필요하다는 것을 우리에게 보여줬다. 따라서 우리는 이 질문—우리의 존재는 우리 자신의 욕망의 부산물인가 아니면 사회의 부산물인가?—을 탐색해야 할 것이다. 이러한 추론의 핵심은 우리가 즉각적으로 인식하지 못하는 것을 지적하는 것이다. 우리 자신의 자유 의지가 무엇을 하라고 하든 간에 우리는 현대 사회의 가치와 도덕에 영향을 받지 않을 수 없다.

NOTE

Step 1	Survey
Key Words	Individuals; society
Signal Words	Not clear
Step 2	**Reading**
Purpose	To explain the relationship between individuals and society
Pattern of Organization	Question/answer
Tone	Neutral
Main Idea	Individual is influenced by the value and morals of society.
Step 3	**Summary**
지문 요약하기 (Paraphrasing)	The fundamental question of whether individuals shape society or society controls individuals remains complex. While we believe we make independent choices, our decisions are heavily influenced by societal values and expectations, as seen in motivations for pursuing education.
Step 4	**Recite**
	요약문 말로 설명하기

10 하위내용영역 일반영어 A형 기입형   배점 2점   예상정답률 40%   본책 p.026

모범 답안 ⓐ physical fatigue   ⓑ nervous fatigue

채점 기준
- 2점: 모범답안과 같다.
- 1점: 둘 중 하나만 맞았다.
- 0점: 모범답안과 다르다.

어휘

atrocious 끔찍한
(go) so far as to (극단적으로, 또는 놀랍게도) ~하기 까지 하다
grave 심각한, 중요한
pronounced 현저한, 뚜렷한
stunted 발달을 저해 당한
unbearable 견딜 수 없는

brainworker 정신노동자
if anything 오히려
sound sleep 숙면
toil 노역, 고역

한글번역

　피로의 종류는 다양하고, 그중 일부는 다른 종류들보다 훨씬 더 심각하게 행복을 방해한다. 단순히 육체적 피로는 과도하지 않은 경우, 숙면과 왕성한 식욕으로 이어지고 휴가의 즐거움을 더욱 증진시켜주므로 오히려 행복의 원인이 되기도 한다. 그러나 피로의 정도가 과하다면 심각한 악마가 된다. 가장 발전된 농촌 사회의 여성을 제외한 농촌 여성은 과도한 고역으로 지쳐서 나이 서른에 늙는다. 산업 사회 초기의 아동들은 발달이 위축되고 어린 나이에 과로로 죽는 일이 빈번했다. 이런 현상은 산업주의가 시작된 중국과 일본에서는 여전히 일어나고 있고 미국 남부 지역에서도 어느 정도 발견된다. 일정 선을 넘은 육체적 노동은 끔찍한 고문이며 흔히 삶을 거의 견딜 수 없는 상태로 만들기까지 한다. 그러나 현대 사회의 가장 발전된 곳에서는 육체적 피로가 산업 환경의 발전을 통해 많이 축소돼 가고 있다. 현재 진보 사회에서 가장 심각한 종류의 피해는 정신적 피로이다. 정신적 피로는 이상하게도 부유한 사람들에게서 뚜렷이 나타나며, 임금 노동자들보다는 사업가와 정신노동자들이 많이 느낀다. 현대의 삶에서 정신적 피로에서 벗어나기는 매우 어렵다.

NOTE

Step 1	**S**urvey
Key Words	Physical fatigue; nervous fatigue
Signal Words	But; however; less...than
Step 2	**R**eading
Purpose	To describe the negative effects of excessive fatigue and its existence in the modern economic climate
Pattern of Organization	Comparison/contrast
Tone	Analytical
Main Idea	Fatigue takes on many forms in various economic zones, with some being much graver obstacles to happiness.
Step 3	**S**ummary
지문 요약하기 (Paraphrasing)	Fatigue comes in different forms. Physical fatigue, unless excessive, can actually promote happiness through better sleep and appreciation of leisure. However, excessive physical fatigue, historically seen in industrial workers and still present in developing regions, can be devastating. In modern advanced societies, nervous fatigue has become more prevalent, particularly among the wealthy and intellectuals, proving harder to escape than physical exhaustion.
Step 4	**R**ecite
	요약문 말로 설명하기

11

모범 답안 race to the bottom

채점 기준
- 2점: 모범답안과 같다.
- 0점: 모범답안과 다르다.

어휘

dictate 명령하다
dismantle 해체하다
labor pool 인력
race to the bottom 생산자들의 제품 생산 원가를 낮추려는 경쟁
regulatory 규정하는, 단속하는
required overtime pay 규정돼 있는 초과노동에 대한 수당
susceptible 영향을 받기 쉬운; 민감한

한글번역

가격을 낮추려는 경쟁은 국가와 국가 사이에 나타나고 있는 사회경제적인 개념이다. 국가와 국가 사이에 특정한 교역과 생산 영역에 있어 경쟁이 점점 더 치열해질 때, 국가들은 현재 존재하고 있는 규제를 허물 동기를 점점 더 많이 갖게 된다. 자유무역 쪽으로 향하는 전 세계적 추세에 따라 노동은 가격을 낮추려는 경쟁 모델로부터 많은 영향을 받고 있다. 전 세계적으로 이용 가능한 인력집단을 아주 풍부하게 가지고 있으며, 사실상 어떠한 규제도 받지 않고 자본을 이동할 수 있는 능력을 갖춘 다국적 기업들은 가장 알맞은 노동력을 쫓아서 국가들을 옮겨 다니며 활동할 수 있게 됐다. 이러한 사실은 특히 저개발 국가에서의 노동 관련법들에 영향을 주고 있다. 현실적으로 이러한 저개발 국가에서의 최저임금제나 제도상 규정된 초과 임금 수준은 가장 낮은 비용의 노동을 찾는 다국적 기업들에 커다란 장벽이 되고 있다. 가격을 낮추려는 경쟁은 점점 더 많은 나라들에, 특히 저개발 국가들에 대해, 그들의 노동 관련법들을 제거하도록 강제하고 있다.

NOTE

Step 1	Survey
Key Words	The race to the bottom; lowest-cost labor
Signal Words	Affects; therefore
Step 2	**Reading**
Purpose	To explain the effect of the race to the bottom as it occurs within the labor regulations of developing nations
Pattern of Organization	Cause/effect; definition
Tone	Critical
Main Idea	In the global economy, nations engage in a "race to the bottom" by progressively dismantling labor regulations and standards to attract multinational corporations seeking the cheapest possible labor.
Step 3	**Summary**
지문 요약하기 (Paraphrasing)	In the global economy, nations engage in a "race to the bottom" by progressively dismantling labor regulations and standards to attract multinational corporations seeking the cheapest possible labor. This competitive dynamic is driven by the ability of companies to freely move capital across borders and choose locations with the lowest labor costs.
Step 4	**Recite**
	요약문 말로 설명하기

12 하위내용영역 일반영어 A형 기입형　배점 2점　예상정답률 50%　　본책 p.030

모범 답안　① unpredictable　② chaotic

채점 기준
- 2점: 모범답안과 같다.
- 1점: 둘 중 하나만 맞았다.
- 0점: 모범답안과 다르다.

어휘

electron 전자
hard fact 냉정한 사실
quantum 양자
feature 모양, 특징
meteorologist 기상학자

한글번역

우리는 어떤 질서정연한 시스템의 초기 환경을 알면 그것에 대한 예측을 할 수 있다. 예를 들면, 뉴턴의 거시 세계에서는 초기 환경을 정확히 알면 어떤 특정한 시간 이후 행성이 어디에 있을 것이며, 발사한 로켓이 어느 곳에 착륙할 것인지, 그리고 일식 현상이 언제 일어날 것인지를 알 수 있다. 마찬가지로 양자 미시 세계에서는 전자가 원자 속의 어디쯤 있을 것인지, 그리고 방사성 입자가 주어진 시간 간격 동안에 붕괴할 확률이 얼마인지를 예측한다. 뉴턴과 양자의 질서정연한 시스템에서 예측 가능성의 정도는 초기 조건에 대한 지식에 의존한다. 그러나 뉴턴이든 양자든 간에 어떤 시스템은 질서정연하지 않으며 근본적으로 예측이 불가능하다. 이것은 '카오스 시스템'이라고 불린다. 물의 난류가 그 예이다. 나무가 하류로 떠내려갈 때 난류에 떠밀려 가는 나무 조각의 초기 조건을 아무리 정확하게 안다고 해도 나중에 하류의 어디에 있을 것인지를 예측하는 것은 불가능하다. 카오스 시스템의 특징 중 하나는 초기 환경의 작은 차이가 후에 매우 다른 결과를 유발한다는 점이다. 한때는 똑같은 두 개의 나무 조각이 나중에는 서로 엄청나게 멀리 떨어져 있게 된다. 날씨도 카오스적인 현상이다. 어느 날 날씨가 조금만 변화해도 일주일 후에는 엄청난(매우 예측하기 어려운) 변화를 가져올 수 있다. 기상학자들은 최선을 다하지만, 자연이 가진 카오스라는 냉정한 현실에 부딪히게 된다. 좋은 예측을 하기 위해 겪게 되는 이 장벽은 로렌츠라는 과학자가 이렇게 질문하게 했다. "브라질에서 나비가 날개를 퍼덕이면 텍사스에서 태풍이 일어나는가?" 오늘날 우리는 이 상황을 '나비 효과'라고 부르는데, 이것은 매우 작은 변화가 엄청나게 큰 결과를 가져오는 상황을 다룰 때 쓰는 말이다.

NOTE

Step 1	**S**urvey
Key Words	Orderly system; prediction; initial conditions; chaotic systems; unpredictable
Signal Words	For example; similarly
Step 2	**R**eading
Purpose	To define the butterfly effect and nature of scientific prediction
Pattern of Organization	Comparison/contrast; definition
Tone	Neutral
Main Idea	The predictability of any system fundamentally depends on whether it follows orderly patterns that can be calculated from initial conditions, or exhibits chaotic behavior where even tiny changes produce unpredictable results.
Step 3	**S**ummary
지문 요약하기 (Paraphrasing)	While the predictability of a system's behavior depends on both its initial conditions and whether it is orderly or inherently chaotic in nature, these systems fall into two distinct categories: orderly ones like Newtonian mechanics and quantum physics that allow accurate predictions when initial conditions are precisely known (enabling calculations of planetary orbits or electron positions), and chaotic ones such as turbulent water flow and weather patterns that remain unpredictable even with perfect knowledge of initial conditions —a phenomenon best illustrated by the "butterfly effect," where minute initial changes cascade into vastly different outcomes.
Step 4	**R**ecite
	요약문 말로 설명하기

13 하위내용영역 일반영어 A형 기입형 배점 2점 예상정답률 45% 본책 p.032

모범 답안 ① interest ② observation

채점 기준
- 2점: 모범답안과 같다.
- 1점: 둘 중 하나만 맞았다.
- 0점: 모범답안과 다르다.

어휘

be observant of 관찰력이 있는　　　　　divert (주의를) 딴 데로 돌리게 하다
have no effect on ~에 영향이 없다; 효과가 없다

한글번역

　　관찰은 흥미와 지식에 의존한다. 만약 세 명의 친구―한 사람은 건축가, 또 한 사람은 식물학자, 나머지 한 사람은 주식중개인―가 해외여행을 떠난다면, 건축가는 그의 친구들보다는 주택의 모양이나 다른 건물들에 보다 많이 주목할 것이다. 왜냐하면 그는 특별히 그것들에 흥미를 느끼고 있기 때문이다. 식물학자는 그의 친구들보다 좀 더 그 나라의 꽃들과 나무들을 주시할 것이다. 그리고 이 사람은 실제로 보다 세밀한 부분도 보게 될 것이다. 왜냐하면 이 사람은 무엇을 봐야 하는지를 알기 때문이다. 관찰은 지식에 의해 인도되고 흥미에 의해 촉진된다. 하지만, 우리는 식물을 관찰하는 훈련을 받은 식물학자나 건물들을 예민하게 관찰하는 건축가가 주식중개인보다 외국에서 만나는 사람들의 얼굴 또는 그들이 외국에서 만나는 여성들이 입은 옷을 보다 더 잘 관찰할 것이라고는 생각하지 않는다. 이들의 관심은 아마도 그들이 특별히 흥미를 느끼고 있는 대상에 의해 분산될 것이다. 그래서 라틴어 단어 끝부분의 다양한 형태 변화를 조심스럽게 관찰하는 훈련이 된 것이나 실험을 할 때 화학물질의 변화에 대하여 조심스럽게 관찰하는 훈련이 된 것이 그림의 관찰이나 별의 운동에 대한 관찰에는 아무런 도움도 주지 못한다.

NOTE

Step 1	Survey
Key Words	Observation; interest; knowledge
Signal Words	None
Step 2	**Reading**
Purpose	To explain how one's knowledge and expertise direct and distract observation
Pattern of Organization	Not clear
Tone	Neutral
Main Idea	Observation is influenced by a person's background and knowledge.
Step 3	**Summary**
지문 요약하기 (Paraphrasing)	Observation is influenced by a person's background and knowledge. Different backgrounds can influence observation when shown the given matter of expertise, such as a botanist being drawn to flowers in the countryside or an architect to houses.
Step 4	**Recite**

요약문 말로 설명하기

14 하위내용영역 일반영어 A형 기입형　배점 2점　예상정답률 50%　　본책 p.034

모범 답안　① ecological　② sustainable

채점 기준
- 2점: 모범답안과 같다.
- 1점: 둘 중 하나만 맞았다.
- 0점: 모범답안과 다르다.

어휘

accountable 책임이 있는　　　　　　　　　biodiversity 생물의 다양성
meet the needs of ~의 요구를 충족시키다　 practice 지금 행해지고 있는 일, 관례
renewable 재활용할 수 있는　　　　　　　 replenish 다시 채우다, 보충하다, 공급하다

한글번역

　'지속 가능성'이란 개념은 지구상에 존재하는 모든 삶의 측면에 적용되지만, 특히 생태적, 사회적, 그리고 경제적 맥락에서 일반적으로 정의되고 있다. 과잉 인구, 교육의 결핍, 불충분한 금전적 환경, 그리고 과거 세대의 행위 등의 요인에 의해 지속 가능성이란 개념을 달성하는 것이 힘들 수 있다. 생태적인 맥락에서 보면, 지속 가능성이란 생태계가 생태적 과정, 기능, 생물의 다양성, 그리고 생산성을 미래에도 유지할 수 있는 능력을 의미한다. 사회적인 맥락에서 보면, 지속 가능성이란 미래 세대들이 그들이 원하는 것을 충족할 수 있는 능력을 위태롭게 하지 않으면서 우리가 현재의 필요를 충족시키는 것으로 표현된다. 경제적인 맥락에서 보면, 기업이 재활용할 수 있는 자원을 사용하기 위해 생산 활동을 적응시키며 자신의 생산 활동이 환경에 미치는 영향에 대해 책임을 느낄 때 그 기업은 지속 가능한 것이라 할 수 있다. 지속 가능하기 위해서, (상이한) 맥락에 상관없이, 우리는 지구의 자원을 그 자원이 다시 채워지는 속도만큼 사용해야 한다. 지금 인류가 지속 가능하지 않게 생활하고 있다는 명백한 증거가 있다. 따라서 인간은 자연자원을 지속 가능성이란 한계 내에서 사용하도록 노력해야 한다.

NOTE

Step 1	Survey
Key Words	Sustainability
Signal Words	Defined; is defined as; is expressed as
Step 2	**Reading**
Purpose	To outline the meaning of sustainability in the contexts of ecology, society, and economy
Pattern of Organization	Definition; series
Tone	Neutral
Main Idea	Sustainability is defined differently in the contexts of ecology, society, and economy and problematically lacking from the current ways of human living.
Step 3	**Summary**
지문 요약하기 (Paraphrasing)	Sustainability is defined differently in the contexts of ecology, society, and economy and problematically lacking from the current way of human living, causing a drain on human resources faster than they can be replenished.
Step 4	**Recite**
	요약문 말로 설명하기

15 하위내용영역 일반영어 A형 기입형   배점 2점   예상정답률 40%   본책 p.036

모범 답안   ① regularity   ② time-consciousness

채점 기준
- 2점: 모범답안과 같다.
- 1점: 둘 중 하나만 맞았다.
- 0점: 모범답안과 다르다.

어휘

elements 비바람; 폭풍우
manipulate 교묘하게 다루다, 조작해 속이다
monastery 수도원
knocker-up 잠 깨는 사람
yield to ~에 굴복하다

factory whistle 공장의 경적
Methodist 감리교 신자
monotony 단조로움
tick 째깍째깍 소리

한글번역

    초기 공장에서는 고용주가 시계를 조작하거나 다른 시각에 휘슬을 불기도 했었는데, 이는 노동자들을 속여 이 새로운 귀중품(시간)을 빼앗으려는 것이었다. 후에 이런 관행은 줄었지만, 시계의 영향은 이전에 수도원에서만 알려져 왔던 사람들의 삶에 규칙성을 강요했다. 실제로 사람들은 자연 존재로서의 삶의 리듬감과는 아무 유사성이 없는 반복적인 규칙성대로 행동하는 시계처럼 돼버렸다. 그들은 빅토리아 시대의 인용구처럼 '시계같이 규칙적인 것'이 돼버렸다. 동물과 식물 그리고 비바람의 자연스러운 삶이 존재하던 시골에서만은 인구의 대부분이 치명적인 단조로움에 빠져 버리는 것을 피할 수 있었다.
    처음에는 시간에 대한 태도 즉, 삶의 규칙성에 대한 이 새로운 태도는 시계를 가진 주인으로부터 따르고 싶지 않은 가난한 이들에게 강요됐다. 공장의 노예는 19세기 초 산업혁명기의 슬럼을 특징짓는 혼란스러운 불규칙한 삶으로 자신의 쉬는 시간을 보냄으로써 이에 대응했다. 사람들은 술이나 감리교적 영감이라는 영원의 세계로 달아나버렸다. 하지만 규칙성이라는 개념은 하위층과 노동자들에게 점점 확산됐다. 19세기 종교와 도덕은 시간을 허비하는 것이 죄라고 주장함으로써 자신의 역할을 다했다. 1850년대 대량생산된 시계의 도입은 잠을 깨우기 위해 문을 두드리는 사람이나 공장 휘슬의 자극에 반응해오던 사람들 사이에 시간개념을 확산시켰다. 교회나 학교, 사무실이나 작업장에서 제시간을 지키는 것은 최고의 미덕으로 자리하게 됐다.

NOTE

Step 1	**S**urvey
Key Words	Clocks; commodity; regularity; time-consiousness
Signal Words	In the early; later; previously; At first; But gradually; Nineteen-century; in the 1850s; previously
Step 2	**R**eading
Purpose	To show the way in which the increased awareness of time changed labor and social perspectives
Pattern of Organization	Time order; cause/effect
Tone	Critical
Main Idea	The introduction of regularity of time caused major changes in the workplace, the slums and other major institutes.
Step 3	**S**ummary
지문 요약하기 (Paraphrasing)	The introduction of regularity of time caused major changes in the workplace, the slums and other major institutes. In the industrial workplaces, clocks imposed regularity on workers, who reacted by living with a chaotic irregularity. Gradually, the idea of time-consciousness, which came to be valued as morality, spread among workers.
Step 4	**R**ecite
	요약문 말로 설명하기

16 하위내용영역 일반영어 A형 기입형　배점 2점　예상정답률 60%　　본책 p.038

모범 답안 entrance exams

채점 기준
- 2점: 모범답안과 같다.
- 0점: 모범답안과 다르다.

어휘

commitment to ~에 대한 헌신; 충실도
for years 오랫동안
postsecondary 중등과정 이후(대학과정)
detractor 공격자, 비평자, 반대자
overly 과도하게
prominence 두드러짐, 돌출, (다른 것보다) 중요함

한글번역

　　1920년대 후반부터 표준화 입학시험은 대학입학 과정에서 중요한 역할을 했고, 그 중요성은 지난 몇십 년간 증가했다. 그러나 이 시험의 중요성은 대학에서의 성공을 결정하는 데 있어서 공정성과 효율성의 문제에 대한 논쟁과 함께해 왔다. 대학 입학시험, 특히 SAT는 오랫동안 비판의 대상이 돼 왔다. 비판하는 사람들은 이 시험이 소수자들, 여성 그리고 저소득층 학생들에게 공평하지 않고, 부당하게 학생들을 선별한다고 말한다. 또한 지나치게 경쟁적인 입학 과정에도 영향을 미친다고 본다. 게다가 학생들은 입학과 장학금을 위해 점수를 올려야 하는 부담에 시달린다. 선생님들은 학생들이 좋은 점수를 받도록 도와야 하는 부담을 받는다. 대학들은 자신들의 등수와 재정모금 실적을 올리기 위해 높은 점수의 학생들을 받아야 하는 부담이 생긴다. 반대자들은 대학입학에서 입학시험이 너무 많은 비중을 차지하고 있다고 오랫동안 주장해 왔다. 그들의 의견에 따르면 이 시험은 학생들의 재능 정도와 고등 교육기관에서의 성공에 대한 그들의 충실도를 측정할 수 없다고 한다.

NOTE

Step 1	**S**urvey
Key Words	Standardized entrance exams; fairness; effectiveness
Signal Words	In particular; Furthermore; and
Step 2	**R**eading
Purpose	To criticize standardized entrance exams
Pattern of Organization	Series
Tone	Critical
Main Idea	College entrance exams are criticized as being an unfair and ineffective tool for identifying students who will be successful in college.
Step 3	**S**ummary
지문 요약하기 (Paraphrasing)	College entrance exams are criticized as being an unfair and ineffective tool for identifying students who will be successful in college. They are biased against social minorities and create undue pressure on students, teachers, and admitting universities. Also, the exams do not prove student potentiality to perform well in college.
Step 4	**R**ecite
	요약문 말로 설명하기

17 하위내용영역 일반영어 A형 기입형　배점 2점　예상정답률 55%　　본책 p.040

모범 답안　① public accomplishment　② men

채점 기준
- 2점: 모범답안과 같다.
- 1점: 둘 중 하나만 맞았다.
- 0점: 모범답안과 다르다.

어휘

be engaged in ~에 종사하다　　　　　　　　bearing and rearing 아기를 임신하기와 기르기
public gathering for power 권력을 쥐기 위한 공적 모임

한글번역

　　인류의 역사를 살펴볼 때, 남성들은 사회적 삶—가령, 돈과 음식을 구하기 위해 노동하는 것, 권력을 가지기 위해 단체를 만드는 것—에 일반적으로 종사해 왔다. 이에 따라 남성들은 공적인 성취와 인정을 추구해 왔다. 한편, 여성들은 임신하고 자식을 기르는 과정에서 그들의 행복을 찾아왔다. 여성들의 관점에 있어서 공적인 성취는 남성을 결혼 배우자나 미래 자식의 아버지로서 매력적이며 탐나는 배우자감으로 만들어 준다. 하지만 남성들에게 있어서 (여성의) 공적인 성취라는 조건은 정반대의 의미가 있다. 여성이 사회적으로 더 성공하려고 하면 할수록, 남성에게 있어 이 여성은 덜 매력적이며 덜 탐나는 배우자로 보인다. 이러한 성적 편견은 특히 현대사회에 있어 경제적, 기술적 발전이라는 관점에서 볼 때, 타당한 근거를 가지고 있지 않다. 더욱 많은 여성들이 자녀 양육보다는 직업을 갖는 것을 더 선호하며, 더욱 많은 남성들이 직업을 갖지 않고 집에 정주해 가사를 돌보고 있다는 사실이 이를 잘 보여주고 있다.

NOTE

Step 1	Survey
Key Words	Men; women; gender role; social accomplishment
Signal Words	On the other hand; In women's view; but for men; this gender bias; however
Step 2	**Reading**
Purpose	To show how shifts in gender bias have occured
Pattern of Organization	Comparison/contrast
Tone	Neutral
Main Idea	Traditional gender roles and their impact on perceived desirability are being challenged.
Step 3	**Summary**
지문 요약하기 (Paraphrasing)	Traditional gender roles and their impact on perceived desirability are being challenged by modern societal changes and evolving preferences in both men and women. In the past, men sought after accomplishment and women to raise children well. However, this distinction is not as clear as more women take jobs and men opt for household responsibilities.
Step 4	**Recite**
	요약문 말로 설명하기

18 하위내용영역 일반영어 A형 기입형   배점 2점   예상정답률 30%   본책 p.042

모범 답안 ① power   ② sea fish

채점 기준
- 2점: 모범답안과 같다.
- 1점: 둘 중 하나만 맞았다.
- 0점: 모범답안과 다르다.

어휘

abbey 수도원, 수녀원
basketwork 바구니 세공품
fast 금식, 단식
fish weir 어살
ford (강바닥이 얕은) 여울
ironworks 제철소, 대장간, 철공소
mill 공장, 방앗간
shire 주(州) (지금은 Hampshire, Yorkshire 같은 영국의 일부 주 이름에 쓰임)
stake 말뚝
vein 혈액

angler 낚시꾼
body politic 정치체
fish pond 양어장
fishering 어장
fulling : cleansing and thickening
lorry 대형트럭(화물차)
reaches 지역(강의 하류, 상류 등)
unimpeded 가로막는 것이 없는, 방해받지 않는
weir 둑(강물의 흐름을 돌리기 위해 낮게 막은 것)

한글번역

　　중세의 강은 경제와 정치의 혈맥이었다. 국가와 주 간의 경계로서 강은 마을의 자리가 된 여울과 종종 전쟁터가 되는 다리들을 가로질렀다. 그 시대의 사람들은 강에서 음식과 동력, 운송수단을 구했다. 현대에는 바다에서 물고기를 잡아서 철도나 무게차로 실어 온다. 낚시꾼들만이 민물고기들을 중요하게 생각하며 오염된 강물은 낚시꾼들을 점점 더 적은 숫자의 장소로만 가게 만든다. 그러나 옛날에 바닷고기는 바닷가 사람들만 먹고 고기는 일 년의 특정 기간에만 얻을 수 있었을 때, 그리고 금식이 자주 보편적으로 실행되던 시절에 민물고기는 국가 생활에 중요한 부분이었다. 모든 대수도원이나 유력자의 집에는 양어장이 있었고 크고 작은 강들을 가로질러 말뚝과 그물, 바구니 등으로 만든 어살(고기를 잡는 작은 댐)이 늘어져 있었다. 어장 주인들과 장애물 없는 항로를 원하는 바지선 주인들 사이에는 끊임없는 전쟁이 있었고 이는 금식의 보편성이 적어지고, 일 년 내내 육고기를 접할 수 있고, 바닷고기를 내지로 실어 나르는 것이 가능해지면서 민물고기의 중요성이 감소할 때까지 계속됐다. 강은 또한 가장 중요한 동력의 원천이었다. 모든 강의 흐름에 방아가 돌아갔는데, 곡물을 찧기 위해서만이 아니라 옷을 풀링하거나 대장간의 망치를 움직이는 것 같은 모든 종류의 산업 과정에서 사용됐다. 물머리가 닿을 곳의 둑방에는 어디든지 설치된 이 방앗간들은 마을을 지나가는 작은 물살에서 또는 항해하는 더 큰 강에서도 발견됐다.

NOTE

Step 1	Survey
Key Words	In medieval times; rivers; food; power
Signal Words	When; when; when; as; as; also; also
Step 2	**Reading**
Purpose	To outline the importance of river for providing food and economic advantage
Pattern of Organization	Series
Tone	Neutral; informative
Main Idea	Rivers was of importance for food and power in medieval time.
Step 3	**Summary**
지문 요약하기 (Paraphrasing)	Rivers was important for food and power in medieval time. Fishing used to be more important and reliant on freshwater rivers. Likewise, rivers provide power for mills which supported making food and industrial processes.
Step 4	**Recite**
	요약문 말로 설명하기

19 하위내용영역 일반영어 A형 기입형   배점 2점   예상정답률 45%   본책 p.044

모범 답안 complex

채점 기준
- 2점: 모범답안과 같다.
- 0점: 모범답안과 다르다.

> **한글번역**
>
> 　새로운 연구는 일벌이 될 운명을 가진 꿀벌 유충이 로열 젤리를 먹는 것에서 꿀과 비브레드(일종의 가공된 꽃가루)를 포함한 젤리의 식단으로 바뀔 때, 광범위한 발달적 변화가 발생함을 보여준다.
> 　비브레드와 꿀은 p-쿠마린산을 포함하지만, 로열 젤리는 그렇지 않다. 여왕벌들은 독점적으로 로열 젤리를 먹고 산다. 보모로 알려진 일벌들은 벌집의 필요에 따라 유충들을 먹인다. 실험을 통해 p-쿠마린산을 섭취하는 것이 꿀벌 유충을 로열 젤리만을 먹은 유충들과는 다른 발전적 경로로 밀어 넣는다는 것이 밝혀졌다. 꿀벌 게놈의 약 3분의 1 정도 되는 어떤 유전자들은 상향 조정되고, 다른 3분의 1은 하향 조정되면서 질병과 싸우거나 벌의 번식 부분을 발전시키는 데 도움이 되는 사용 가능한 단백질의 구조를 바꾼다.
> 　비브레드와 꿀 속에 만연한 식물 화학적인 p-쿠마린산을 섭취하는 것은 계급 결정과 관련된 전체 유전자의 발현을 변경한다. 다년간, 사람들은 로열 젤리 속의 어떤 성분이 여왕벌 진화를 이끌어 가는지 궁금해 왔지만, 더 중요할지도 모르는 것은 로열 젤리 속에 들어있지 않는 것, 발전을 방해할 수 있는 식물 화학물이다.
> 　이전의 분자 연구들이 천연 및 합성 화학물질에 곤충이 노출되는 것과 관련 있는 유전자 변형 기록의 단순한 스냅사진을 제공했지만, 이 연구에 사용된 유전체학 접근법은 식물과 곤충 사이의 상호작용 간에 발생하는 생화학적이고 생리학적인 과정에 상당히 더 복잡한 관점을 제공한다.

NOTE

Step 1	Survey
Key Words	Honey bees; royal jelly; developmental changes; p-coumaric acid
Signal Words	Experiments revealed; Some genes; For years; but what might be more important
Step 2	**Reading**
Purpose	To show how bee development is influenced by plant chemicals
Pattern of Organization	Series
Tone	Informative; neutral
Main Idea	A new study shows that the plant chemical p-coumaric acid influences honey bee larvae to grow into workers when they are fed it.
Step 3	**Summary**
지문 요약하기 (Paraphrasing)	A new study shows that the plant chemical p-coumaric acid influences honey bee larvae to grow into workers when they are fed it. While larvae feed exclusively on royal jelly, which does not have the chemical, become queens, those fed the chemical have significantly different genetic reactions leading them to develop into workers. This new study show a more complicated perspective on plant-insect interactions.
Step 4	**Recite**
	요약문 말로 설명하기

20

모범 답안 marvelous

채점 기준
- 2점: 모범답안과 같다.
- 0점: 모범답안과 다르다.

> **한글번역**
>
> 그릇된 믿음의 근원은 자존심 말고도 여러 가지가 있다. 그중 하나는 경이로움에 대한 사랑이다. 나는 한때 과학적 사고방식을 가진 마술사와 알고 지낸 적이 있는데, 그는 관객 몇 명 앞에서 마술을 펼친 다음 그들 한 명 한 명에게 지금까지 무엇을 보았는지 적어 보도록 시키곤 했다. 관객들은 십중 팔구 실제 본 것보다 훨씬 더 놀라운 광경을 적어 냈고, 대개는 어떤 마술사도 도달할 수 없는 기술들 이었다. 그러면서도 그들은 모두 자기 눈으로 본 것을 사실 그대로 적었다고 생각했다. 이런 식의 침소봉대는 소문과 관련해 더욱 사실적으로 나타난다. A가 B에게 간밤에 유명한 금주운동가 아무개 씨의 취한 모습을 봤다고 이야기한다. B는 C에게 그 선량한 아무개 씨가 만취해 갈지자로 걷는 모습을 A가 봤노라 얘기하고, C가 다시 D에게 아무개 씨가 인사불성이 돼 개천에서 건져졌다고 전하면, D는 E에게 가서 아무개 씨가 매일 밤 만취할 때까지 마시는 것은 유명한 얘기라고 전한다. 사실 여기에는 또 하나의 동기가 개입하는데, 다름 아닌 악의이다. 우리는 곧잘 이웃을 나쁘게 생각하며, 아주 사소한 증거만 가지고도 기꺼이 최악의 평판을 믿으려 한다. 그러나 이 같은 동기가 없는 사람들조차도 신기한 것을 보면 그것이 굳건한 선입관을 거스르지 않는 한 덜컥 믿어 버리곤 한다. 18세기 이전의 모든 역사는 불가사의와 기적으로 가득하지만, 현대 역사학자들은 그것들을 무시한다. 이는 그러한 것들의 증거가 역사학에서 인정하는 사실들보다 빈약하기 때문이 아니라, 지식인의 현대적 취향이 과학적으로 가능한 일들을 더 선호하기 때문이다.

> **NOTE**

Step 1	Survey
Key Words	False belief; love of the marvelous; rumors; malice
Signal Words	One of these; another motive comes in…; All history until
Step 2	**Reading**
Purpose	To outline several sources of false belief
Pattern of Organization	Series
Tone	Informative
Main Idea	False belief resulting from love of the marvelous skews history in ways that modern historians disregard.
Step 3	**Summary**
지문 요약하기 (Paraphrasing)	False belief resulting from love of the marvelous skews history in ways that modern historians disregard. Other sources of false belief include self-importance, rumors, and malice.
Step 4	**Recite**
	요약문 말로 설명하기

21 하위내용영역 일반영어 A형 기입형　배점 2점　예상정답률 60%　　본책 p.048

모범 답안 subordinate

채점 기준
- 2점: 모범답안과 같다.
- 0점: 모범답안과 다르다.

어휘

bond 결속, 유대　　　　　　　　　　　cornerstone 초석
hierarchical 계급 제도의　　　　　　　thread 실, 섬유

한글번역

　소녀들과 마찬가지로 여성들에 있어 친밀함은 관계로 짜인 천이고, 대화는 그 천을 짜는 실이다. 어린 소녀들은 비밀을 교환하면서 우정을 쌓고 유지한다. 이와 유사하게, 여성들도 대화를 우정의 디딤돌로 여긴다. 그래서 여성은 남편에게 새롭고 향상된 버전의 가장 친한 친구가 돼주기를 기대한다. 중요한 것은 논의되는 각 주제가 아니라 친밀감과 생활을 공유한다는 느낌인데, 이러한 감정은 자기 생각과 감정 그리고 감상을 말할 때 나타난다. 소년들 사이의 유대감은 소녀들과의 그것처럼 강렬할 수는 있으나, 대화보다는 무언가를 함께 하는 것에 더 근간한다. 소년들은 대화라는 것을 관계를 묶어 주는 기제로 여기지 않기 때문에, 남자들은 여성들이 어떤 종류의 대화를 원하는지 모를뿐더러 대화가 없어도 섭섭하게 생각하지 않는다. 소년 집단은 더 크고, 포괄적이며 조직적인 까닭에 집단에서 낮은 위치를 피하려고 분투해야만 한다. 이것이 남성들이 귀 기울여주지 않는 데 대한 여성들의 불만을 초래하는 역할을 할지도 모른다. 어떤 남성은 정말로 듣는 것을 싫어한다. 들어주는 이는 곧 아이가 어른의 말을 듣고 혹은 부하직원이 상사의 말을 경청하는 것처럼, 자신이 낮아진 것처럼 느껴지기 때문이다.

NOTE

Step 1	**S**urvey
Key Words	Girls; intimacy; boys; talk
Signal Words	Less; more; but
Step 2	**R**eading
Purpose	To show the differing ways talk is used and viewed by men and women
Pattern of Organization	Comparison/contrast
Tone	Neutral
Main Idea	Men and women view talk and listening differently, with men being slightly less likely to be interested in talking or listening.
Step 3	**S**ummary
지문 요약하기 (Paraphrasing)	Men and women view talk and listening differently, with men being slightly less likely to be interested in talking or listening, due to the worry of sacrificing position in a perceived social hierarchy.
Step 4	**R**ecite

요약문 말로 설명하기

22

모범 답안 biology

채점 기준
- 2점: 모범답안과 같다.
- 0점: 모범답안과 다르다.

어휘

ambivalent ~에 대해 상반되는 감정을 가진
DNA-based biology DNA에 근거를 두고 있는 생물학
double-edged sword 양날의 칼날
fabric 기본구조, 원단
fraction 부분
hold ~ in check ~을 억제하다
life science 생명과학
revere 존경하다
turn-of-the-century 세기전환기
yeast 효모
by then ~그때까지는, 그런 후
double-helical 이중 나선의
fall into the hands of ~의 수중에 들어가다
frenzy 열광
incorporate 흡수하다
range from A to B A에서 B까지 포함하다
science's totem pole 과학이라는 계급제
verify 진실임을 확인하다
zip 활기차게 나아가는 소리, 활기

한글번역

오늘날 DNA에 기반을 두고 있는 생물학은 활기가 넘친다. 매년 생물학은 생명과학에서 점점 더 많은 분야를 흡수해 그 연구범위가 박테리아나 효모 같은 단세포 생물에서 인간의 뇌 같은 복잡한 것까지 이르고 있다. 이 모든 열광은 내가 처음 유전학 세계에 입문했을 당시에는 상상할 수 없는 것이었다. 1948년에 생물학은 과학의 말단에 있었으며, 전적으로 매우 기술적인 학문이었다. 그 당시에는 물리학이 과학의 가장 높은 위치를 차지하고 있었다. 그 당시, 물질과 에너지의 상호변환에 관한 아인슈타인의 세기 전환기의 아이디어는 원자력이라는 변화된 결과를 낳았다. 만약 억제되지 않는다면, 인간이 만든 무기가 문명화된 인간사회 체제 자체를 파괴할 수도 있었다. 그 때문에 1940년대 후반의 물리학자들은 한편으론 사회에 적합한 원자(력)를 만든 것으로 칭송받는 동시에, 한편으론 만약 그들의 장난감(핵무기)이 악의 수중에 들어갈 경우 초래될 수 있는 위험 때문에 두려움의 대상이 됐다. 이러한 상반된 감정이 지금 생물학에 대해 널리 퍼져있다. 초기에 그 자체의 지적 측면에서의 단순성 때문에 널리 칭송을 받았던 DNA의 이중 나선 구조는 오늘날에는 많은 이들에게 악하게도 혹은 선하게도 사용될 수 있는 양날의 칼로 받아들여진다.

NOTE

Step 1	Survey
Key Words	DNA-based technology; genetics; nuclear weapons
Signal Words	Today; in 1998; By then; now
Step 2	Reading
Purpose	To warn the possible dangers of DNA-based biology
Pattern of Organization	Not clear
Tone	Cautious
Main Idea	The integration of genetics into technology is increasing, so more than ever the possible benefits and drawbacks are more obvious.
Step 3	Summary
지문 요약하기 (Paraphrasing)	The integration of genetics into technology is increasing, originally, genetics were not thought of in this way. So, more than ever now the possible benefits and drawbacks with the technology are clear.
Step 4	Recite
	요약문 말로 설명하기

23 하위내용영역 일반영어 A형 기입형 배점 2점 예상정답률 50% 본책 p.052

모범 답안 truth

채점 기준
- 2점: 모범답안과 같다.
- 0점: 모범답안과 다르다.

어휘

all along 줄곧, 내내
be aware of ~을 알아채다, ~을 알다
mount 오르다, 늘다, 상승하다
nothing ~ until ~해서야 비로소 ~하다

bandit 강도
brilliant 빛나는, 훌륭한, 재기가 뛰어난
mounting 점점 증가하는
rage 맹렬하다, 격노하다

한글번역

오랫동안 비평가들은 고대 그리스 비극 "오이디푸스 왕"에 대해 논쟁해 왔다. 어떤 이들은 오이디푸스가 자기 아버지를 살해했다는 것이 드러나는 연극의 결말에 이를 때까지 자신의 죄를 전혀 알지 못했다고 주장해 왔다. 다른 이들은 오이디푸스가 처음부터 자신의 죄를 인지하고 있다고 주장해 왔다. 이러한 관점에서 보면, 수수께끼를 똑똑하게 풀어낸 오이디푸스가 자신이 왕의 살해자였다는 것이 가중되는 증거를 무시하는 것이 가능할 수 없다. 이러한 논쟁이 어떻게 혹은 왜 그렇게 오랫동안 맹렬했는지 신비한 일이다. 정확한 해석은 너무나 분명하다. 오이디푸스는 처음부터 자신이 유죄라는 것을 알고 있다. 그는 단지 진실을 모르는 척 할 따름이다. 예를 들어 한 하인이 왕의 살인에 대해 이야기를 할 때, 그는 '노상강도들'이란 단어를 사용한다. 하지만 오이디푸스가 이 이야기를 반복할 때, 그는 단수 형태인 '노상강도'를 사용한다. 소포클레스는 연극 내내 이와 같은 단서를 제공하고 있다. 그러므로 왜 사람들이 오이디푸스가 그의 범죄에 대한 진실을 모른다고 생각하는지 그 이유를 이해할 수가 없다.

NOTE

Step 1	Survey
Key Words	*Oedipus Rex*; murder
Signal Words	Not clear
Step 2	**Reading**
Purpose	To prove that Oedipus Rex knowingly murdered his father
Pattern of Organization	Not clear
Tone	Persuasive
Main Idea	Despite debate to the contrary, the King Oedipus can be proven to have known he killed his father through textual clues.
Step 3	**Summary**
지문 요약하기 (Paraphrasing)	Despite some opinion to the contrary, it is clear that the titular hero in Oedipus Rex was well aware he had murdered his father as shown through clues in the text.
Step 4	**Recite**
	요약문 말로 설명하기

24 하위내용영역 일반영어 A형 기입형　배점 2점　예상정답률 45%

모범 답안　describe

채점 기준
- 2점: 모범답안과 같다.
- 0점: 모범답안과 다르다.

어휘

Angina pectoris 협심증
constrict 수축시키다
cramp 경련
elude ~을 회피하다; ~을 이해할 수 없다
referred pain 관련통(통증 부위 주변이 아픈 것)
surge 밀려들다, 급증하다
blister 물집이 생기다
coronary artery 관상 동맥
dilate 확장시키다, 팽창시키다
local anesthetic 국소 마취(약)
shiver 오한
throbbing 두근거리는, 고동치는, 약동하는

한글번역

　고통은 인간의 역사 내내 우리를 괴롭힌다. 우리 인생은 그것을 피하려 애쓰며 보낸다. 그리고 어떤 면에서 우리가 '행복'이라 부르는 것은 단지 고통의 부재일 수 있다. 하지만 고통을 정의하기는 어렵다. 그것은 날카로울 수도, 뭉뚝할 수도, 쏘는 듯할 수도, 고동치는 것 같을 수도, 가상의 것일 수도, 혹은 관련통일 수도 있다. 우리에게는 쥐나 통증과 같이 내부에서 솟아오르는 고통이 많다. 그리고 우리는 또한 고통과 같은 정서적인 아픔도 고통이라고 이야기한다. 고통은 종종 복합적이어서 정서적인 것이 신체적인 것과 신체적인 것이 신체적인 것과 함께 온다. 당신이 화상을 입으면 피부가 부어오르고 물집이 생긴다. 물집이 터지면 피부는 또 다른 방식으로 아프다. 상처는 감염이 될 수 있다. 그러면 히스타민과 세로토닌이 생겨서 혈관을 확장하고 고통에 대한 반응을 일으킨다. 모든 내상이 느낄 수 있는 것은 아니다(국소 마취를 하고 뇌수술을 하는 것이 가능하다). 하지만 피의 흐름을 수축시키는 병들이 종종 있다: 예를 들어, 협심증은 관상 동맥이 너무 수축해서 편하게 흐를 수 없을 때 생긴다. 심지어 강렬한 고통은 버지니아 울프가 자신의 에세이 "아프다는 것"에서 우리에게 상기시키듯이 종종 정확한 설명이 어렵다: "햄릿의 생각과 리어의 비극을 표현할 수 있는 영어는 전율과 두통을 표현할 단어가 없다… 고통받는 사람이 의사에게 자신의 머릿속에 있는 고통을 설명하게 해봐라. 그러면 언어는 곧 고갈되고 만다."

NOTE

Step 1	Survey
Key Words	Pain; accurate description
Signal Words	Not clear
Step 2	**Reading**
Purpose	To explore the complexity and challenges of understanding and describing pain
Pattern of Organization	Not clear
Tone	Neutral
Main Idea	Pain is a term for physical and emotional happenings that is hard to define with precision across the many manifestations.
Step 3	**Summary**
지문 요약하기 (Paraphrasing)	Pain is a term for physical and emotional happenings, stemming from injuries, that is hard to define with precision across the many manifestations as pointed out by Virginia Woolf.
Step 4	**Recite**
	요약문 말로 설명하기

25 하위내용영역 일반영어 A형 기입형   배점 2점   예상정답률 55%   본책 p.056

모범 답안 problem

채점 기준
- 2점: 모범답안과 같다.
- 0점: 모범답안과 다르다.

어휘

be engaged in ~로 바쁘다
conceited 자만심이 강한(= far too proud of their abilities or achievements)
dreary 지루한, 음울한
fatuous 어리석은(= extremely silly, showing a lack of intelligence or thought)
get down to ~에 진지하게 관심을 기울이다; ~을 시작하다; ~을 알다
in violent 극심히; 매우
presumptuous 주제넘은(= doing something that they have no right or authority to do)
take leave to doubt 의심하다   the rub 곤란함; 장애; 마찰
turn to ~에 의존하다

한글번역

　　사람들은 항상 '청춘의 문제'에 대해 이야기한다. 만약에 있다면—난 그것에 회의적이지만—그런 문제를 만들어낸 사람들은 바로 나이 든 사람들이지 젊은이 본인들이 아니다. 근본적인 것에 진지하게 귀 기울이면 아마도 동의할 것이다. 즉, 젊은이들도 결국 인간이라는 사실을. 나이 든 사람들과 똑같은 사람들이란 말이다. 노인과 젊은이 사이에는 단 한 가지의 차이가 있다; 젊은이는 자신의 앞에 희망찬 미래가 있고 노인은 자신의 뒤에 화려한 미래가 있다는 것이다. 아마도 거기에서 마찰이 일어나는 것일 터이다. 내가 십 대일 때, 나는 내가 그저 젊고 불안정하다고 느꼈다. 나는 그저 큰 학교에 새로 들어온 소년이었으며 내가 문제라고 여겨질 만큼 무언가 흥미로운 존재로 인식됐더라면 아주 즐거움을 느꼈을 것이다. 한편으로 문제가 되는 것은 당신에게 어떤 정체감을 부여하며 이것이 젊은이들이 분주하게 찾으려고 하는 것 중 하나이다. 나는 젊은이들이 재미있다(흥분을 준다)고 느낀다. 그들에게는 자유의 기운이 있으며, 비열한 야망이라든가 안정에 대한 갈망 따위와 같은 지겨운 헌신이 없다. 이들은 열심히 사회적 지위의 계단을 오르려 하지 않으며 물질적인 것들에 대해 헌신하지 않는다. 이 모든 것들은 내가 그들을 생명, 그리고 사물의 근원과 연결 짓게 만든다. 이것은 마치 어떤 우주적인 존재감에서 보면 그들이 우리 교외의 존재들과 너무나 큰 대조를 이루고 있는 것 같다. 이런 모든 것이 내가 젊은이를 만날 때 드는 생각의 전부다. 그는 어쩌면 자만하고, 매너 없고, 건방지거나 바보 같을 수도 있다. 하지만 난 마치 순전히 나이 자체가 존경의 이유가 된다는 듯이 노인 공경이라는 지겨운 상투성에 기대고 싶지 않다. (젊은이들부터) 날 보호하기 위해서. 나는 우리가 동등하다는 것을 받아들이며 만약 그가 틀렸다고 생각하면, 동등한 존재로서 그 젊은이와 논쟁할 것이다.

NOTE

Step 1	Survey
Key Words	Problem; the young; old man; freedom
Signal Words	Not clear
Step 2	**Reading**
Purpose	To debunk the notion that young people are a "problem"
Pattern of Organization	Not clear
Tone	Critical
Main Idea	Young people have merit and should be accepted as equals.
Step 3	**Summary**
지문 요약하기 (Paraphrasing)	Young people have merit and should be accepted as equals. They have a unique freedom in their search for a certain identity.
Step 4	**Recite**
	요약문 말로 설명하기

2S2R

유희태 일반영어
② 유형
● 모범답안 및 번역

PART 02

서술형

A형 서술형

01   하위내용영역 일반영어 A형 서술형   배점 4점   예상정답률 50%   본책 p.060

모범 답안 First, the word is "virtuous". Second, it means that the traveler's approach or action was correct and wise. (By rewarding the one beggar who did not jump up to claim the money, the traveler effectively highlighted and rewarded genuine idleness, aligning with the traveler's own values or beliefs about idleness.)

채점 기준
- +2점 : 빈칸에 들어갈 단어를 "virtuous"라 정확히 기입하였다. 이외에는 답이 될 수 없다.
- +2점 : 밑줄 친 부분의 의미를 "the traveler's approach or action was correct and wise"라 서술하였거나 유사하였다.

한글번역

우리 세대 사람들 대부분이 그렇듯 나도 이런 말을 들으며 자랐다. "사탄은 항상 게으른 손이 저지를 해악을 찾아낸다." 대단히 도덕적인 아이였던 난 들은 대로 모두 믿었고, 지금 이 순간까지도 열심히 일만 하게 만드는 양심을 가지게 됐다. 하지만 비록 내 양심이 내 행동을 지배하고 있다고 해도 내 소신은 그동안 일종의 혁명을 겪어왔다. 현대 산업국가에 필요한 설교는 지금까지 늘 해오던 것과는 전혀 달라야 한다고 생각한다. 나폴리를 여행하다(무솔리니 시대 이전의 일이었다) 햇빛 아래 누워있는 열두 명의 거지들과 마주쳤던 여행객 이야기는 모두 알 것이다. 그는 가장 게으른 거지에게 1리라를 주겠다고 했다. 그중 열한 명이 벌떡 일어나 자기가 갖겠다고 하자 그는 여전히 누워있는 열두 번째 거지에게 돈을 줬다. 이 여행객의 판단은 정확했다. 그러나 지중해의 햇살을 즐길 수 없는 나라에선 게을러진다는 것이 더 어려워서 게을러지려면 먼저 대대적인 대중 선전이 필요할 판이다. YMCA 지도자들은 내 얘기를 다 읽고 나거든, 아무것도 하지 말아 보라고 선량한 젊은이들에게 캠페인을 시작해 주길 바란다. 그렇게 된다면 나도 헛살지 않은 셈이 될 테니까.

Step 1	**S**urvey
Key Words	Idle; work
Signal Words	Not clear
Step 2	**R**eading
Purpose	To make a point about promoting laziness
Pattern of Organization	Not clear
Tone	Ironic
Main Idea	There is too much work done in the world and people should start practicing idleness.
Step 3	**S**ummary
지문 요약하기 (Paraphrasing)	There is too much work done in the world and people should start practicing idleness.
Step 4	**R**ecite
	요약문 말로 설명하기

02 하위내용영역 일반영어 A형 서술형   배점 4점   예상정답률 45%

모범답안 First, the word is "magnetic sails". Second, The idea was timely because high-temperature superconductors, which were essential for making magnetic propulsion devices practical, had just been discovered in 1987.

채점 기준
- 4점: 모범답안과 같다. 이외에는 답이 될 수 없다.
- 2점: 둘 중 하나만 맞았다.
- 0점: 모범답안과 다르다.

한글번역

태양광만이 태양으로부터 나오는 강력한 힘은 아니다. 태양풍으로 알려진 또 다른 힘이 있다. 태양풍은 플라즈마와 양자, 그리고 전자로 이루어진 덩어리인데, 초속 약 500m의 속도로 태양에서 모든 방향으로 지속해서 쏟아져 나온다. 우리가 지구에서 이것을 절대 마주치지 않는 것은 지구의 자기권에 의해 보호받기 때문이다.

지구의 자기권이 태양풍을 막는다면 그것은 틀림없이 장애물을 형성하는 중이고, 그 결과 물리력을 느껴야 한다. 그렇다면 우주선에 인공 자기권을 만들고 추진력을 위해 같은 효과를 사용하는 것은 어떨까? 이것이 보잉사 엔지니어인 다나와 내가 1988년에 생각했던 아이디어였다. 그 아이디어는 시기적절했다. 1987년 고온 초전도체가 발견됐다. 이것은 자기 추진력 장치를 실현 가능하게 만드는 데 있어서 필수적이었는데, 저온 초전도체는 너무 많은 무거운 냉각 장치가 필요하고 일반 전도체는 너무 많은 힘이 필요하기 때문이다. 태양풍의 평방 km당 물리력의 총합은 심지어 태양광으로 만들어진 것보다 훨씬 더 적었지만, 자기장에 의해 막히는 면적은 다른 어떤 실용적인 고체 태양 돛보다 훨씬 더 크게 형성될 수 있었다. 다나와 내가 협력하면서 수식을 고안했고, 커다란 자기장을 형성하는 우주선에 영향을 주는 태양풍의 컴퓨터 시뮬레이션을 운영했다.

우리의 결과는 다음과 같다. 니오븀 티타늄과 같은 최신의 저온 초전도체만큼의 밀도로 전류를 보낼 수 있는 실용적인 고온 초전도체 케이블이 만들어진다면, 10미크론 두께의 태양 돛보다 100배 더 좋은 추력 중량비를 가진 자기장 돛, 혹은 마그세일이 만들어질 수 있을 것이다. 더욱이, 아주 얇은 태양 돛과는 다르게 자기장 돛은 사용하기가 어렵지 않다. 얇은 플라스틱 필름으로 만드는 대신에 자기장 돛은 뭉툭한 케이블로 만들어지는데, 자기력 때문에 전류가 들어가자마자 자동으로 자신을 뻣뻣한 고리 모양으로 부풀린다.

NOTE

Step 1	Survey
Key Words	Solar wind; propulsion; superconducting; magnetic sails
Signal Words	Not clear
Step 2	Reading
Purpose	To describe how magsails could work using solar wind
Pattern of Organization	Not clear
Tone	Neutral
Main Idea	Solar wind is a force that could be harnessed for propulsion using magnetic sails.
Step 3	Summary
지문 요약하기 (Paraphrasing)	Solar wind is a force that could be harnessed for propulsion using magnetic sails if high-temperature superconducting cables of the proper density are developed. These sails would be filled and driven by solar wind.
Step 4	Recite
	요약문 말로 설명하기

03 하위내용영역 일반영어 A형 서술형　배점 4점　예상정답률 55%

모범 답안　First, the word is "unmarried men". Second, ("All papas are not rolling stones" is a play on the popular phrase "a rolling stone gathers no moss" and likely references the song "Papa Was A Rollin' Stone.") in this context, it means that not all fathers are unstable or uncommitted wanderers who avoid settling down and taking responsibility. (The passage uses this metaphor to counter the stereotype that unmarried fathers are inherently unreliable or uninvolved in their children's lives. The phrase emphasizes that many fathers want to be stable, committed parents, even if they aren't married.)

채점 기준
- 4점: 모범답안과 같다. 이외에는 답이 될 수 없다.
- 2점: 둘 중 하나만 맞았다.
- 0점: 모범답안과 다르다.

한글번역

　　시민적 자유의 한 쟁점으로써 아버지의 권리는 누군가의 가부장적 특권에 대한 터무니없는 한탄처럼 보인다. 그건 반페미니스트적인 것 같다. 비욘세가 무슨 노래를 부르든지, 세상을 지배하는 것은 대부분 남성이다. 하지만 정부와 기업에 있어서 남성의 우세, 임금과 가계 책임에서의 (남녀 간의) 차이, 심지어 지속적인 성폭행의 위험성에도 불구하고, 남성 불평등의 실제 사례들이 무시되면 안 된다.
　　미혼 남성들은 양육 결정과 양육권 결과에 있어서 거의 보장을 받지 못한다. 법적으로 미혼 남성의 출산과 자녀에 대한 결정권의 정도는 성행위 수준에서 멈춘다. 그 이상으로, 어머니가 방문권이나 입양 가능에 대한 결정을 내릴 수 있는 대부분의 영향력을 가진다. 이유는 무엇인가? 법과 사회 관습은 미혼 남성이 친밀한 관계에 있어서 헌신과 안정 혹은 책임에 대해 아무 관심이 없을 거라고 가정하기 때문이다.
　　물론 개인과 기관들은 아버지가 무책임하기 때문에 어머니와는 다르게 대우받아야 한다는 것을 '증명'하는 이야기와 통계가 있다. 오래된 법은 다음 가정의 예증이 된다. 자녀의 어머니가 죽는다면 법은 미혼 남성이 선천적으로 부적합하고, 능력이 없고, 불안정하다고 여기기 때문에 그들은 그에 대한 양육권을 잃을 것이다. 대다수의 주에서, 출생 전에 기적적으로 추정상 아버지로서 등록하지 않는다면, 심지어 입양조차 생부에 대해 알지 못해도 진행될 수 있다.
　　하지만 단지 결혼하지 않았다는 이유만으로 모든 미혼 남성을 낙오자로 특정짓는 것이 공정한가? 남성이 공정한 처사를 원한다고 해서 이것이 근본적으로 그들이 여성의 평등이나 발전에 반대하는 것을 의미하지 않는다. 언제나 보편적으로 페미니스트, 전 부인, 모든 여성에게 욕설을 내뱉는 신물 나고, 화나고, 격렬한 남성에 대한 나쁜 사례들은 존재한다. 하지만 모든 아빠가 방랑자는 아니다. 남성이나 파트너로서 단순하고 적절한 과정을 거친 권리를 원하는 규칙적이고, 성실하고, 멋진 녀석들도 있다.

NOTE

Step 1	**S**urvey
Key Words	Male inequality; custody; unmarried men; characterize
Signal Words	But despite; Legally
Step 2	**R**eading
Purpose	To show how male inequality regarding children exists
Pattern of Organization	Series
Tone	Concerned
Main Idea	Male inequality does exist in terms of unmarried men's rights regarding their children.
Step 3	**S**ummary
지문 요약하기 (Paraphrasing)	Male inequality does exist in terms of unmarried men's rights regarding their children in both laws and social practice. Laws favor mothers completely in the past and today. Socially, men are viewed as "deadbeats" but some fathers desire to have their rights and involvement.
Step 4	**R**ecite
	요약문 말로 설명하기

04

모범 답안 In the development of language, "I have" precedes "there is to me". Second, it means that while "to have" seems like a straightforward and basic concept on the surface (since everyone possesses something), it's actually complex and problematic(, as evidenced by : Many languages don't even have a word for it/ It's linked to cultural developments (private property)/ Many languages use indirect constructions instead/ Its linguistic evolution shows it's not a natural or universal concept).

채점 기준
- 4점 : 모범답안과 같거나 의미가 유사하였다.
- 2점 : 둘 중 하나만 맞았다.
- 0점 : 모범답안과 다르다.

한글번역

"가지고 있다"라는 말은 기만적으로 단순한 표현이다. 모든 인간은 육체와 의복, 집 등 무언가를 가지고 있으며—나아가 현대의 남녀에 이르면 차, 텔레비전, 세탁기 등도 가지고 있다. 무언가를 갖지 않고 산다는 것은 사실상 불가능하다. 그렇다면 어째서 소유라는 게 문제가 되는가? 하지만 '소유'의 언어학적인 역사는 이 말이 정말로 문젯거리라고 지적한다. 소유하는 것이 인간 존재의 가장 자연스러운 범주라고 믿는 사람들은 많은 언어에 "가지다"에 해당하는 말이 없다는 걸 알면 퍽 놀랄 것이다. 예를 들어, 히브리어로, "나는 가지고 있다"라는 말은 *jesh li* ("그건 내게 속하다")라는 간접적인 형태로 표현돼야 한다. 사실상, "나는 가지고 있다"라는 표현보다는 위에 말한 식으로 소유를 표현하는 언어가 우세하다. 많은 언어의 발달에 있어서 "그것이 내게 속한다"라는 구조가 나중에 "나는 가지고 있다"라는 구조로 대체된다는 것을 알면 재미있다. 하지만 에밀 벤베니스트가 지적했듯이, 언어의 발달이 그 반대 방향으로는 이루어지지는 않는다. 이 사실이 암시해 주는 걸 보면, "가지다"에 해당하는 말은 사유재산의 발달과 관련돼 발달하는 반면, 기능 위주의 재산, 즉 사용을 위한 소유가 지배적인 사회에는 그 말은 없다.

NOTE

Step 1	Survey
Key Words	"To have"; linguistic history; possession
Signal Words	Why then; yet; this fact; while
Step 2	**Reading**
Purpose	To show the way in which "to have" comes to develop in a culture along with the concept of private property
Pattern of Organization	Not clear
Tone	Neutral
Main Idea	Not all language use words for "to have", which develops alongside the concept of private property in a given culture.
Step 3	**Summary**
지문 요약하기 (Paraphrasing)	Despite the Western familiarity with "having", not all languages use words for "to have", which are shown to appear in a culture along with the concept of private property.
Step 4	**Recite**
	요약문 말로 설명하기

05 하위내용영역 일반영어 A형 서술형　배점 4점　예상정답률 50%　　본책 p.068

모범 답안 First, the word is "oppressed". Second, the domination of nature, the Church and despotism (the absolutist state).

채점 기준
- 4점: 모범답안과 같거나 의미가 유사하였다.
- 2점: 둘 중 하나만 맞았다.
- 0점: 모범답안과 다르다.

한글번역

　　유럽과 미국 현대사는 사람을 구속하던 정치적, 경제적, 정신적 족쇄에서 벗어날 자유를 얻기 위한 노력에 집중됐다. 자유를 향한 투쟁은 지켜야 할 특권을 가졌던 사람들에 대항해 새로운 자유를 원하던 억압받는 이들(피압제자들)에 의해서 일어났다. 하나의 계층이 지배로부터 자신의 자유를 위해 싸웠지만, 이들은 자신들이 인류의 자유를 위한 투쟁을 한다고 믿었고 그래서 압제된 모든 사람에게 깃든 자유를 향한 갈망, 즉 하나의 이상으로서 호소력이 있을 수 있었다. 많은 실패에도 불구하고, 자유는 투쟁에서 승리했다. 압제에 대항해 투쟁하다 죽는 것이 자유 없이 사는 것보다 낫다는 확신에서 많은 사람이 자유를 위한 투쟁에서 죽었다. 이러한 죽음은 그들의 개인 존재에 대한 최대의 확언이었다. 역사는 사람들이 자기 자신을 지배하고 자신을 위해 결정을 내리고 자신이 좋다고 여기는 대로 생각하고 느낄 수 있음을 증명하는 것 같았다. 인간이 지니고 있는 잠재력에 대한 완전한 표현이 목적인 것처럼 보였는데, 사회발전이란 그 목적을 위해 급속하게 나아가는 것이었다. 경제적 자유주의, 정치적 민주주의, 종교적 자율주의, 사생활에서의 개인주의 등의 원리들은 자유를 향한 갈망을 표현하게 해주고, 동시에 인간이 자유의 실현에 더 가까이 가도록 해주는 것 같았다. 연달아 구속하던 것들이 끊어져 버렸다. 인간은 자연의 지배를 극복했고 스스로 자연의 주인이 됐다. 교회의 지배와 전제군주제의 정부를 극복했다. 외부의 지배 철폐는 그토록 소원해 왔던 목표—개인의 자유—를 이루는 필요조건일 뿐 아니라 충분조건인 듯했다.

NOTE

Step 1	Survey
Key Words	Modern European and American history; freedom; battles
Signal Words	While; despite
Step 2	**Reading**
Purpose	To show the importance of seeking freedom for modern European and American culture and individuals
Pattern of Organization	Series; time order
Tone	Critical
Main Idea	Modern European and American history is centered around the effort to gain freedom.
Step 3	**Summary**
지문 요약하기 (Paraphrasing)	Modern European and American history is centered around the effort to gain freedom. The impediments of politics, nature, the Church and external domination were steps toward the final goal of freedom of the individual.
Step 4	**Recite**
	요약문 말로 설명하기

06

모범 답안 Judgement Number One is the selection by a reporter of the 10 out of 50 total facts from an issue they will include in their article. Likewise, Judgement Number Three is the editor's decision to place the article on the front page or hidden deeper in the day's news. Second, they are similar in that both of them involve judgments by reporters and editors. Third, the word is "interpretation".

채점 기준

+1점: Judgement Number One이 많은 기삿거리 중에서 "the selective choosing by a reporter"이라는 취지로 서술하였다.
☞ 다음과 같이 답을 해도 1점을 준다.
"Judgement Number One is the selective choosing by a reporter of which the 10 out of 50 facts from a story they will choose to publish an article"

+1점: Judgement Number Three가 "신문에서 기사가 어디(몇 페이지)에 배치될 것인지에 대한 편집자의 선택"이라고 서술하였다.

+1점: 뉴스를 제공하는 것과 해석해주는 것 사이의 유사점이 "관계된 사람들(기자와 편집자)의 판단이 개입된다는 점"에 있다고 서술하였다.

+1점: 빈칸에 들어갈 단어를 "interpretation"이 정확히 답하였다. 이외에는 답이 될 수 없다.

한글번역

신문은 독자에게 기울어지지 않고, 객관적으로 엄선된 사실들을 제공해야만 한다. 그러나 복합적인 뉴스가 있는 오늘날엔 신문은 그 이상을 제공해야만 한다. 신문은 해석, 즉, 사실들의 의미를 제공해야만 한다. 이것은 미국의 언론이 직면하고 있는 가장 중요한 과제이다—독자에게 그날의 문제들을 분명히 하는 것, 국제 뉴스를 지역사회 뉴스만큼이나 이해하기 쉽게 만드는 것, 국제적인 영역의 어떠한 사건이라도 인력 징발과 경제적 압박에서, 정말로 우리 삶의 바로 그 방식의 측면에서 지역의 반응을 가지기 때문에, 이제는 '지역' 뉴스 같은 것은 더 없다는 것을 인지하는 것. 언론에서는 당신이 해석하기 시작할 때, 파도가 일렁이고 위험한 물, 즉 여론의 휘몰아치는 흐름으로 들어가고 있는 것이라는 널리 퍼진 견해가 있다. 이것은 난센스다.

해석을 반대하는 사람들은 작가와 편집자가 자기 자신을 '사실'에 국한해야 한다고 주장한다. 이 주장은 두 가지 의문을 일으킨다. 첫 번째 의문에 관해서는, 소위 말해 '사실적인' 기사가 어떻게 생겨나는지 생각해보라. 기자가 50가지의 사실을 수집한다고 하자. 50개 중에서, 그의 지면 공간 할당은 분명히 제한돼 있기 때문에 그는 자신이 가장 중요하다고 생각하는 10가지를 고른다. 이것이 제1의 판단이다. 그리고 나서 그 기자나 그의 편집자는 이 열 가지 사실 중에서 어떤 것들이 기사의 앞머리를 구성할 것인지 결정한다. 이것은 중요한 결정인데 왜냐하면 많은 독자가 첫 번째 문단 이후로는 계속해서 읽지 않기 때문이다. 이것이 제2의 판단이다. 그리고 나면 야간 편집자가 이 기사가 큰 영향을 가지고 있는 첫 번째 장에 놓여야 할지, 혹은 영향력이 거의 없는 스물네 번째 장에 놓여야 할지 결정한다. 제3의 판단이다.

그러므로 소위 말하는 '사실적인' 혹은 '객관적인' 기사가 날 때는, 적어도 세 가지의 판단이 개입돼 있다. 그리고 이 판단들은 해석에 개입되는 판단들과 전혀 다를 바 없는데, 이 해석에서 기자와 편집자는 그들의 일반적 배경과 '뉴스 중립주의'를 주장하면서, 뉴스의 중요성에 관한 결론에 다다르게 된다. 판단의 두 가지 영역인 뉴스의 발표와 해석은 둘 다 주관적인 과정이라기보다는 객관적인 과정이다—다시 말해, 어느 인간이라도 객관적일 수 있을 만큼 객관적이다. 만약 어떤 편집자가 뉴스를 편향되게 제시하려 의도한다면, 그는 다른 방식으로 해석보다 더 효과적으로 그렇게 할 수 있다. 그 편집자는 자신의 특정한 변론을 뒷받침하는 사실들을 선택함으로써 그렇게 할 수 있다. 혹은 그는 자신이 기사를 주는 행위를 통해—그 기사를 첫 번째 장으로 격상시키거나 30번째 장으로 격하시킴으로써—그렇게 할 수 있다.

NOTE

Step 1	**S**urvey
Key Words	Newspaper; interpretation; Judgement
Signal Words	Opponents insist that…; As to the first query; This is…; Then he; Thus
Step 2	**R**eading
Purpose	To outline the value of interpretation in journalism
Pattern of Organization	Series
Tone	Critical
Main Idea	Newspapers must provide not only facts but also their interpretation to help readers understand complex modern news.
Step 3	**S**ummary
지문 요약하기 (Paraphrasing)	Newspapers must provide not only facts but also their interpretation to help readers understand complex modern news. The process of news reporting inherently involves multiple editorial judgments—selecting which facts to include, choosing the lead paragraph, and determining article placement. These decisions are similar to those made in news interpretation. Both processes can be objective, and if an editor wants to show bias, they can do so more effectively through fact selection and article placement than through interpretation.
Step 4	**R**ecite
	요약문 말로 설명하기

07 하위내용영역 일반영어 A형 서술형   배점 4점   예상정답률 55%   본책 p.074

모범 답안 The "landmark" study revealed that lifespans were increased greatly by social contact. Second, a follow-up study by Dr. Holt revealed that this effect was objective, even if a subject felt lonely or didn't enjoy company with others, the positive effect on lifespan still occurred. Third, the word is "solitary".

채점 기준
+1점: 이정표가 되는 획기적 연구가 발견한 것이 "사람이 사교적일수록 더 오래 산다는 것"이라고 서술하였다. 또는 "사람이 홀로 외롭게 살수록 덜 오래 산다는 것"이라고 서술해도 1점을 준다.
+2점: 홀트 박사의 연구가 "수명에 영향을 주는 것은 주관적인 것이 아니라 객관적인 것"이라고 서술하였다.
+1점: 빈칸에 들어갈 단어를 "solitary"라 정확히 답하였다.

- 감점
  - 문법적으로 2–3개의 오류 0.5점 감점
  - 표현상으로 2–3개의 오류 0.5점 감점
  - 문법적으로 4개 이상의 오류 1점 감점
  - 표현상으로 4개 이상의 오류 1점 감점

한글번역

오늘날 '독립심'은 이론의 여지 없이 미국인이 소중하게 여기는 상징적인 가치로 자리 잡았다. 이전 세대가 은퇴한 이후 가족과 함께 살았다면, 이제는 자신의 선택으로 홀로 살기를 택하는 노년층이 크게 늘었다. 편리한 디지털 기술이 등장하면서 타인과 직접 대면하지 않아도 온라인으로 일하고 쇼핑하고 결제까지 할 수 있게 됐다. 미국 전체 인구 가운데 10%가 외딴 사무실에서 홀로 일하며 13% 이상이 혼자 사는 것으로 나타났다. 미국에서 1인 가구 비중은 역대 최고치를 기록했다.

최근 발표된 연구 결과에 의하면, 고독을 아무리 즐기는 사람일지라도, 외로움은 수명을 단축시킨다고 한다. 연구진은 혼자 살거나 혼자 살지 않더라도 홀로 있는 시간이 많으면, 당사자가 고독을 즐기는지 여부와 상관없이, 신체건강과 정신건강에 해로울 수 있다고 주장했다. 다음 세 가지(혼자 산다, 혼자 보내는 시간이 많다, 자주 외로움을 느낀다) 가운데 하나라도 해당한다면, 앞으로 7년 안에 사망할 위험이 세 가지 가운데 한 가지에도 해당되지 않는 사람보다 약 30% 높다. 연구진은 직접 만나서 상호작용하는 것이 생리학적 효과를 미친다는 확신을 갖게 됐다.

1979년 "미국 역학 저널"에는 역사적인 종단적 연구 결과를 담은 논문이 게재됐다. 연구진은 캘리포니아 북부 마을 주민 거의 전체를 9년 동안 추적했다. 친밀한 파트너가 있을 뿐만 아니라 정기적으로 만나는 친구들도 있고 교회에서 자원봉사도 하는 사람이 고독하게 사는 사람보다 더 오래 살았다. 물론, 일각에서는 수명을 좌우하는 핵심 요인이 사회적 접촉인지 아닌지에 대해 반론을 제기하기도 했다. 사교적인 사람이 처음부터 건강했을 수도 있고, 고립된 사람이 우울증이나 장애처럼 수명을 단축하는 숨겨진 문제를 애초부터 갖고 있었을지도 모른다는 것이다. 줄리앤 홀트 박사가 이끄는 연구진은 위 단락에서 거론한 '혼란 변수'를 대조군으로 삼았다. 또한 연구진은 (사회적 접촉이 생리학적으로 미치는) 효과가 항상 선호나 심리 상태의 문제만은 아니라는 사실을 발견했다. 예전에는 중요한 것은 주관적인 경험이라고 생각했었다. 미혼이든 기혼이든, 며칠씩 혼자 지내든 사람들과 어울리든, 자주 외롭다고 느끼는 사람은 혈압이 올라가고 면역 기능이 저하된다고 믿었다.

그러나 이번에 발표된 연구 결과는 타인과 접촉하는 빈도를 객관적으로 측정하는 것이 중요하다고 지적했다. 홀트 박사는 이렇게 설명했다. "나는 커리어 내내 사회적 지지에 대해 연구했다. 우리의 지각이 생물학적 기능에 강력한 효과를 미친다고 확신한다." "그러나 우리의 지각과 관계없이 건강을 결정짓는 다른 요인들이 있다."

NOTE

Step 1	Survey
Key Words	Personal independence; living alone; social support
Signal Words	Many researches; however found…; The new research found…
Step 2	Reading
Purpose	To show the negative influence of living alone
Pattern of Organization	Compare/contrast
Tone	Neutral
Main Idea	Research has shown that social contact raises the likelihood of a longer life.
Step 3	Summary
지문 요약하기 (Paraphrasing)	Research has shown that social contact raises the likelihood of a longer life in modern America. The recent generations have sought personal independence and solo living. However, a major study shows that those that had intimate partners and socialized were twice as likely to survive, regardless of their perceptions of their life.
Step 4	Recite
	요약문 말로 설명하기

08 하위내용영역 일반영어 A형 서술형　배점 4점　예상정답률 50%　　본책 p.078

모범 답안　Genetically-Modified (G.M.) crops appeal to developing countries because they have produced more food and profit there than in more established countries. Likewise, they are hoped to help solve hunger and famine there. Alternatively, the UN World Food Program cites the three top reasons for hunger problems as(being) : a lack of investment for transportation infrastructure, wastage and war.

채점 기준

+ 3점 : 유전자 조작 작물이 개발도상국에 매력적인 이유를 1. "because GM crops have produced more food and profit there than in more established countries"(1.5점). 2. "유전자조작작물이 hunger and famine을 해결할 수 있다"(1.5점)고 믿기 때문이라 서술하였다.
+ 1점 : 유엔식량기구에서 말하는 식량 부족의 핵심적 이유를 "a lack of investment for transportation infrastructure, wastage and war"라 서술하였다.
☞ 3개 중 2개만 서술했으면 0.5점, 0-1개만 서술했으면 0점을 준다.

● **감점**
 • 문법적으로 2-3개의 오류 0.5점 감점
 • 표현상으로 2-3개의 오류 0.5점 감점
 • 문법적으로 4개 이상의 오류 1점 감점
 • 표현상으로 4개 이상의 오류 1점 감점

한글번역

　믿거나 말거나, 적어도 어떤 장소들에서는 소비자들이 유전자 조작 식품을 제대로 피하고 있지 않다. 미국에서 유전적으로 조작되지 않은 콩이나 옥수수 알갱이를 찾기는 힘들다. 유전자 조작 식품이 그 지역에서 보편적이라는 것이 인식되지 못했을 수도 있는데 그 이유는 미국의 식품 제공자들이 유전자 변형 농산물에 관한 내용을 밝힐 필요가 없기 때문이다. 또한, 이런 정보에 대한 요구의 외침도 거의 없는 듯하다. 건강을 의식하는 캘리포니아의 2012년 국민투표에서, 유권자들은 라벨을 붙이기를 요구하는 것을 가까스로 거부했다. 라벨을 붙이는 규칙은 유럽에서 더 엄격하고, 그래서 그곳에서는 유전자 변형 식품이 훨씬 더 적게 생산되거나 소비된다. 유럽 위원회가 회원국들이 지역적인 수준에서 승인된 유전자 변형 농산물의 사용을 제한하는 것을 허용하도록 한 4월의 한 결정은 대중들이 그 식품들에 우호적이지 않다는 것을 시사한다.

　그러나 유전자 변형 작물은 개발도상국에서 더욱더 널리 퍼지고 있다. 이 작물의 사용은 라틴 아메리카와 아시아, 아프리카에 걸쳐 허용되고 있다. 브라질은 미국 다음으로 큰 생산국이며, 그다음은 아르헨티나이다. 유전자 조작 식품의 광범위한 경작은 중국과 파라과이, 남아프리카에서도 발생한다. 2012년에는 처음으로 개발도상국에서 유전자 조작 작물이 재배되는 면적이 선진국에서 재배되는 면적보다 더 컸다. 개발도상국들의 지배는 그 이후로 느슨해지지 않았다. 개발도상국의 농부들은 2014년에 유전자 조작 작물을 약 9,500만 헥타르(2억 3,500만 에이커) 정도 심었는데, 이는 2003년에 심었던 것의 5배보다도 더 많다. 이는 산업 국가에서 약 8,600만 헥타르까지 배가된 것과 비교된다. 개발도상국에서 인기가 있는 한 가지 이유는 명확하다. 유전자 변형 작물이 가져다주는 수확량과 이윤의 증가가 선진국보다 그곳에서 훨씬 더 컸다. 개발도상국은 또한 많은 굶주림이 존재하는 곳이며, 그것을 완화하기 위해 유전자 조작 작물의 성공에 많은 희망이 꽂혀 있다.

　그러나 유전자 조작 농산물의 다른 측면과 마찬가지로, 굶주림을 줄이고 세계 식품 공급을 늘리는 것에 대한 그들의 효용성에 대해 의심이 제기돼왔다. 몇몇 연구자들은 실내 농업이 그 둘 모두를 더 유순한 방식으로 할 수 있을 것이라고 주장한다. 빛과 물 그리고 다른 요소들에 대해 전적인 통제를 하는 것은 식량이 실외에서보다 훨씬 더 빨리 자라도록 할 수 있다고 그들은 말한다. 유엔 세계 식량 프로그램은 제한된 공급이 식량 부족의 주요 원인이 아니라고 주장한다. 식량이 자라는 곳으로부터 소비되는 곳으로 가져갈 인프라에 대한 투자가 적은 것이 낭비나 전쟁만큼이나 더 큰 장본인이다.

NOTE

Step 1	**S**urvey
Key Words	Genetically modified foods; public; developing world; food supply
Signal Words	In 2012; But as with other aspects; Some researchers contend
Step 2	**R**eading
Purpose	To raise awareness of the growing usage of genetically modified crops
Pattern of Organization	Series
Tone	Concerned
Main Idea	G.M.O.'s are becoming more common but their usefulness or public popularity is unproven.
Step 3	**S**ummary
지문 요약하기 (Paraphrasing)	G.M.O.'s are becoming more common but their usefulness or public popularity is unproven. In America there is low awareness of their prevalence while in Europe there are labeling and growing limits that show a lack of acceptance. They are being used with greater frequency in the developing world with greater yields in hopes of combating hunger. However, there is doubts if G.M.O.'s are a proper solution to food shortages.
Step 4	**R**ecite
	요약문 말로 설명하기

09 하위내용영역 일반영어 A형 서술형　배점 4점　예상정답률 45%　　본책 p.080

모범 답안　Alternative splicing is the process that gene products are arranged into proteins. Then, alternative splicing allows for more complexity to come from the same genes, which makes greater diversity among life forms, and thus could be responsible for human intelligence. Second, the word is "proteins".

채점 기준

+1점: Alternative splicing이 무엇인지에 대해 "the process that gene products are arranged into proteins"이라고 서술하였다.

+2점: Alternative splicing이 왜 인간이 가장 똑똑한 생명체가 되었는지 설명해주는 열쇠인지를 설득력 있게 서술하였다. 즉, Second, alternative splicing allows for more complexity to come from the same genes, which makes greater diversity among life forms, and thus could be responsible for human intelligence."라고 서술하였다.

☞ Alternative splicing이 왜 인간이 가장 똑똑한 생명체가 되었는지 설명해주는 열쇠인지를 서술했으나, 명확하지 않고 애매모호하였으면 1점만 준다.

+1점: 빈칸에 들어갈 단어를 "proteins"라 정확히 기입하였다.

한글번역

　　벤자민 블렌코와 그의 팀은 최근 어떻게 PTBP1이라고 불리는 단백질 내의 작은 변화가 포유류의 뇌가 척추동물 사이에서 가장 크고 복잡해지도록 만든 진화를 부채질했을 수도 있었던 신경세포―뇌를 만드는 세포―의 생성에 박차를 가하는지 밝혀냈다.

　　뇌의 크기와 복잡성은 척추동물 전체에 걸쳐 매우 다양한데, 이런 차이들이 어떻게 발생했는지는 분명하지 않다. 예를 들어, 인간과 개구리는 3억 5천만 년 동안 따로 진화해오고 있었고 따라서 매우 다른 뇌의 능력을 갖추고 있다. 그러나 과학자들은 이들이 몸의 장기를 구축하기 위해 몹시 유사한 유전자의 목록을 사용한다는 것을 보였다.

　　그렇다면 어떻게 비슷한 숫자의 유전자가 다양한 척추동물 종 안에서 켜졌다 꺼졌다 하면서, 방대한 범위의 장기 크기와 복잡성을 만들어 내는 걸까?

　　그 열쇠는 블렌코의 그룹이 연구한 선택적 접합으로 알려진 과정에 놓여있는데, 이 과정에서 유전자 산물이 생명체의 구성요소가 되는 단백질로 결합한다. 선택적 접합을 하는 동안, 엑손이라고 불리는 유전자 조각이 섞여서 다른 유전자 형태를 만든다. 이것은 마치 몇몇 조각이 마지막 단백질 형태에서 빠질 수도 있는 레고와 같다.

　　선택적 접합은 세포들이 단일한 유전자에서 둘 이상의 단백질을 만들 수 있도록 해 한 세포 안에 있는 다른 단백질의 전체 수가 사용 가능한 유전자의 수를 크게 뛰어넘게 된다. 언제든 단백질 다양성을 통제할 수 있는 세포의 능력은 몸에서 다른 역할들을 떠맡을 수 있는 자신의 능력을 반영한다. 선택적 접합의 보급은 척추동물의 복잡성에 따라 증가한다. 따라서 비록 척추동물의 몸을 구성하는 유전자들은 비슷할지라도, 그 유전자들이 낳는 단백질은 새나 개구리들 사이에서보다는 포유류와 같은 동물 내에서 훨씬 더 다양하다. 그리고 뇌에서만큼 선택적 접합이 널리 퍼져있는 곳은 없다.

NOTE

Step 1	Survey
Key Words	Benjamin Blencowe; brain size; protein; genes; alternative splicing
Signal Words	Humans and frog; for example; During AS; So although…
Step 2	**Reading**
Purpose	To show how Blencowe's discovery could have fueled mammalian brains to become complex
Pattern of Organization	Cause/effect
Tone	Neutral
Main Idea	Benjamin Blencowe discovered the arrangement of genes creates a change in protein PTBP1 that shows more diversity in complex vertebrae which could explain differences from similar, simpler organisms.
Step 3	**Summary**
지문 요약하기 (Paraphrasing)	Benjamin Blencowe discovered the arrangement of genes creates a change in protein PTBP1 that shows more diversity in complex vertebrae which could explain differences from similar, simpler organisms. The process of alternative splicing manifests differing protein shapes out of gene fragments. This alternative splicing occurs more prevalent in complex vertebrae.
Step 4	**Recite**
	요약문 말로 설명하기

10 하위내용영역 일반영어 A형 서술형   배점 4점   예상정답률 45%   본책 p.082

모범 답안 The long-held theory is that human babies are born so ill-equipped for survival due to limits on what a female's body can accommodate in terms of head size through the birth canal. Second, human babies are born underdeveloped and helpless because of the metabolic limits of mothers as opposed to other primates that need less time to gestate (for gestation). Third, the words are "energetic limits".

채점 기준

+1점: 오랫동안 유지되어 온 이론을 "human babies are (born) so helpless and underdeveloped due to limits on what a female's body can accommodate in terms of head size through the birth canal"이라고 올바르게 답하였거나 유사하였다.

☞ 다음과 같이 답을 해도 1점을 준다.

"human babies are (born) so helpless and underdeveloped due to the short duration of gestation, which is caused by the size of the birth canal" or "human babies are (born) so helpless and underdeveloped because the length of human pregnancy is limited by the size of the birth canal"

+2점: 인간이 다른 영장류보다 태어날 때 무력하고 덜 발달된 이유가 "the metabolic limits of mothers" 때문이라고 답하였다.

+1점: 빈칸에 들어갈 단어를 "energetic limits"라 정확히 기입하였다.

한글번역

　　인간을 다른 유인원과 분리하는 두 가지 특성인 큰 뇌와 직립보행 능력은 출산에서는 불화를 일으킬 수도 있다. 큰 뇌와 그것을 감싸는 큰 머리는 인간의 산도를 뚫고 지나가기 어렵지만, 더욱더 넓은 골반이 이족보행에 지장을 줄 수도 있다. 과학자들은 '산과의 딜레마'로 알려진 이 문제에 대한 자연의 해결책이 임신의 기간을 줄여 아기들이 그들의 머리가 너무 커지기 전에 태어난다고 오랫동안 주장해왔다. 결과적으로 인간 아기들은 움직임과 인지적 능력에 있어서 다른 유인원과 비교했을 때 상대적으로 무력하고 발육이 불완전해 보인다.

　　인간 진화의 이 모든 흥미로운 현상들인 이족보행, 어려운 출산, 여성의 넓은 고관절, 큰 뇌, 상대적으로 무력한 아기들은 전통적으로 산과의 딜레마와 함께 묶여 있었다. 이것은 인류학 강좌에서 수십 년간 가르쳐 왔지만, 이것이 정말로 진실이라는 구체적인 증거를 찾아봤을 때, 나는 성공하지 못했다. 이 이론의 문제점은 더 발달한 아이를 낳기에 충분히 넓은 고관절이 걷는 데 장애가 됐을 것이라는 증거가 없다는 것이다. 이것은 산도의 크기가 이족보행에 의해 제한된다는 가정에 의문을 던졌다. 넓은 고관절은 당신이 효율적으로 걸을 수 없다는 것을 의미하지 않는다. 엄마의 몸 크기를 고려해 인간의 임신 기간은 다른 유인원과 비교했을 때 예상보다 약간 더 길지 더 짧은 것이 아니다. 그리고 아기들은 예상보다 약간 더 크지 더 작지 않다. 비록 아기들은 그와 같이 행동하지만, 그들은 일찍 태어나지 않는다.

　　일반적으로 인간을 포함한 포유류의 임신 기간과 자손의 크기는 엄마의 몸의 크기에 의해 예상할 수 있다. 신체 크기는 어떤 동물의 신진대사 비율과 기능의 훌륭한 대용물이기 때문에, 신진대사는 인간의 출산 시기에 대해 골반보다 더 나은 설명을 제공할지도 모른다. 여성은 그들이 신진대사의 위험 영역으로 막 들어가려 할 때 출산을 한다. 임신하는 동안, 여성은 그 에너지의 최대 한계에 다가가고 그들이 거기에 도달하기 전에 아기를 낳는다. 이것은 인간의 임신 기간과 태아 성장에 에너지의 한계가 있다는 것을 시사한다. 이러한 신진대사의 제약은 인간 아기가 침팬지와 같은 다른 유인원 친족과 비교해서 왜 이렇게 무력한지 설명하는 것을 돕는다. 아기 침팬지는 한 달 만에 기어 다니기 시작하는 반면, 인간 아기는 약 일곱 달이 될 때까지 기어 다니지 못한다. 그러나 인간이 침팬지와 같은 발달 수준에 있는 새 생명을 낳기 위해서는, 16개월의 임신 기간이 걸릴 것이다. 그것은 엄마들이 자신의 에너지 한계를 족히 넘도록 할 것이다. 실제로, 임신 기간의 한 달 초과조차도 신진대사의 위험 영역을 넘어갈 것이다.

NOTE

Step 1	**S**urvey
Key Words	Human beings; walking; brain size; birth; obstetric dilemma; gestation; energetic limits
Signal Words	Two traits that…; As a result; The problem with this theory is…; For mammals in general
Step 2	**R**eading
Purpose	To evaluate the nature of human gestation length and causes
Pattern of Organization	Cause/effect
Tone	Critical
Main Idea	The obstetric dilemma inaccurately addresses the reasoning for human gestation length, which is likely to be the energetic limits of humans.
Step 3	**S**ummary
지문 요약하기 (Paraphrasing)	The obstetric dilemma inaccurately addresses the reasoning for human gestation length, which is likely to be the energetic limits of humans. The obstetric dilemma first posited that gestation length was short to ensure bipedal walking which was thought to be hindered by a baby with a bigger brain and wider hips. However, it turns out the gestation period is not early nor is a detriment to walking. In fact, women give birth just before they reach the metabolic danger zone.
Step 4	**R**ecite
	요약문 말로 설명하기

11 하위내용영역 일반영어 A형 서술형　배점 4점　예상정답률 50%

모범 답안　Technocrats take a utilitarian approach to city planning, unlike the aesthetic approach of architects. Second, (it suggests that) technocrats knew the stress of city life in their allowance of parks. Third, the word is "functional".

채점 기준

+2점: 기술 관료와 건축가의 차이를 "Technocrats take a utilitarian(functional) approach to city planning, unlike the aesthetic (또는 design-oriented) approach of architects"라고 서술하였거나 유사하였다.
☞ 위의 답안에서 둘 중 하나만 언급되었으면 1점만 준다.
+1점: 밑줄 친 부분에서 기술 관료들에 대해 시사하는 바가 "technocrats knew the stress of city life in their allowance of parks (that please people)"라고 서술하였거나 유사하였다.
+1점: 빈칸에 들어갈 단어를 "functional"이라 정확히 답하였다.

한글번역

　　산업 시대의 거대한 대도시의 발생과 함께, 서양의 도시 계획이 건축가의 손을 떠나 테크노크라트의 손으로 들어왔다. 도시를 아름다움을 향한 눈을 가지고 지어져야 할 예술 작품으로 생각했던 건축가와는 달리, 테크노크라트는 도시 계획에 있어 항상 순수하게 기능적인 접근을 취해왔다. 도시는 그 거주자들의 요구를 수행할 유일한 목적을 위해 존재한다. 이것의 외부적 모습에는 내재적인 가치가 없다.
　　수 세기의 기간 동안, 이 새로운 도시 계획자 종류는 서구 도시의 모습을 영원히 바꾸는 데 성공해 왔다. 어떠한 거대 도시의 짧은 방문도 그 암울한 사실을 확인하기에 충분하다. 어느 무심한 관찰자조차도 전형적인 도시 풍경이 네모진 교차로와 길고 곧으며 지루한 거리를 가지고 있는 체스판 패턴의 선을 따라 배열돼 있다는 것을 알아차리는 데 실패할 수는 없을 것이다. 엄격한 건물 법규는 구조물 간에 단지 경미한 차이밖에 없는 보기 흉한 이웃의 과잉이라는 결과를 낳았다. 즐비하게 늘어선 땅딸막한 콘크리트 아파트 건물들과 줄지어 있는 거대한 철강과 유리 마천루는 더 오래되고, 더 개인적인 건물들을 거의 완전히 대체해 왔다. 게다가 많은 도시의 사랑스러운 자연적 환경은 더 이상 도시 풍경의 일부가 아니다. 무엇보다도, 한때는 너무도 많은 거대 도시 배경의 일부였던 언덕과 강은 이제 주로 기능적인 건축물에 의해 지워져 버렸다.
　　이 모든 도시의 어두운 그림자로 에워싸인 홀로 있는 밝은 점은 지역 공원 시스템인데, 이것은 대부분의 서구 도시들에서 발견된다. 예를 들어, 크고, 중심에 있는 공원들인 뉴욕의 센트럴 파크나 런던의 하이드 파크—그리고 더 작고, 외딴 공원들은 인공적인 단조로움을 깨뜨림으로써 서구 도시들에 어느 정도의 아름다움을 가져온다. 그 공원들의 녹색 초목, 빽빽한 숲, 그리고 쾌적한 연못, 개울과 폭포와 함께, 지역 공원 시스템은 또한 도시 거주자들에게 도시 생활의 극심한 부담에서 벗어나 쉬거나 재창조할 수 있는 기회의 막대한 집합을 제공한다. 만약 테크노크라트가 도시 지역에서의 삶의 질에 대해 다른 어떤 것도 이해하지 못했다면, 이들은 적어도 사람들이 도시의 혼란스러운 부산함으로부터 벗어날 조용한 은신처가 필요하다는 것을 인식할 수 있는 좋은 감각을 가졌다.

NOTE

Step 1	**S**urvey
Key Words	Planning; technocrat; urban planning; dull; park system
Signal Words	Over the span of a few centuries…; Moreover; For the most part; The lone bright spot…
Step 2	**R**eading
Purpose	To criticize urban planning and praise the park system
Pattern of Organization	Series
Tone	Critical
Main Idea	City planning has changed in an unpleasant way except for in parks, which offer pleasant escape.
Step 3	**S**ummary
지문 요약하기 (Paraphrasing)	City planning has changed in an unpleasant way except for in parks, which offer pleasant escape. Once, cities had been artistic and beautiful. Over time, buildings and city order has become dull and impersonal to accommodate function. However, the parks have retained their beauty and are more important than ever as escapes from the experience of urban life.
Step 4	**R**ecite
	요약문 말로 설명하기

12 하위내용영역 일반영어 A형 서술형   배점 4점   예상정답률 45%   본책 p.088

모범 답안 The word for the blank is "intellectual pluralism". Second, the writer believes prejudice are difficult to distinguish from truth but that in checking prejudices in conflict to one another, a higher degree of truth can be attained.

채점 기준
- 4점: 모범답안과 같거나 유사하였다.
- 2점: 둘 중 하나만 맞았다.
- 0점: 모범답안과 다르다.

어휘

elusive 파악하기 어려운, 알기 어려운   do away with ~을 없애다, 처분하다, 폐지하다
pit 싸우게 하다, (사람, 기술 등을) ~과 겨루게 하다, 경쟁시키다
pluralism 다원성, 다원주의   withering 활기를 잃게 하는, 기를 죽이는, 압도적인

한글번역

편견을 가진 신념과 단지 논란이 많은 신념의 경계는 파악하기 어려운 것이며, 열심히 들여다볼수록 그 경계는 더 파악하기 어렵게 된다. "신은 동성애자를 증오한다."라는 말은 그것을 믿는 사람들에게 편견이 아니라 사실의 진술이다. "미국의 범죄자들은 불균형적으로 흑인이다."라는 말은 그것을 믿지 않는 사람들에게 사실이 아니라 편견의 진술이다. 누가 옳은가? 당신은 생각을 정할 수 있고, 다른 사람들도 생각을 정할 수 있으며, 그 생각이 같아야 할 필요는 없다. 이것이 지적 다원주의의 큰 혁신이다. 우리는 어떤 신념이 편견이고 어떤 신념이 진실인지 미리 또는 확실히 알 수 없지만, 지식을 진보시키기 위해서 반드시 알아야 하는 것도 아니다. 지적 다원주의의 특성은 편견이나 교리를 버리는 것이 아니라 그것들을 소통케 하는 것, 즉 편견과 편견을 또는 신조와 신조를 서로 겨루게 해 그것들 모두를 통렬한 대중의 비판에 노출함으로써 그것들을 사회적으로 생산적으로 만드는 것에 있다. 마지막에 살아남는 것이 우리의 지식의 기반이 된다.

NOTE

Step 1	**S**urvey
Key Words	Controversial; prejudice; intellectual pluralism
Signal Words	None
Step 2	**R**eading
Purpose	To highlight the benefits of intellectual pluralism
Pattern of Organization	Not clear
Tone	Subjective
Main Idea	It is not always clear which beliefs are prejudices and which are facts, but intellectual pluralism allows us not to have to agree.
Step 3	**S**ummary
지문 요약하기 (Paraphrasing)	Depending on one's beliefs, the same assertion may be regarded as a prejudice or as a fact. Under intelletual pluralism, we don't have to decide. We can expose the beliefs to public criticism, and in the end, we will have the base of knowledge we need.
Step 4	**R**ecite
	요약문 말로 설명하기

13 하위내용영역 일반영어 A형 서술형　배점 4점　예상정답률 40%　　본책 p.090

모범 답안　The three words are "numbers of offspring". Second, as part of an insect's energy budgeting, quiescence helps them to avoid harm from enemies and harsh weather while continuing to digest.

채점 기준
- 4점: 모범답안과 같거나 유사하였다.
- 2점: 둘 중 서술형 문제만 맞았다.
- 0점: 모범답안과 다르다.

어휘

be geared to ~에 적합하도록 하다
grooming 차림새, 몸단장; (동물의) 털 손질
lot 무리; 지역
niche (시장의) 틈새; 아주 편한 자리; (특정 종류의 생물이 살기에) 적합한 환경, 적소
quiescence 정지; 무활동; 휴면
stringency 엄중함; 가혹함
entwine 꼬다; 뒤엉키다
inimical 해로운; 적대적인
metabolic 신진대사의, 물질대사의
sperm 정자

한글번역

넓은 차원에서 보자면, 곤충의 삶은 성공적으로 성숙한 자손들을 가장 많이 생산하는 데 맞춰져 있다. 이 숫자가 곤충의 적응도를 결정한다. 적응도를 극대화하는 방법은 다양하지만, 그들은 결국 모든 생명체의 공통 화폐라고 할 수 있는 시간과 에너지를 절약하는 것과 관련이 있다. 가혹함과 할당이라는 원리에 따라 시간과 에너지의 예산이 진화적으로 마련된다. 이 말은 곤충이 맞닥뜨릴 수 있는 최악의 조건에 적응하도록 예산이 맞춰진다는 것이며, 생존과 번식 활동 사이의 시간과 에너지는 적응도를 극대화하도록 할당된다는 의미이다. 해당 종(種)의 곤충들은 성별에 따라 특정한 필수 활동들, 이를테면 먹이활동, 집짓기, 짝짓기, 털 손질, 무활동 등을 수행하기 위해 자신의 시간을 일정량씩 할당한다. 무활동은 천적과 불리한 날씨, 혹은 하루 중 힘들었을 때를 피하게 해주는데, 그동안에도 먹이 소화와 같은 중요한 체내 활동은 계속된다. 먹이활동에 의해 획득된 에너지 역시 에너지 사용을 놓고 경쟁하는 서로 다른 활동들, 즉 신진대사, 정자나 난자의 생성, 이동, 특정 영양분을 얻기 위한 행위, 짝 찾기, 방어 등과 같은 활동들에 대해 예산 계획이 마련돼야 한다. 최상의 예산이란 후손을 최대한 많이 낳아서 자연 선택의 과정을 통해 전파하는 예산이다. 따라서 우리는 곤충들이 자신들의 행동을 조직화하고 확산시키는 방식은 특정한 곤충 환경에 맞게 거의 최적화됐다고 추정할 수 있다.

Step 1	Survey
Key Words	Fitness; economizing; time and energy; budgeted
Signal Words	According to; such as; thus
Step 2	**Reading**
Purpose	To describe how insects use their time and energy and to what purpose
Pattern of Organization	Description
Tone	Neutral
Main Idea	Insects budget their time and energy with the key goal of producing as many successful offspring as possible.
Step 3	**Summary**
지문 요약하기 (Paraphrasing)	Insects budget their time and energy with the key goal being the production and defense of the greatest number of offspring. The lives of insects are organized to maximize their fitness, which is defined as their ability to produce great numbers of successful offspring. Each species and each sex of that species divides up its time and energy in an optimal way among such activities as feeding, making a nest, mating, and resting.
Step 4	**Recite**
	요약문 말로 설명하기

14 하위내용영역 일반영어 A형 서술형 　배점 4점 　예상정답률 40% 　　　　　　　　본책 p.092

모범 답안 The key evidence given is a study showing that migraines are more common in women and women have a unique gene relating to pain that men do not have. Second, the underlined expression means that boys grow up remaining passive in the face of pain due to this difference in anatomy.

채점 기준
- 4점: 모범답안과 같거나 유사하였다.
- 2점: 둘 중 하나만 맞았다.
- 0점: 모범답안과 다르다.

어휘
bear 지탱하다; 견디다, 참다
dictate 결정하다, 지시하다, 무조건 강요하다
in conjunction with ~와 함께, ~와 협력하여; ~에 관련하여
migraine 편두통
pain threshold 통증역치(통증을 느끼는 최소 자극량)
threshold 문지방, 입구; 한계점, 기준점, 역치
conjunction 결합, 연결, 접속
neurotransmitter 신경 전달 물질

한글번역
　　성(性) 역할을 정하고 강화하는 데 있어서의 문화적 편견으로 인해, 여성은 불평을 더 늘어놓는 경향이 있으며, 통증을 더 참지 못한다고 부당하게 특징짓는 결과가 초래됐다고 오랫동안 여겨져 왔다. 많은 곳에서 남자아이들은 통증을 드러내지 않도록 길러지며, 대신에 강인함을 보여주는 행동으로써 통증 앞에 계속 수동적이게 길러진다. 하지만, 최근의 연구 결과는 남성과 여성은 실제로 통증을 다르게 느낀다는 것을 보여준다. 이를테면 남성과 여성은 각각 다른 종류의 진통제를 선호하며, 이러한 진통제인 모르핀과 날부핀은 뇌의 두 가지 다른 부분에 작용한다고 오래전부터 알려져 왔다. 아기들은 태어난 지 여섯 시간이 채 지나지 않아 통증에 대해 다른 반응을 보이며, 쥐와 생쥐는 같은 자극에 대한 반응에 있어 분명한 성차를 보인다는 것 또한 알려져 왔다.
　　가장 최근의 연구 결과는 편두통이 남성보다 여성에게 세 배나 더 빈번하다는 것뿐만 아니라, 이것은 여성에게만 보이는 낮아진 통증 역치와 연관될 수 있다는 것도 보여준다. 이 연구의 일부를 담당한 한 캐나다인 유전학자는 여성에게서 통증에 대한 민감도와 통증을 참는 능력에 영향을 미치는 유전자를 또한 분리했다. 그것은 남성에게 아무런 영향을 미치지 않았다. 현재 그는 남성과 여성의 뇌는 실제로 완전히 다른 종류의 신경 단위와 신경 전달 물질을 이용해 고통스러운 자극을 처리한다고 여기고 있다. 여성이 남성보다 더 많은 통증을, 더 많은 신체 부위에서 더 빈번하게, 그리고 더 오랜 시간 동안 느낀다는 것을 보여주는 다른 증거와 잘 알려진 연구들과 관련해 보면, "남자는 울어선 안 된다."라고 지시하는 것은 단지 문화적인 편견에 불과한 것이 아니라 실제 유전적 특징인 듯하다.

2S2R 유형

NOTE

Step 1	**S**urvey
Key Words	Cultural bias; gender roles; pain threshold
Signal Words	But instead; it has long been known; it has also been shown; the most recent research
Step 2	**R**eading
Purpose	To explain evidence that men and women process pain differently
Pattern of Organization	Comparison/contrast; cause/effect
Tone	Informative
Main Idea	There is evidence that men and women actually experience pain differently.
Step 3	**S**ummary
지문 요약하기 (Paraphrasing)	For a long time, people assumed that men and women responded to pain differently because of culturally biased gender roles they have been taught. Boys are raised not to show pain, whereas girls are allowed to cry. However, recent research has uncovered evidence that the brains of men and women actually process pain differently, so genetics rather than culture may explain the difference.
Step 4	**R**ecite
	요약문 말로 설명하기

15 하위내용영역 일반영어 A형 서술형   배점 4점   예상정답률 35%   본책 p.094

모범 답안   The meaning of the underlined selection is that it is ironic that Yunus did not get paid back fully, in opposition to his expectations. Second, Yunus incentivized paybacks by offering additional follow-up loans according to the completion of the previous loans.

채점 기준
- 4점: 모범답안과 같거나 유사하였다.
- 2점: 둘 중 하나만 맞았다.
- 0점: 모범답안과 다르다.

어휘

advance ~을 ~에게 빌려주다, 융통해주다
charge 청구하다, 매기다
dissertation 박사학위논문
get access to ~을 접하다
interest rate 금리, 이율
loan 대출, 융자
microcredit 미소금융, 창업대출(개발도상국에서 창업을 위한 저리의 소액 자금 대출)
moneylender 대금업자, 전당포 업자
peddling 행상
pitiful 불쌍한, 비참한
reservoir 저수지
stool 걸상
tube well 관우물(작은 관을 땅 속에 박아 펌프로 물을 뽑아 올리는 우물)

allocation 할당, 배분
credit 신용거래; 대출금
doctoral 박사(학위)의; 권위 있는
imitator 모방자, 아류
irrigation 관개
make a (big) difference (큰) 변화를 가져오다, 차이가 생기다
multi-purpose 다목적의, 다용도의
persist 고집하다, 계속하다
reap a good harvest 많은 수확을 거두다
scheme 계획, 제도

한글번역

    그라민 은행을 설립하고 소액대출제도를 주도적으로 고안했던 모하마드 유누스는 가난한 사람들에게 대출해주려는 목적으로 시작했던 것은 아니다. 원래 그는 녹색혁명과 물을 대는 것이 방글라데시의 빈곤에 대한 해결책이라는 확신을 가지고 시작했었다. 그가 밴더빌트 대학교에서 쓴 박사학위논문의 제목은 "다목적 저수지 물의 적정 배분: 동적인 계획 모형"이었다. 가난한 사람들을 도우려는 그의 첫 번째 시도는 건기 동안에 물을 대기 위한 관 우물 설치를 후원해 농민들이 이모작을 할 수 있게 하는 것이었다. 유누스는 이러한 계획에 드는 돈을 마련하도록 자신의 돈에서 농민들에게 융자해 줬다. 융자를 받은 농민들은 수확량이 많았다. 가난한 사람들이 신용도가 높을 수 있다는 생각을 한 설립자는 아이러니하게도, 농민들은 융자금을 완전히 상환하지 않아 유누스는 돈을 잃었다.
    (그래도) 유누스는 융자해주는 것을 계속했고, 농민들을 도울 방법을 파악하려고 가능한 한 많은 시골 마을을 방문했다. 그러다가 그는 대나무 걸상을 만드는 수피아 베굼이라는 한 여인을 만났다. 수피아 베굼은 걸상을 하나 만들 때마다 비참할 정도로 미미한 2센트를 벌었는데, 왜냐하면 대금업자가 그녀에게 대나무를 융통해주는 것에 대해 초고금리를 매겼기 때문이었다. 유누스는 매우 가난한 사람들에게 아주 소액을 대출해주는 것이 그들의 삶에 큰 변화를 가져올 수 있다는 것을 깨달았다. 그는 실험해보기로 했으며, (그 결과) 소액대출을 받은 사람들은 미래에 대출을 받기 위해 융자금을 상환한다는 것을 발견했다. 그라민 은행에서 그의 첫 번째 대출은 수피아 베굼에게 해준 대출이었는데, 그녀는 이 돈으로 성공적으로 행상업을 시작했다. 이런 소액대출에 대한 수요는 엄청나서, 그라민 은행은 전설이 돼 오늘날에는 그라민 은행을 모방한 은행들이 전 세계에 생겨났다.

NOTE

Step 1	Survey
Key Words	Mohammad Yunus; microcredit; irrigation; interest rate
Signal Words	Initially; his first attempt; ironically
Step 2	**Reading**
Purpose	To describe how Mohammad Yunus come to invent microcredit and how the concept has spread
Pattern of Organization	Not clear
Tone	Neutral
Main Idea	Mohammad Yunus is the main inventor of microfinance schemes, a way of helping the poor through small loans he perfected after some trials.
Step 3	**Summary**
지문 요약하기 (Paraphrasing)	Mohammad Yunus developed a microcredit borrowing method to safely support poor people with loans to better their lives, such as by sponsoring tube wells for suffering farmers, which lost him money. Later he improved his microfinance scheme after noticing a woman, Sufiya Begum, would pay back the loans benefitting her in order to get more. Now, his Grameen Bank has become very successful through microfinance.
Step 4	**Recite**
	요약문 말로 설명하기

16 하위내용영역 일반영어 A형 서술형   배점 4점   예상정답률 40%   본책 p.096

모범 답안 The word for the blank is "equivocation". Second, (the writer uses this example) to illustrate a less obvious case of equivocation with relative terms. Unlike the clear error in the "small elephant" example, the different meanings of "good" when applied to scholars versus teachers may be harder to recognize, making it a useful example of how this logical error can occur in everyday reasoning. 또는 (the writer does this) to provide another illustration of how equivocation with relative terms can lead to faulty reasoning that isn't as obvious as the elephant example. Just as the meaning of "small" changes between "small elephant" and "small animal," the word "good" means different things when applied to scholars versus teachers. By using this example, the writer demonstrates that equivocation with relative terms can occur in more subtle, real-world situations where the logical error might be less apparent than in the obvious "small elephant" case.

채점 기준
- 4점: 모범답안과 같거나 유사하였다.
- 2점: 둘 중 하나만 맞았다.
- 0점: 모범답안과 다르다.

어휘
arise from ~에서 발생하다, ~이 원인이다
break down 실패하다
equivocation 모호한 말, 얼버무림
be substituted for ~으로 대체되다
equivocate 얼버무리다, 모호하게 말하다
misuse 오용, 남용

한글번역

한 가지 종류의 모호한 말은 특별히 언급할 가치가 있다. 이것은 '상대적인' 용어의 잘못된 사용으로 일어나는 실수인데, 이런 용어는 문맥에 따라 서로 다른 의미를 지닌다. 예를 들면, 'tall'이란 단어는 상대적인 단어이다. 키가 큰 사람과 높은 빌딩은 상당히 다른 범주 안에 있다. 키가 큰 사람은 대부분의 사람보다 키가 큰 사람인 반면에 높은 빌딩은 대부분의 빌딩보다 높은 건물이다. 비상대적인 용어들에 타당한 특정 유형의 주장은 비상대적인 용어들이 상대적인 용어들로 대체될 때 효력을 잃게 된다. "코끼리는 동물이다. 따라서 회색 코끼리는 회색 동물이다."라는 주장은 완전히 타당하다. 'gray'란 단어는 비상대적인 용어이다. 그러나 "코끼리는 동물이다. 따라서 작은 코끼리는 작은 동물이다."라는 주장은 터무니없다. 여기서 주목할 점은 'small'은 상대적인 용어라는 것, 즉 달리 말해, 작은 코끼리는 아주 큰 동물이라는 것이다. 이 오류는 상대적인 용어인 'small'과 관련한 모호한 말의 오류이다. 그러나 상대적인 용어들에 대한 모호한 말이 모두 그렇게 분명하게 드러나는 것은 아니다. 예를 들면, 아무개는 훌륭한 장군이며, 따라서 훌륭한 대통령이 될 것이라고 주장되거나, 누군가가 훌륭한 학자여서 좋은 교사가 될 것 같다고 주장될 때 'good'이란 단어는 상대적인 용어로 종종 모호하게 얼버무려진다.

NOTE

Step 1	Survey
Key Words	Equivocation; relative; categories; fallacy
Signal Words	For example; therefore; not all
Step 2	**Reading**
Purpose	To describe the fallacy of equivocation involving(about) relative terms
Pattern of Organization	Not clear
Tone	Neutral
Main Idea	There is a danger of committing the fallacy of equivocation when using relative terms.
Step 3	**Summary**
지문 요약하기 (Paraphrasing)	Forms of argument that are valid when nonrelative terms, such as color words, are used break down when relative terms, such as size words, are used. For example, it is correct to say that a gray elephant is a gray animal, but the statement that a small elephant is a small animal is a fallacy of equivocation.
Step 4	**Recite**
	요약문 말로 설명하기

17 하위내용영역 일반영어 A형 서술형　배점 4점　예상정답률 55%

모범 답안　It is that our lives are easier than those of earlier generations and we work less than medieval European peasants. Second, they ensure their satisfaction by limiting their material desires.

채점 기준
- 4점: 모범답안과 같거나 유사하였다.
- 2점: 둘 중 하나만 맞았다.
- 0점: 모범답안과 다르다.

한글번역

　　진보에 대한 우리 문화의 신뢰는 뿌리 깊다. 우리는 우리 이전 사람들의 삶보다 우리의 삶이 더 낫다고 믿도록 교육 받아왔다. 근대 경제학의 이데올로기는 물질적 진보가 만족과 행복을 낳는다고 말한다. 그러나 행복에 대한 우리의 확신의 큰 부분은 우리의 삶이 전 세대의 그것보다 낫다는 가정에서 온다. 나는 이미 우리가 중세 유럽의 농민들(그들이 더 가난했겠지만)보다 더 적게 일한다는 개념에 이의를 제기한 바 있다. 문화 인류학자들의 현장 연구는 이런 상식에 새로운 관점을 제시하고 있다. 소위 미개인이라고 불리는 이들의 삶은 흔히 아주 힘들 것으로 생각한다. '끊임없이 먹을 것을 찾는 여정'으로 좌우되는 존재라고 말이다. 하지만 미개인들은 별로 일을 하지 않는다. 현시대의 관점에서 우리는 그들이 아주 게으르다고 봐야 할 것이다. 파푸아의 카파우쿠 사람들은 하루 일을 하면 다음 날은 일하지 않는다. 쿵 부시맨들은 일주일에 고작 이틀 반을 하루 여섯 시간씩 일한다. 하와이의 샌드위치 섬사람들은 하루에 네 시간만 일한다. 호주의 원주민들도 비슷한 스케줄로 움직인다. 이들 '석기시대 사람들'이 우리가 더욱더 많은 것을 얻기 위해 더 많이 일하는 것과 다르게 움직이는 이유를 이해하는 열쇠는 그들은 욕망을 제한해 왔다는 점이다. 소유욕과 소유 사이의 경쟁에서 그들은 그들의 소유욕을 낮게 함으로써 그들 나름의 만족도를 지켜 왔다는 것이다. 현대의 관점에서 그들은 물질적으로 가난하지만 최소한 한 가지 차원, 즉 시간의 문제에서 그들은 우리보다 부자라고 할 수 있다.

NOTE

Step 1	Survey
Key Words	Progress; work; primitives
Signal Words	In fact; the key... is
Step 2	**Reading**
Purpose	To show the flaws in the popular notion that contemporary people are happier than aboriginal people
Pattern of Organization	Series; comparison/contrast
Tone	Critical
Main Idea	The common notion that modern living is better than that of earlier generations is inherently flawed in that both earlier generations and primitive people in fact work less and are more easily satisfied.
Step 3	**Summary**
지문 요약하기 (Paraphrasing)	The common notion that modern living is better than that of earlier generations is inherently flawed in that like those earlier generations, primitive people work less and are more easily satisfied, unlike modern people who work every day and want for much.
Step 4	**Recite**
	요약문 말로 설명하기

18　하위내용영역 일반영어 A형 서술형　배점 4점　예상정답률 40%　본책 p.100

모범 답안　The word for the blank is "perfect". What contributes to the misunderstanding of the underlined is that it is unclear to whom the word "his" refers the first time it is used. 또는 What contributes to the misunderstanding of the underlined is that it is unclear to whom the first usage of "his" applies (as the possessive pronoun's referent needs to be distinguished).

채점 기준
- 4점: 모범답안과 같거나 유사하였다.
- 2점: 둘 중 하나만 맞았다.
- 0점: 모범답안과 다르다.

한글번역

　　각 언어가 그 나라가 말하려는 생각을 전달해주는 완벽한 수단이라는 일부 언어학자의 일반적인 신념은 최선을 위해 수요와 공급이 모든 것을 규제한다는 맨체스터의 경제학 이론과 똑 닮았다. 수요와 공급 법칙이 실제 필요를 충족시키지 못하는 수많은 사례에 대해 경제학자들이 무시하듯이, 많은 언어학자도 언어의 속성이 일상 속의 대화에서 오해를 유발하는 예들이나, 결과적으로 화자에 의해 의도된 생각을 표현하기 위해서 단어가 수정되거나 새로이 정의돼야 하는 경우들에 귀를 닫고 있다. "그는 막대기를 가졌다. 아니 존의 것이 아니라 그의 것이었다." 어떤 언어도 완벽하지 않다. 그리고 우리가 이 사실을 인정한다면, 우리는 서로 다른 언어나 언어들의 서로 다른 구체성 속에서 상대적인 장점들을 조사하는 것이 불합리한 일이 아님을 또한 인정해야 한다.

NOTE

Step 1	Survey
Key Words	Language; misunderstanding
Signal Words	In some ways; just as
Step 2	**Reading**
Purpose	To criticize the notion that languages are perfect containers for their corresponding culture's thoughts
Pattern of Organization	Series
Tone	Critical
Main Idea	Languages are not perfect, and each should be gauged by its strengths and weaknesses.
Step 3	**Summary**
지문 요약하기 (Paraphrasing)	Languages are not perfect, like in moments when there are uncertainties and misunderstandings, so given this, it should be possible to gaugeeach language's strengths and weaknesses.
Step 4	**Recite**
	요약문 말로 설명하기

19

모범답안 The phrase means that stressing details can destroy the passion for reading. Second, the word for the blank is "conventional".

채점 기준
- 4점: 모범답안과 같거나 유사하였다.
- 2점: 둘 중 하나만 맞았다.
- 0점: 모범답안과 다르다.

한글번역

콜로라도 로키 마운틴 학교에서 영어를 가르치고 있었을 때, 나는 학생들에게 영어 선생님들이 종종 읽기 숙제에 관해 묻는 그런 종류의 질문들을 물어보곤 했었다. 그 질문들은 학생들이 꼭 알아야만 한다고 결정한 포인트들을 끌어내도록 계획한 질문들이다. 학생들 입장에서는 그들은 내가 원하는 것에 대한 힌트와 실마리를 그들에게 주도록 만들려 할 것이다. 그것은 재치 게임이었다. 나는 절대로 내 학생들에게 어떤 책에 관해 그들이 정말로 생각하는 것을 말하는 기회를 주지 않았다. 나는 또한 어휘 훈련과 퀴즈를 냈다. 나는 학생들에게 책에서 그들이 이해하지 못한 단어를 마주칠 때마다 사전을 찾으라고 말했다. 나는 특별한 종류의 어휘 시험을 고안해냈다. 그리고 단어들이 어떻게 쓰였는지 알기 위해 그들이 책을 사용하는 것을 허락했다. 그러나 뒤돌아보면, 많은 내 교수법들과 함께 이러한 시험들이 어리석었다는 것을 깨달았다. 나의 여동생은 내가 영어를 가르치는 것에 관한 나의 판에 박힌 아이디어들에 대해 의문을 가지게 한 첫 번째 사람이었다. 그녀는 상당히 좋은 공립학교 7학년에 재학 중인 아들이 하나 있었다. 그의 선생님은 학급 학생들에게 쿠퍼의 *The Deerslayer*를 읽으라고 했다. 선택 그 자체로는 나쁘기에 충분했다. 자연이든 또는 사람을 보는 것이든 간에, 쿠퍼는 인공적이고, 부정확하고 감상적이고, 그의 글은 지루하고 화려하다. 그러나 설상가상으로 이 선생님은 그 책을 현미경과 엑스레이 치료를 하기로 했다. 그는 학생들에게 단어의 정의뿐만 아니라 자주 등장하고 함께 따라오는 모든 중요한 단어들의 파생어들을 찾고 암기하게 했고 그것들은 아주 많았다. 모든 챕터에 학생들이 모든 것을 이해했다는 것을 확신하기 위해 아주 세부적인 문제를 수록했다. 내가 말한 것처럼 나는 전통적인 관점에서 내 여동생의 비판에 맞서서 내 좋은 친구인 그 선생님을 옹호하기 시작했다. 그 논쟁은 곧 맹렬해졌다. 아이들이 읽은 모든 것을 이해한 것을 확실히 하는 것이 뭐가 잘못된 것이니? 라고 물었다. 나의 여동생은 올해까지 아들이 항상 읽기를 좋아했고, 그 스스로 많이 읽었는데 지금은 그만뒀다고 대답했다. 그는 수년 동안 정말로 다시 시작하지 않았다.

NOTE

Step 1	Survey
Key Words	Conventional ideas; teaching
Signal Words	Not clear
Step 2	**Reading**
Purpose	To describe the problems of conventional English teaching
Pattern of Organization	Narrative; cause/effect
Tone	Subjective
Main Idea	The conventional methods of teaching English are foolish and can have detrimental effects on students.
Step 3	**Summary**
지문 요약하기 (Paraphrasing)	The conventional methods of teaching English are ineffective and can be counter effective. Through rigorous elicitation and vocabulary instruction using texts, the students were challenged to understand everything they read. In one case this lead to a student losing his passion for reading for many years.
Step 4	**Recite**
	요약문 말로 설명하기

20 하위내용영역 일반영어 A형 서술형　배점 4점　예상정답률 40%　　　본책 p.104

모범 답안 The author does not agree with the argument because, according to her, all humanists as well as all social scientists cannot help being related to (cannot escape from or cannot detach from) their real life conditions such as class structure, social status, and various belief systems, etc. Second, the word for the blank is "nonpolitical".

채점 기준
- 4점: 모범답안과 같거나 유사하였다.
- 2점: 둘 중 하나만 맞았다.
  ☞ 첫 번째 문제에서, 자신들을 둘러싼 삶의 조건으로부터 detachment(또는 관련이 없다)의 개념이 들어있지 않지만 전체적인 내용이 유사했다면 1점만 준다.
- 0점: 모범답안과 다르다.

한글번역

　　셰익스피어나 워즈워스에 관한 지식은 정치적인 것이 아니며, 현대의 중국이나 북한에 관한 지식은 정치적인 것이라고 주장하기는 참으로 쉬운 일이다. 나의 공식적인 직업적 호칭은 '인문과학자'나, 그 호칭은 나의 전문분야가 인문과학이라고 하는 점에 따라 이 분야에서 내가 행하는 연구가 정치적일 수 있는 가능성은 전혀 있을 수 없다는 점을 나타내고 있다. 물론 이러한 꼬리표나 용어는 그 어느 것도 여기서 사용되는 경우에는 그 세세한 뉘앙스를 완전히 박탈당하게 된다. 그러나 내가 지적하는 것이 일반적으로 말해 진실이라는 점은 널리 인정되고 있다고 생각한다. 워즈워스에 관한 책을 쓰는 인문과학자 또는 키츠를 전문으로 하는 편집인은 어떠한 의미에서도 정치에 휘말릴 가능성이 없다고 말할 수 있는 이유 중 하나는, 그들의 연구가 일상적인 의미의 현실에 대해 직접 정치적인 영향을 주지 않는 것으로 보인다는 점이다. 중국 경제를 전공하는 학자의 연구는 정부의 이해관계에 중대한 관련성이 있는 고도로 책임이 중대한 영역에서 행해지고 있으므로 그가 연구 또는 제안이라고 하는 형태로 만들어내는 것은 정책입안자, 관료, 체제 옹호적인 경제학자, 정보기관원 등에 의해 채택될 가능성이 크다. '인문과학자'와 정책에 관여하는 학자 사이의 차이는 다음과 같이 말하는 경우 더욱 명확하게 될 것이다. 곧 전자의 이데올로기적 색깔은 정치에서 중요성을 갖지 못함에 비해 후자의 이데올로기는 그것이 그의 연구 소재 중에 직접 포함되기 때문에―참으로 현대의 경제학, 정치학, 사회학은 얼마나 이데올로기적인 학문인가!―당연히 '정치적인'것으로 보이게 된다.
　　그럼에도 불구하고 현대의 서양에서 만들어지는 지식의 대부분을 결정적으로 침식하고 있는 것은 지식이란 비정치적이어야 한다는 희망, 곧 지식은 학문적, 순이론적, 중립적인 것으로서 당파적이거나 속이 좁은 교조주의적 신념을 초월한 것이기를 요구하는 희망이다. 아무도 이론상의 이러한 지향이나 희망에 이의를 제기할 수는 없으나, 실제의 현실은 훨씬 더 많은 문제를 포함하고 있다. 아직 학자라고 하는 존재에 대해 그 생활 조건으로부터, 계급이나 신념체계 또는 사회적 지위와(의식적 또는 무의식적으로) 관련되는 사실로부터 또는 단순히 사회의 일원으로서 하는 활동으로부터 학자를 분리하는 방법을 생각한 사람은 없다. 그것들은 학자의 직업적 활동에 계속 영향을 미치고 있다. 두말할 필요도 없이 설령 그의 연구 활동과 그 성과가 삶의 일상적 현실에서 나오는 억제나 구속으로부터 상대적으로 자유로운 단계에 도달하는 것을 목표로 삼고 있어도 그러하다. 실제로 지식 그 자체는 (얽히고설켜 마음을 산란케 하는 삶의 조건들에 매여 있는 채 지식을 생산하는) 개인보다는 (더 당파적이기보다는) 덜 당파적이다. 그러나 그렇다고 해서 이 지식이 자동으로 비정치적이라고 말할 수는 없다.

NOTE

Step 1	Survey
Key Words	Humanities; political; impartial; knowledge
Signal Words	One reason; distinction between A and B; Whereas; therefore
Step 2	**Reading**
Purpose	To show how unnatural it is to separate humanists from politics as is preferred in the contemporary West
Pattern of Organization	Not clear
Tone	Critical
Main Idea	All knowledge production is inherently political, as scholars cannot be completely separated from their sociopolitical contexts and biases.
Step 3	**Summary**
지문 요약하기 (Paraphrasing)	All knowledge production is inherently political, as scholars cannot be completely separated from their sociopolitical contexts and biases. While humanities scholars studying topics like Shakespeare are often considered apolitical compared to social scientists studying contemporary issues like Chinese economics, this distinction is artificial. Although academic work strives for impartiality and objectivity, scholars remain inevitably shaped by their social position, class, beliefs, and societal membership. Even when research achieves relative freedom from everyday constraints, the knowledge produced cannot be completely detached from these inherent influences and political contexts.
Step 4	**Recite**
	요약문 말로 설명하기

21 하위내용영역 일반영어 A형 서술형   배점 4점   예상정답률 50%   본책 p.108

모범 답안 First, the writer thinks that the moralists' denunciations are ineffective in dealing with the problem. Second, it neglects human essential needs and the instinctive tendency towards some concrete sort of development.

채점 기준
- 4점: 모범답안과 같거나 유사하였다.
- 2점: 둘 중 하나만 맞았다.
- 0점: 모범답안과 다르다.

> **한글번역**
>
> 세계가 시작됐을 때부터 도덕론자들은 돈을 좋아하는 것을 비난했다. 나는 도덕적 비난을 굳이 할 생각은 없다. 지금까지 그런 비난은 아무런 효험도 없었다. 나는 돈의 숭배가 어떻게 해서 생명력 감소의 결과인 동시에 원인이 되는지, 돈의 숭배가 줄어들고 전체적인 활력이 늘어나게 하려면 우리의 제도들이 어떻게 변해야 하는지 살펴보고자 한다. 여기서 나는 돈을 특정한 목적을 이루기 위한 수단으로 여기고 가지고 싶어 하는 욕구는 문제 삼지 않을 것이다. 생활이 어려운 예술가가 예술 활동에 필요한 여가를 확보하기 위해서 돈을 원할 수 있다. 하지만 이런 욕구는 제한적인 것으로 그다지 많지 않은 돈으로도 충족시킬 수 있다. 여기서 나는 배금주의에 대해서 고찰하고자 한다. 배금주의는 모든 가치는 돈으로 측정될 수 있으며, 돈이 인생의 성공 여부를 가르는 궁극적인 시금석이라고 믿는 사고방식이다. 사실 이는 비록 입 밖에 내지는 않아도 수많은 사람이 품고 있는 생각이다. 그러나 배금주의는 인간의 본성과 어울리는 것이 아니다. 배금주의는 특정한 종류의 성장을 지향하는 본능적인 성향과 핵심적인 요구를 무시한다. 배금주의는 사람들이 돈을 손에 넣는 데 방해가 되는 자신의 욕구를 하찮은 것으로 여기게 한다. 그러나 대개 이런 욕구는 소득의 증가보다 행복이 더 중요하다. 배금주의는 사람들이 성공이란 무엇인가에 대한 잘못된 이론에 근거해서 자신의 본성을 훼손하고 인간의 행복에 전혀 보탬이 되지 않는 일들을 극찬하게 만든다. 그것은 아무런 활력이 없는 획일적인 인격과 의도를 조장하고, 삶의 기쁨을 축소하고, 공동체 전체를 피로감과 좌절감, 환멸감으로 몰아넣는 스트레스와 긴장감을 조성한다.

NOTE

Step 1	**S**urvey
Key Words	Worship of money; value; belief
Signal Words	Effect; cause; makes; lead...to; promotes
Step 2	**R**eading
Purpose	To show the problems caused by the worship of money and how they might be solved
Pattern of Organization	Cause/effect
Tone	Critical
Main Idea	The worship of money and its use as a measure of merit create an improper understanding of reality.
Step 3	**S**ummary
지문 요약하기 (Paraphrasing)	The worship of money as a central value or standard of measure of merit can cause an unhealthy value system. This can also lead people away from actual well-being.
Step 4	**R**ecite
	요약문 말로 설명하기

22

모범 답안 First, it means that figures like Nietzsche didn't invent new ideas, but rather took ideas that previously existed as part of larger works/contexts and made them the sole focus of their philosophy. Second, it means that Shakespeare not only understood the concept that Nietzsche would later develop (he "saw it"), but he also understood its limitations and flaws (he "saw through it").

채점 기준
- 4점: 모범답안과 같거나 유사하였다.
- 2점: 둘 중 하나만 맞았다.
- 0점: 모범답안과 다르다.

한글번역

때론 이런 혁신가들은 톨스토이처럼 수수하고 진지한 사람일 수 있고, 니체처럼 예민하고 여성적인 달변가일 수 있다. 그 어느 경우든지 그들은 파문을 일으키고 어떤 학파를 창설할지도 모른다. 언제나 문제의 그 인간이 새로운 사상을 발견한 것으로 알려진다. 하지만 사실 새로운 것은 그 사상이 아니라 사상의 소외이다.

이 점이 분명치 않다면 한 가지 예를 들어서 좀 지나치게 환상적이고 나이도 젊은 이론가들 사이에서 유행해온 사상과의 관계를 설명해 보겠다. 모두가 알듯이, 니체는 그 자신과 그의 추종자들이 가히 혁명적이라고 생각한 것 같이 보이는 교리를 설파했다. 니체가 말하길, 보통 이타적 도덕이라는 것은 노예 계급이 만들어 낸 것이라고 했다. 자기네보다 더 우월한 족속이 나타나 자기들과 싸워서 지배하는 것을 막기 위한 것이라는 설이다. 이런 이론에 찬성하든 안 하든, 현대인들은 이것이 전에 들어보지 못한 새로운 사상이라 떠들어 댄다. 과거의 위대한 작가, 가령 셰익스피어도, 이런 생각을 품지 않았는데, 그것은 그가 그런 것을 상상조차 하지 못했기 때문이라고 맑은 정신으로 집요하게 엮어댄다. 그런 기발한 생각이 머리에 떠오르지 않았다는 것이다. 셰익스피어의 "리차드 3세" 마지막을 펴보라. 그러면 니체가 한 이야기가 몽땅 두 줄 속에 들어 있을 뿐 아니라, 바로 니체가 한 말이 그대로 나와 있다는 것을 알게 될 것이다. 리차드 크룩백은 그의 귀족들에게 이렇게 말했다. "양심이란 단지 겁쟁이들이 쓰는 상투어/ 강자에게 겁주기 위해서 꾸며낸 말이라고."

내가 말했듯, 사실은 명백하다. 셰익스피어는 니체의 사상과 지배자 도덕을 생각했었다. 하지만 셰익스피어는 그 가치를 제대로 판단했고, 그것을 분수에 맞는 제자리에 갖다 놓았다. 분수에 맞는 제자리란 패배의 전야에 반쯤 미쳐버린 꼽추이다. 약자에 대한 이 같은 분노는 병적으로 용감하나 근본적으로 병든 자에게만 가능하다. 리차드와 같은 인간, 니체와 같은 인간 말이다. 이 경우 하나만 봐도 저들 현대 철학자들이 과거의 위인들이 미처 생각해 내지 못했던 것을 생각해 냈기 때문에 현대적이라는 생각이 얼마나 어리석은 망상인가를 알 수 있을 것이다. 옛 위인들도 다 그런 생각을 했다. 다만 그런 생각을 대수롭지 않게 생각했을 분이다. 셰익스피어가 니체의 사상을 못 본 것이 아니었다. 그는 사상을 보고 그 허점을 간파했다.

NOTE

Step 1	Survey
Key Words	Innovators; Nietzsche; Shakespeare
Signal Words	In those cases; in case; now
Step 2	**Reading**
Purpose	To challenge that Nietzsche was neither original nor noble in his thoughts
Pattern of Organization	Comparison/contrast
Tone	Critical
Main Idea	Modern philosophies like Nietzsche's doctrine that criticized altruistic morality are not necessarily new and have been thought of, and denigrated, by earlier minds such as Shakespeare.
Step 3	**Summary**
지문 요약하기 (Paraphrasing)	Modern philosophies like Nietzsche's doctrine that criticized altruistic morality are not necessarily new and have been thought of, and denigrated, by earlier minds such as Shakespeare. In Shakespeare's play, this idea is set forth by a hideous and devious character, which proves that Shakespeare both had the idea first and also thought it was terrible.
Step 4	**Recite**
	요약문 말로 설명하기

23

모범 답안 First, the effects of diminution are fiscal, as public institutions deteriorate from lack of tax support, and civic as this causes rich and poor people to live separate lives, which brings about a distorted budgetary policy and a corrosion of civic virtue. Second, the solution is to engage in a politics of the common good whose primary goal is the reconstruction of infrastructure for civil renewal.

채점 기준

+ 2점: 공공시설의 감소가 "부자와 빈자가 서로 다른 삶을 살도록 했고(1점), 이것이 예산상의 왜곡과 시민정신의 약화에 영향을 미친다(1점)."라 서술하였다.
+ 2점: 해결책이 "공공기반시설(infrastructure)의 확충에 있는 것"이라 서술하였다.

한글번역

　미국인의 삶에서 불평등 심화를 걱정하는 가장 중요한 이유는 빈부격차가 지나치면 민주 시민에게 요구되는 연대 의식이 약화한다는 사실 때문이다. 왜 그럴까? 불평등이 깊어질수록 부자와 빈자의 삶은 점점 더 괴리된다. 풍족한 사람들은 아이들을 사립학교에(또는 부유한 교외 지역의 공립학교에) 보내고, 그 결과 도심 공립학교에는 대안이 없는 가정의 아이들만 남는다. 학교뿐 아니라 다른 공공제도나 시설에서도 비슷한 현상이 일어난다. 사설 헬스클럽이 시에서 운영하는 체력단련장과 수영장을 대체한다. 상류층 지역에서는 경찰에 의존하기보다는 사설 경비업체와 계약한다. 자동차도 한 집에 두 세대가 되다 보니 대중교통을 이용할 필요가 없어진다. 이처럼 부유층이 공공장소나 공공서비스를 이용하지 않게 되면서, 그것들은 달리 대신할 수단이 없는 서민들만의 몫이 돼버린다.

　이때 두 가지 악영향이 나타나는데, 하나는 재정의 문제이고, 또 하나는 시민의식 문제이다. 우선, 공공서비스를 더 이용하지 않는 사람들이 납세를 꺼리게 되면서 서비스의 질이 떨어진다. 둘째, 다양한 계층의 시민들이 서로 만날 수 있는 곳에 학교, 공원, 운동장, 시민회관 같은 공공시설이 들어서지 않는다. 한때 사람들이 모이고 시민의 미덕을 가르치는 비공식 학교 구실을 했던 공공시설이 눈에 띄게 줄어든다. 공적 영역이 비어버리면 민주시민 의식의 토대가 되는 연대와 공동체 의식을 키우기가 어려워진다.

　공공영역의 잠식이 문제라면 해결책은 무엇일까? 공동선을 추구하는 정치는 시민의 삶에 기반이 되는 시설들을 재건하는 것을 일차 목표로 삼을 수 있을 것이다. 민간 시설의 소비를 늘리기 위한 재분배에 초점을 맞추기보다는 부유한 사람들에게서 세금을 걷어 공공기관과 공공서비스를 다시 일으킴으로써 부자와 빈자가 모두 똑같이 그것을 이용할 마음이 생기게 할 수 있다.

　앞선 세대는 연방정부의 고속도로 정책에 막대한 자금을 투자했고, 그 덕에 미국인들은 전에 없던 개인적 기동성과 자유를 누리게 됐다. 하지만 동시에 자가용, 도시팽창, 환경문제, 공동체를 좀먹는 생활방식에 의존하게 됐다. 우리 세대도 시민의 삶을 개선하는 중요한 기반시설에 투자할 수 있을 것이다. 부자와 빈자가 모두 아이를 보내고 싶어지는 공립학교, 상류층 통근자를 끌어들일 대중교통 체계, 그리고 보건소, 운동장, 공원, 체력단련장, 도서관, 박물관처럼 사람들을 닫힌 공동체에서 끌어내 민주 시민이 공유하는 장소로 모이게 하는 시설 등이 그것이다.

2S2R 유형

NOTE

Step 1	**S**urvey
Key Words	Inequality; private; public
Signal Words	First; if; rather than
Step 2	**R**eading
Purpose	To highlight the problems caused by the gap in wealth between the rich and the poor
Pattern of Organization	Cause/effect
Tone	Critical
Main Idea	Growing economic inequality in America leads to the wealthy's withdrawal from public spaces and services in favor of private alternatives.
Step 3	**S**ummary
지문 요약하기 (Paraphrasing)	Growing economic inequality in America leads to the wealthy's withdrawal from public spaces and services in favor of private alternatives (private schools, health clubs, security, etc.). This "secession" has two negative consequences: public services deteriorate as wealthy taxpayers become less willing to support them, and public spaces no longer serve as meeting grounds for citizens from different socioeconomic backgrounds. The proposed solution is to focus on rebuilding public infrastructure and institutions that would attract both rich and poor citizens, rather than simply redistributing wealth for private consumption, thus fostering shared democratic citizenship and community solidarity.
Step 4	**R**ecite
	요약문 말로 설명하기

24 하위내용영역 일반영어 A형 서술형 배점 4점 예상정답률 40% 본책 p.116

모범 답안 The short-term need is to stick close to his sons at a time when a father's influence seemed very crucial, and the long-term need is to equip himself with an education that will make him a better provider in the coming years (when he would presumably need to pay college tuitions). Second, the words are "managerial ranks".

채점 기준
+ 1점: 단기적 요구사항이 "아버지의 영향이 필요한 시기에 아들을 돌봐주는 것"이라 서술하였다.
+ 1점: 장기적 요구사항이 "훗날 더 나은 생활을 위해 공부를 하는 것"이라 서술하였다.
+ 2점: 빈칸에 들어갈 단어를 "managerial ranks"라 정확히 기입하였다.

한글번역

앤서니가 소수민족학 학위를 가지고 대학을 졸업했을 때, 그는 안정적이고 좋은 직업을 갖게 됐고, 결혼했고, 그리고 두 아들, 새미와 토니를 가졌다. 12년 후에, 그는 앞으로 관리자로의 승급을 약속했던 또 다른 회사로 이직했다. 헌신적이고 가정적인 남자였던 그는 아내 로렌이 두 아들을 키우는 헌신에 대해 존중했다. 하지만 십 대로 들어서는 그의 아들들이 자신과의 우애와 조언으로부터 크게 도움을 받는다는 것을 또한 알게 됐는데, 이런 것들은 두 아들이 성장 과정에서 쉽지 않은 과도기로 진입했다는 것을 그와 그의 아내가 깨달았기 때문이었다. 그래서 그는 두 아들과 많은 시간을 보내고 야구를 하고 그들의 학교 숙제를 도와주려고 노력했다.

그러나 그는 자기 직업 또한 사랑했고, 그것을 잘 해냈다. 관리직으로 곧장 승진하기 위해서는 석사 학위가 필요하다는 것이 곧 분명해졌다. 근처에 있는 한 대학에서 그에게 정규직으로 계속 일하면서도 저녁과 주말을 이용해 학위를 딸 수 있는 프로그램을 허용했다. 하지만 그것은 그의 삶에서 몇 년이 걸리고, 그의 가족 활동을 모두 아내의 손에 맡기게 만들어 버리는 것일 수 있었다. 앤서니의 딜레마는 장기적인 관점과 단기적인 관점의 충돌이었다. 그가 느끼기에 그의 가족들의 단기적인 필요로는 그의 아들들과 시간을 많이 보내는 것이 올바른 것이었다. 하지만 그의 가족들을 위한 장기적인 관점에서는 훗날 더 나은 생활을 위해 공부를 하는 것이 옳은 것이었다.

NOTE

Step 1	Survey
Key Words	Anthony; master's degree; long-term
Signal Words	But also
Step 2	**Reading**
Purpose	To point out a family man's dilemma regarding family obligations and employment
Pattern of Organization	Not clear
Tone	Neutral
Main Idea	Anthony faces a conflict between his immediate family responsibilities and long-term career advancement.
Step 3	**Summary**
지문 요약하기 (Paraphrasing)	Anthony faces a conflict between his immediate family responsibilities and long-term career advancement. While he recognizes the importance of being present for his teenage sons and supporting his wife with parenting, pursuing a master's degree would advance his career but require sacrificing family time. This creates a dilemma between meeting his family's short-term versus long-term needs.
Step 4	**Recite**
	요약문 말로 설명하기

25 하위내용영역 일반영어 A형 서술형　배점 4점　예상정답률 45%　　　본책 p.118

모범 답안　The document's objective is to identify zoos appropriate(suitable) for conservation practice. It has two defects : its critical underestimation of the total number of zoos and its overestimation of the quality of 1,000 core zoos. The writer refers to the (Robin Hill Adventure) Park to demonstrate(or illustrate) a weakness in the WZCS document.

채점 기준

+1점 : The WZCS document의 목적이 "(동물) 보호를 하는 데 적합한 동물원이 무엇인지 알려주는 것"이라 서술하였다.
+2점 : The WZCS document이 두 가지의 오류가 있음을 올바르게 서술하였다.
　☞ 다음과 같이 서술하여도 맞는 것으로 한다.
　첫째, "동물원 전체 숫자를 과소하게 측정한 것(1점)"; 둘째, "1000개의 핵심 동물원을 포함시키는 데 있어서 그것들의 역량과 질에 대한 잘못된 판단을 한 것(역량과 질을 과대평가함)(1점)."
+1점 : The Robin Hill Adventure Park을 언급한 이유를 "The WZCS document의 단점(자격미달인 동물원도 핵심 동물원으로 포함되어 있는 것)을 구체적으로 보여주기 위한 것"이었다고 서술하였다.

한글번역

　　동물원은 애초에 오락을 위한 장소로 만들어졌고, 40여 년 전 런던동물학협회에서 동물 보호란 주제로 첫 번째 정기 국제회의를 가지기 전까지는 동물원의 동물 보호 참여가 그리 심각하게 여겨지지 않았다. 8년 뒤에 "멸종 위기 생물의 번식"이란 제목으로 여러 세계 회의가 열렸고, 이 시점으로부터 보존은 동물원 단체에서 유명한 단어가 됐다. 현재 이러한 노력은 '세계 동물 보존 전략(이하 WZCS)'에 명확하게 정의돼 있다. 그러나 중요하고 환영받을 만한 이 문서는 동물원 산업의 본질에 대한 비현실적인 낙관주의에 기초하고 있다.
　　WZCS는 전 세계에 1만여 개의 동물원이 있다고 추정하고, 이들 중 천여 개는 협업적 보존 프로그램에 참여할 만한 질 높은 수집을 보여준다고 한다. 이것이 바로 그 문서의 첫 문제점인데, 필자는 동물원 1만여 개가 동물원으로 가장한 전체 수를 심각하게 과소평가한 것으로 생각한다. 물론 정확한 수치를 얻는 것이 어렵지만, 그래도 좀 더 정확한 시선으로 보자면, 동유럽에서 일 년간 일하면서 필자는 거의 매주 새로 개장되는 동물원을 발견할 수 있었다.
　　WZCS 문서의 논리에서 보이는 두 번째 문제점은 1천여 개의 핵심 동물원에 부여한 너무나 순진한 믿음이다. 사람들은 이 기관들의 자질이 충분히 신중하게 검증됐다고 생각하겠지만 사실 이 목록 리스트에 포함되는 기준은 동물협회나 동물단체의 멤버들이란 점밖에 없는 것 같다. 멤버가 되기 위해서는 반드시 어느 정도의 기준에는 도달해야 한다는 전제가 작동된다면 이는 좋은 시작이 될 수 있으나, 이 또한 사실들은 이론을 뒷받침해주지 않는다. 매우 권위를 인정받는 미국 동물원과 수족관 협회는 지극히 의심스러운 동물들이 회원으로 돼 있고, 영국과 아일랜드의 연방 동물원 연합은 국내언론으로부터 심하게 비난받는 동물원 들이 회원으로 종종 가입돼 있다. 와이트섬의 로빈 힐 어드벤처 파크가 이런 예에 해당하는데, 이곳은 많은 이들이 그 나라에서 가장 악명 높은 동물 수집을 하는 곳으로 간주하고 있다.

NOTE

Step 1	Survey
Key Words	Zoos; conservation; flaws; standards
Signal Words	However; of course
Step 2	**Reading**
Purpose	To examine the cataloging and standards of zoos
Pattern of Organization	Series
Tone	Critical
Main Idea	The WZCS is flawed in its estimates of the number of active zoos and in its selection of core zoos.
Step 3	**Summary**
지문 요약하기 (Paraphrasing)	The WZCS makes mistakes in its work in its estiimates of total zoos in the world and in categorizing of core zoos. It first came into being only recently, after zoos already existed for a long time as sources of entertainment, in an attempt to attach conversation values to zoos. Their count of 10,000 zoos in the world is likely to be a vast underestimate. A second problem is that the some zoos chosen to be exemplary are notoriously bad.
Step 4	**Recite**
	요약문 말로 설명하기

26

모범 답안 Though it is possible that the government(state) interrupts those who may have serious effects on other people, the state should accept an individual's freedom to the fullest unless her/his behavior harms others. Second, the writer argues that Mill's theory on liberty has some defect in that it leaves scarcely any range for individual freedom.

채점 기준

+2점: 밀의 자유론이 무엇인지 올바르게 서술하였다.
+2점: 밀의 자유론이 지니고 있는 한계에 대해 올바르게 서술하였다.
☞ 본문에 있는 연속적인 7단어 이상을 그대로 옮겨 적었으면 0.25점 감점한다.

한글번역

19세기는 정치적 이상과 경제적 실행 간의 기이한 분열 때문에 고통받은 시기였다. 정치적으로는 로크와 루소의 자유주의 이념들이 실행됐으며, 그것은 당시의 소농 사회에 적합한 것이었다. 당시의 표어는 자유와 평등이었다. 그러나 다른 한편으로, 그 시대는 다가올 20세기를 자유를 파괴하고 평등을 새로운 형태의 독재주의로 대체하게 될 시대로 이끌어 갈 기술을 고안하고 있었다. 자유주의적인 사유의 보급은 어떤 측면에서는 불행한 일이었다. 왜냐하면, 그로 인해 뛰어난 통찰력을 가진 사람들이 산업주의가 야기한 문제들을 냉철하게 고찰할 수 없었기 때문이다. 사회주의와 공산주의는 본질적으로 산업 시대의 강령들이지만, 그들의 시각은 계급 투쟁에 너무나 몰입돼 있기 때문에 오로지 정치적인 승리를 쟁취하는 수단 말고는 다른 측면을 돌아볼 여유가 거의 없는 것이 사실이다. 전통적인 도덕은 현대 세계에서는 거의 도움이 되지 않는다. 어떤 부자는 어떤 행위를 저질러서 수백만 명을 곤경에 처하게 만들 수 있지만, 세상에서 가장 독실한 가톨릭 참회자조차도 그런 행위를 죄악시하지 않을 것이다. 반면에 그런 사람이 최악의 결과라 해봤자 좀 더 유용하게 쓸 수도 있었던 한 시간을 써버린 정도밖에 되지 않는 사소한 변태 성행위에 대해서는 면죄부가 필요하다고 할 것이다. 지금은 내 이웃에 대한 나의 의무라는 주제에 관해 새로운 신조가 필요한 때이다. 전통 종교의 가르침만이 그 문제에 관해 적절한 지침을 주는 데 실패한 것은 아니다. 19세기 자유주의의 가르침 또한 그 일에 실패했다. 예를 들어, 밀의 "자유론" 같은 책을 생각해 보자. 밀은 나의 행위가 타인에게 심각한 결과를 불러올 때는 국가가 개입할 권리가 있지만, 내 행위의 파급 효과가 주로 나 자신에게만 한정되는 경우에는 아무리 국가라도 나를 자유롭게 내버려 둬야 한다고 주장한다. 그렇지만 그런 원리는 현대 세계에서 개인의 자유를 옹호할 수 있는 영역을 거의 남겨 놓지 않는 결과를 낳는다. 사회가 점점 더 조직화되면서 사람들이 상호 간에 영향을 주고받는 경우들은 점점 더 많아지고 중요해지기 때문에 자유를 옹호하는 밀의 입장을 적용할 만한 영역이 실제로는 거의 남아 있지 않다.

Step 1	Survey
Key Words	Liberalism; industrialism; Stuard Mill on liberty
Signal Words	Not clear
Step 2	Reading
Purpose	To critique and highlight the fundamental contradictions and inadequacies of 19th-century political and moral philosophies in addressing modern industrial society's challenges
Pattern of Organization	Not clear
Tone	Cynical
Main Idea	The disconnect between 19th-century liberal political philosophy and industrial economic reality created a framework inadequate for addressing modern social challenges.
Step 3	Summary
지문 요약하기 (Paraphrasing)	The 19th century experienced a paradox between its liberal political ideals of equality and its industrial economic practices that ultimately undermined these values. While political thought embraced Locke and Rousseau's concepts designed for small-scale agrarian societies, industrialization created new power structures that threatened individual freedoms. Neither traditional morality, religious teachings, nor liberal philosophies like Mill's ideas on liberty adequately addressed the complex social interconnections and ethical challenges of the modern industrial world.
Step 4	Recite
	요약문 말로 설명하기

27 하위내용영역 일반영어 A형 서술형   배점 4점   예상정답률 45%   본책 p.122

모범답안 First, Abe Rosenthal contends that people's apathy and unfeeling, which are caused by the anonymity and isolation of big-city life, makes people indifferent to the incident of Kitty Genovese. Second, Latane and Darley find that the most crucial factor is how many witnesses there are to an incident. (*The lesson is not that no one called despite the fact that thirty-eight people heard her scream; it's that no one called because thirty-eight people heard her scream.*)

채점 기준

+2점 : Abe Rosenthal의 설명이 "대도시 생활의 익명성과 소외에 의한 도시민들의 비정함과 무감각함"이 그 사건에 방관하도록 만들었다고 서술하였다.
☞ 전체적인 내용이 유사하더라도 "비정함이나 무감각함" 등의 표현이 없으면 0.5점 감점한다.
☞ 전체적인 내용이 유사하더라도 "대도시 생활의 익명성"이란 표현이 없으면 0.5점 감점한다.

+2점 : Latane and Darley가 발견한 가장 중요한 요소가 "사건 당시에 얼마나 많은 사람들이 있는가"였다고 서술하였다.
☞ 사람 수가 중요하다고 답했어도 맞는 것으로 한다.

한글번역

뉴욕시의 역사에서 가장 수치스러운 사건 중의 하나는 1964년 퀸즈에 사는 키티 제노비즈라는 젊은 여성이 칼에 찔려 죽은 사건이다. 제노비즈는 범인에게 쫓기다가 노상에서 30분 동안 세 번이나 공격을 받았다. 그녀는 38명이나 되는 이웃들이 창문에서 지켜보는 가운데 살해당했다. 하지만, 그 시간 동안 38명의 목격자 가운데 누구도 경찰에 전화하지 않았다. 이 사건은 엄청난 자기 비난을 불러일으켰으며, 후일 "뉴욕 타임스" 편집장이 된 아베 로젠탈은 이 사례를 책 속에서 다음과 같이 적었다. 제노비즈 양이 공격을 당하는 동안 목격자 38명 전원이 전화기를 들지 않은 이유를 누구도 설명할 수 없다. 이들 목격자 스스로도 그 이유를 말할 수 없기 때문이다. 하지만 그들의 냉담함은 사실상 대도시의 다양성 중 하나다. 이런 냉담함은 대체로 심리적인 생존에 관련이 된다. 어떤 사람이 수백만 명의 사람들에 둘러싸여 압력을 받았을 때, 그가 이 무수한 사람들이 자신에게 침입하는 것을 저지할 수 있는 유일한 방법은 가능한 그들을 무시하는 것뿐이다. 자기 이웃과 그들의 고통에 무관심해지는 것은 다른 대도시에서와 마찬가지로 뉴욕의 생활에서 불가피한 조건 반사이다. 이것은 일종의 상황론적인 설명이다. 도시 생활의 익명성과 소외는 사람들을 무정하고 무감각하게 만든다. 하지만 제노비즈에 관한 진실은 이보다 약간 더 복잡한데, 바로 이 점이 흥미롭다. 뉴욕시 심리학자인 콜롬비아 대학의 비브 라텐과 뉴욕 대학의 존 달리는 '방관자 문제'라고 명명한 현상을 이해하기 위해 일련의 사례를 연구했다. 그들은 어떤 사람이 달려와서 도움을 주는지 알아보기 위해 각기 다른 상황에서 이런저런 긴급 사태를 연출했다. 그들이 발견한 것은 놀라웠다. 예를 들어 한 실험에서 라텐과 존 달리는 방에 있는 한 학생에게 간질 발작을 연출하게 시켰다. 옆방에 오직 한 사람만이 있을 때 그가 달려와서 도와줄 확률은 85%였다. 하지만, 자신 이외에도 다른 4명의 사람이 발작 소리를 들었다고 생각할 때 그들이 달려올 확률은 불과 31%였다. 방문 아래로 연기가 새어 나오는 또 다른 실험에서 사람들은 혼자 있을 때는 75%가 보고를 했지만, 집단으로 있을 때 이 사건을 보고할 확률은 38%에 불과했다. 즉, 사람들이 집단으로 있을 때 행동에 대한 책임감은 희석된다. 그들은 누군가 다른 사람이 전화할 것이라 가정하거나 아무도 어떤 행동을 취하지 않기 때문에 명백한 문제—다른 방에서 들리는 발작 소리나 방문 소리나 방문 아래로 새어 나오는 연기 등—도 사실상 문제시하지 않는다. 아이러니하게도 그녀가 목격자가 단 한 사람 있는 외진 거리에서 공격을 당했더라면 살았을지도 모른다.

NOTE

Step 1	**S**urvey
Key Words	Death of Kitty Genovese; apathy(indifference); environmental explanation; bystander problem; in a group
Signal Words	Why; one experiment; for example; another experiment
Step 2	**R**eading
Purpose	To point out the difference in the way people react to emergencies depending on whether they are lone or in a group
Pattern of Organization	Series; cause/effect
Tone	Neutral
Main Idea	People are more likely to report an emergency if they are alone than if they are in a group.
Step 3	**S**ummary
지문 요약하기 (Paraphrasing)	People are more likely to report an emergency if they are alone than if they are in a group. Such as with Kitty Genovese, who was attacked and killed while 38 neighbors watched without taking action. Experiments have shown that this "bystander effect" takes shape as individuals show significantly less likelihood to take action when in a group.
Step 4	**R**ecite
	요약문 말로 설명하기

28

모범답안 The appropriate word for the blank is "hankerings". It can be inferred that Wittgenstein's popularity has subsided a bit to allow for other viewpoints to be discussed more.

채점 기준
- 4점: 모범답안과 같거나 유사하였다.
- 2점: 둘 중 하나만 맞았다.
- 0점: 모범답안과 다르다.

어휘

forge 구축하다
hankering 갈망
reclusive 세상을 버린, 은둔한, 쓸쓸한
subside 가라앉다

gnostic 영지주의적인; 신비주의적인
hepatitis 간염
resume 재개하다

한글번역

　1920년대 케임브리지에서 램지는 그 이후로 철학 분야를 정의하게 된 다양한 생각들을 혼자서 구축했다. 진리와 의식, 지식, 논리, 과학이론의 구조 등에 관한 동시대의 논쟁들 모두가 램지에 의해 처음으로 정의된 견해들에서 발전해간다. 1930년 램지가 26세의 나이에 간염으로 사망하기 일 년 전에 루드비히 비트겐슈타인이 오스트리아에서 몇 년간의 은둔생활을 한 뒤 케임브리지로 돌아왔다. 비트겐슈타인 주변의 추종자들이 곧 열광했고, 향후 50년 동안 영어권 세계 전역에서 철학을 지배하게 됐다. 그러한 분위기가 진정됐을 때는 이미 램지는 어쨌든 역사상 다소 사소한 역할로 격하됐다.
　어떤 면에서 램지와 비트겐슈타인은 공통점이 있었다. 그들은 둘 다 러셀에게서 영감을 받았고 철학의 첫 임무가 언어와 현실 사이의 관계에 대한 철학적 설명을 발전시키는 것이라고 여겼다. 그러나 그들은 철학적 성향이 꽤 달랐다. 비트겐슈타인의 첫 번째 책은 자신의 언어분석에 강력한 신비주의를 더했고, 이러한 영지주의적 분투는 그의 후기 철학의 신이상주의 속에서 더욱더 표명됐다. 그에 반해서 램지는 수학과 기초물리학의 눈을 통해서 세상을 봤다. 비트겐슈타인에게 과학은 적이었고 반면 램지에게는 친구가 됐다.
　1929년 비트겐슈타인은 영구히 케임브리지로 돌아왔다. 그와 램지는 그들의 차이를 메우며 거의 일 년 동안 철학 토론을 다시 시작했다. 그러나 그들이 영구히 지적인 조화를 계속해 나갈 거라는 생각은 무리였다. 비트겐슈타인의 초월적 갈망은 그가 램지의 물질주의라고 간주한 것들을 받아들이는 것을 불편하게 했고, 램지로서는 비트겐슈타인이 자신의 사상에만 집중하는 배타적인 태도에 짜증이 났다. 지난 한 세기 동안 철학적 전망은 변화해 왔다. 이제는 중심적인 과제가 과학에 의해 드러난 세상 안에서 마음과 의미를 조정하는 것이어서 좀 더 높은 관점에 대한 갈망들은 사소한 것이 됐다. 이제 이러한 난제에 대처하는 일을 램지가 어느 정도로 진척시켰는지 생각해 보는 것이 바람직하다.

NOTE

Step 1	**S**urvey
Key Words	F. P. Ramsey; Wittgenstein; materialism; transcendental hankerings
Signal Words	Have in common; both; by the time; by contrast; difference; over the past century
Step 2	**R**eading
Purpose	To show the differences and similarities between the philosophers F. P. Ramsey and Ludwig Wittgenstein
Pattern of Organization	Comparison/contrast; time order
Tone	Argumentative
Main Idea	Although Wittgenstein dominated the field of philosophy for fifty years during the 20th century, the ideas of his colleague F. P. Ramsey have since come to the fore.
Step 3	**S**ummary
지문 요약하기 (Paraphrasing)	Although Wittgenstein dominated the field of philosophy for fifty years during the 20th century, the ideas of his colleague F. P. Ramsey have since come to the fore. F. P. Ramsey developed philosophical ideas having to do with truth, meaning, logic, knowledge, and the structure of scientific theories, but he died young and his contributions to philosophy were overshadowed by the transcendental ideas of Ludwig Wittgenstein for half a century. Ramsey and Wittgenstein were friends, but their relationship was not always harmonious, because of their philosophical differences. Today philosophy faces the challenge of accommodating mind and meaning in the world of science, and Ramsey ideas are seen as helping meet that challenge, while Wittgenstein's transcendental ideas have become marginalized.
Step 4	**R**ecite
	요약문 말로 설명하기

29 하위내용영역 일반영어 A형 서술형　배점 4점　예상정답률 45%

모범 답안　The two words for the blank are "intentional fraud". It can be inferred that prosecution of high-level fraud was not successful half a century earlier.

채점 기준
- 4점: 모범답안과 같거나 유사하였다.
- 2점: 둘 중 하나만 맞았다.
- 0점: 모범답안과 다르다.

어휘

aftermath 결과, 여파
fiery 불같이
imprudent 경솔한, 무모한, 분별없는
esoteric 난해한, 비밀의
fraudulent 사기의
inordinate 과도한, 지나친

한글번역

　　때때로 대불황이라고 불리는 것이 시작된 이후 5년이 흘렀다. 경제가 서서히 개선되고 있지만, 아직도 일자리나 재산, 희망도 없이 소리 없는 절망적인 삶을 살아가는 수백만의 미국인들이 있다. 누가 비난받아야 했는가? 단지 그것이 나태함의 결과였거나 소위 '거품'이라고 불리는 과도한 위험 부담의 결과였거나 경솔했지만 뭘 몰라서 어려울 때를 대비해 충분한 비축을 하지 못한 결과였는가? 그렇지 않으면 적어도 부분적으로는 사기 행각의 결과였거나 근본적인 취약점을 의도적으로 감추는 바람에 더욱 난해하고 비밀스러운 금융 상품 속에 포장돼 건전한 위험으로 묘사된 의심스러운 모기지론의 결과였는가? 만약 전자였다면, 형법은 그 후의 결과에 대해 할 역할이 없다. 왜냐하면 몇몇 경우를 제외한 모든 경우에, 형사소추라는 사납고도 맹렬한 무기가 목표로 삼는 것은 적어도 의도적인 불법 행위이기 때문이다. 만약 대불황이 고위 경영진들에 의한 의도적인 사기 행위가 전혀 아니었다면, 그러한 경영진들을 형사법상 기소하는 것은 가장 천박하고 야비한 종류의 '책임 전가'가 될 것이다. 그러나 이와 달리 대불황이 의도적인 사기의 산물이었다면, 그러한 책임이 있는 사람들을 기소하지 못한 것은 사법 역사상 최악의 실패 중의 하나로 여겨져야 한다. 사실, 그것은 대규모의 사기를 은밀히 조직한 최고위층의 인물들을 재판에 회부하는 데 있어 지난 50여 년 동안 연방검사들이 거둔 높은 성공과는 뚜렷한 대조가 될 것이다.

NOTE

Step 1	Survey
Key Words	Economy; negligence; financial instruments; fraud
Signal Words	In all but a few circumstances; as a result; indeed
Step 2	**Reading**
Purpose	To highlight the question of who or what to blame for the Great Recession
Pattern of Organization	Question/answer
Tone	Critical
Main Idea	If the Great Recession was caused by fraudulent financial practices, then those who committed fraud should be brought to justice.
Step 3	**Summary**
지문 요약하기 (Paraphrasing)	Many Americans are still suffering from the economic downturn of the Great Recession. They wonder who was to blame. If it was caused by mere negligent risk-taking, then no one can be criminally prosecuted, but if high-level executives intentionally committed fraud, it would be an egregious failure of the criminal justice system not to prosecute them.
Step 4	**Recite**
	요약문 말로 설명하기

30 | 하위내용영역 일반영어 A형 서술형 | 배점 4점 | 예상정답률 40% | 본책 p.130

모범 답안 First, the word is "debate". Second, it refers to the stalemate between conservatives and biotech scientists where neither side is willing to take the first step toward compromise—specifically, conservatives want permanent bans on all cloning research while the biotech industry refuses any meaningful regulation. Neither group is willing to consider the proposed middle-ground solution of banning reproductive cloning while implementing a temporary moratorium on research cloning.

채점 기준
- 4점: 모범답안과 같거나 유사하였다.
- 2점: 둘 중 하나만 맞았다.
- 0점: 모범답안과 다르다.

어휘
constituency 선거인, 유권자; 선거구; 후원자, 지지자
embryo 태아   eugenics 우생학
genetic modification 유전자 조작
make the public move towards ~에 대해 공적조치를 취하다
moratorium 모라토리엄, 지급 유예; 일시 정지   pro-choice 임신중절 합법화를 찬성하는

한글번역
복제와 인간 유전자 조작의 새로운 기술들은 지금까지 개발된 것들 가운데 가장 강력하고 중요한 기술들에 속한다. 복제에 관한 현재의 논쟁은 두 지지자 집단들이 지배하고 있는데, 낙태에 반대하는 보수주의자들과 의생명과학자들이 그들이다. 낙태의 합법화에 찬성하는 많은 페미니스트는 출산 과정을 상품화하게 될 새로운 우생학에 대해 우려하고 있다. 인권 옹호자들은 새로운 우생학적 기술이 인종적이고 민족적 증오의 불길에 기름을 끼얹게 될 것이라 염려하고 있다. 양측 모두 복제아를 금지하는 것은 지지하고 또한 보수주의자들은 여러 연구 용도들을 갖고 있을지도 모르는 복제 기술의 사용을 즉각적이고도 영구적으로 금지하길 원하고 있지만, 생명공학기술 업계는 그 어떤 의미 있는 규제에 대해서도 저항하고 있다. 타협안으로써 의회가 아동 복제 금지 법안을 제정하는 한편, 연구용 복제를 영구적으로 금지할 것이 아니라 일시적으로 정지시키자는 제안이 있었다. 일시 정지 기간에 연구용 복제배아의 사용에 대한 제안된 많은 대안을 살펴볼 수 있을 것이다. 불행하게도, 어느 쪽도 아직 이런 종류의 실용적인 타협안에 대해 공적인 조치를 취하려 하지 않았다. 이러한 고착상태를 깨뜨리기 위해서는, 우리는 복제의 의미를 전부 고려하는 보다 광범위한 지지자 집단들이 필요하다.

NOTE

Step 1	Survey
Key Words	Cloning; genetic modification; biomedical; biotech; moratorium
Signal Words	Although; while; it's been suggested; unfortunately
Step 2	**Reading**
Purpose	To describe the two sides in the debate about cloning and point out the need for compromise
Pattern of Organization	Comparison/contrast
Tone	Critical
Main Idea	The current deadlock in cloning policy debate between conservatives and scientists can only be resolved by including more diverse perspectives and finding pragmatic compromises.
Step 3	**Summary**
지문 요약하기 (Paraphrasing)	The debate over human cloning and genetic modification primarily involves antiabortion conservatives seeking complete bans and biomedical scientists opposing regulation. While both groups support banning reproductive cloning, they disagree on research applications. Additional concerns come from feminists regarding commodification of reproduction and human rights advocates worried about eugenic discrimination. A proposed compromise suggests banning reproductive cloning while implementing a temporary moratorium on research cloning to explore alternatives. However, reaching this compromise requires broader participation from various stakeholders.
Step 4	**Recite**
	요약문 말로 설명하기

31

모범 답안 The halo effect is the natural tendency to interpret all aspects of a person according to one significant characteristic. 또는 The halo effect is the tendency to judge all qualities of a person based on one significant attribute, leading us to view people as entirely good or entirely bad. Second, if a story is consistent in narrative, the readers would be put at "ease" and with clear feelings as a result.

채점 기준
- 4점: 모범답안과 같거나 유사하였다.
- 2점: 둘 중 하나만 맞았다.
- 0점: 모범답안과 다르다.

어휘
compelling 주목하지 않을 수 없는; 설득력 있는, 강력한
flimsy 조잡한, 구차한
halo effect 후광 효과(하나의 뛰어난 특징 때문에 그 전체의 가치를 과대평가하는 것)
hunch 예감, 직감
manifestation (어떤 것이 존재하거나 일어나고 있음을 보여주는) 징후[표명], 발현
premonition 예감
propensity 경향, 성향
recount (경험에 대해) 이야기하다, 말하다
whim 기분, 변덕

한글번역

"흑조"에서, 나심 탈렙은 '서사적 오류'라는 개념을 도입해 과거에 대한 잘못된 이야기가 어떻게 세상에 대한 우리의 견해와 미래에 대한 우리의 기대를 형성해 가는지를 설명했다. 세상을 이해하고자 하는 우리의 끊임없는 시도에서 서사적 오류는 불가피하게 생겨난다. 사람들이 주목하지 않을 수 없는 설명적 이야기는 단순하다. 그것들은 추상적이기보다는 구체적이다. 운보다는 재능과 어리석음과 의도 등에 더 큰 역할을 부여하며, 일어나지 못한 무수한 사건들보다는 일어난 소수의 두드러진 사건에 초점을 맞춘다. 탈렙은 우리 인간들은 과거에 대한 조잡한 이야기를 구성하고 그것들을 진실로 믿어버림으로써 자신을 끊임없이 속이고 있다고 주장한다. 사람들이 좋다고 여기는 이야기들은 사람들의 행동과 의도에 관해 단순하고 일관된 설명을 제공한다. 당신은 언제나 행동을 일반적 성향과 성격적 특징─결과와 용이하게 연결할 수 있는 원인─의 발현이라고 쉽게 해석한다. 후광 효과는 일관성을 높여준다. 왜냐하면 후광 효과는 우리가 어떤 사람의 전반적인 자질에 대한 견해를 그의 현저히 두드러지는 어떤 속성에 대한 우리의 판단과 일치시키도록 이끄는 경향이 있기 때문이다. 후광 효과는 평가의 일관성을 과장함으로써 설명적 서사를 단순하고 일관성 있게 유지하는 데 일조한다. 좋은 사람은 항상 좋은 일만 하고, 나쁜 사람은 항상 나쁘다는 식이다. "히틀러는 개와 어린이들을 좋아했다."라는 진술은 당신이 아무리 자주 듣더라도 언제나 충격적이다. 왜냐하면 그토록 악한 어떤 사람 안에 있는 다정함의 흔적이 후광 효과에 의해 확립된 기대와 어긋나기 때문이다. 불일치는 우리 생각의 용이함과 감정의 명료함을 감소시킨다.

NOTE

Step 1	**S**urvey
Key Words	Narrative fallacy; expectations
Signal Words	Larger … than; always; because
Step 2	**R**eading
Purpose	To show how people use fallacies in their stories of the past in order to make sense of the world
Pattern of Organization	Definition; cause/effect
Tone	Neutral
Main Idea	Humans naturally construct and believe in oversimplified narratives about past events, influenced by the halo effect and their preference for coherent stories over complex reality, which can distort their understanding of causality and future expectations.
Step 3	**S**ummary
지문 요약하기 (Paraphrasing)	Nassim Taleb's concept of narrative fallacy explains how humans create oversimplified stories to make sense of the past, which then shape their understanding of the present and future. These narratives tend to emphasize individual characteristics over chance, focus on notable events while ignoring non-events, and maintain coherence through the halo effect—the tendency to view all aspects of a person as consistently good or bad. This simplification, while making experiences easier to process, can lead to flawed understanding and expectations.
Step 4	**R**ecite
	요약문 말로 설명하기

32 하위내용영역 일반영어 A형 서술형   배점 4점   예상정답률 45%   본책 p.134

모범 답안 First, "it" refers to the "widespread belief that to reach high levels of ability a person must possess an innate potential called talent." Second, the word is "encouragement".

채점 기준
- 4점: 모범답안과 같거나 유사하였다.
- 2.5점: 둘 중 서술형 문제만 맞았다.
- 1.5점: 둘 중 기입형(빈칸형) 문제만 맞았다.
- 0점: 모범답안과 다르다.

한글번역

영국의 한 심리학자의 연구에 따르면, 셰익스피어, 모차르트, 피카소와 같은 천재들이 "재능을 타고났다."라는 생각이 그릇된 통념이라고 한다. 엑스터 대학교의 마이클 호우 교수와 그의 동료들은 예술과 스포츠 분야에서의 뛰어난 성취를 조사한 후에 탁월함은 기회, 격려, 훈련, 동기 부여, 자신감, 그리고 무엇보다도 연습에 의해 결정된다고 결론을 내렸다.

전통적인 믿음과 완전히 결별한 이 이론은 전 세계의 학자들로부터 갈채를 받았다. 이 이론은 교사와 부모에게 상당한 영향을 미치고 있는데, 특히 그 이유는 재능을 타고났다고 생각되지 않는 아이들은 성공에 필요한 격려를 받지 못하고 있기 때문이다. 그 연구논문 저자들은 "널리 퍼져 있는 믿음, 즉 높은 수준의 능력에 도달하기 위해 사람은 재능이라 불리는 타고난 잠재력을 가지고 있어야 한다."는 신념에서 출발했다. 그들은 그 신념이 올바른 것인지 아닌지를 규명하는 것이 중요하다고 말했는데, 그 이유는 그 신념이 선발 절차와 훈련에 영향을 미치는 사회적·교육적 결과를 초래하기 때문이다.

그러나 능숙한 예술가와 수학자, 최고의 테니스 선수와 수영 선수에 관한 연구에 따르면 그들이 부모의 격려를 받기 전에 초기의 장래성은 거의 보이지 않았다. 혹독한 훈련에 수많은 시간을 쏟지 않고 최고의 업적을 이뤄낸 사람은 없었다. 음악에서든, 수학에서든, 체스에서든, 또는 스포츠에서든 간에, 매우 재능이 있다고 여겨졌던 사람들조차도 장기간의 교육과 연습이 필요했다.

NOTE

Step 1	Survey
Key Words	Genius; talent; encouragement; training
Signal Words	According to; not least because
Step 2	Reading
Purpose	To challenge the traditional belief in innate talent or "giftedness"
Pattern of Organization	Cause/effect
Tone	Persuasive
Main Idea	Outstanding achievement is the result of practice and training, not innate talent.
Step 3	Summary
지문 요약하기 (Paraphrasing)	Outstanding achievement is the result of practice and training, not innate talent. This idea has been embraced by academics, teachers and parents, because it means children previously seen as not gifted can succeed too. Questioning the belief in innate talent has the power to affect the social and educational issues affecting selection procedures and training. Notably, studies showed that encouragement and thousands of hours of training were found behind all those were accomplished well or were believed to be talented.
Step 4	Recite
	요약문 말로 설명하기

33 하위내용영역 일반영어 A형 서술형　배점 4점　예상정답률 0%　본책 p.136

모범 답안　The words are "new skill". Second, the characteristic is that the routine activity must not involve any new learning, as this would interfere with the brain's process of storing the first skill in permanent memory. The activity should be familiar enough that it doesn't require the brain to form new memory patterns.

채점 기준
- 4점: 모범답안과 같거나 유사하였다.
- 2점: 둘 중 서술형 문제만 맞았다.
- 0점: 모범답안과 다르다.

어휘

encode 암호화하다, 부호화하다
head 이끌다, 지도하다
psychiatrist 정신과 의사
vulnerability 취약성

erode 서서히 파괴하다, 손상시키다
mind 지능
retention 기억(력)

한글번역

　자전거를 타는 것과 같이 어떠한 새로운 신체적인 기술을 학습한 이후, 그 기억을 뇌에 영구적으로 저장하는 데는 6시간이 소요된다. 그러나 기억 및 지능에 대한 연구 결과에 따르면, 또 다른 새로운 기술을 배움으로써 이러한 저장 과정을 방해할 경우 처음에 배웠던 기술이 머릿속에서 지워질 수도 있다고 한다. "시간 그 자체가 매우 강력한 학습 요소라는 것을 우리의 연구 결과가 증명했습니다."라고 존스홉킨스 대학에서 인간이 어떻게 기억하는지를 연구하는 팀을 이끄는 정신과 의사 헨리 홀컴박사가 주장했다. "어떤 것을 단순히 연습하는 것만으로는 충분하지 않습니다. 두뇌가 새로운 기술을 암호화할 시간이 주어져야 합니다." 연구원들은 뇌에서 혈류를 측정하는 기기를 사용했다. 그 연구원들은 새로운 기술에 대한 기억을 뇌의 앞부분에 있는 단기 저장소에서 뇌의 뒷부분에 있는 영구 저장소로 이동시키는 데 5시간에서 6시간이 걸린다고 결론지었다. 그 6시간 사이에는 신경계의 '깨지기 쉬운 창'이 존재하는데, 만일 그때 두 번째 새로운 기술을 배우려고 시도할 경우 (첫 번째) 새로운 기술이 쉽게 기억에서 지워질 수 있다고 홀컴 박사는 말했다. "만일 당신이 피아노곡 하나를 처음으로 연주한 다음 즉시 다른 것을 연습하기 시작한다면, 당신이 연주했던 처음 곡을 기억하는 데 있어 문제를 초래하게 될 것입니다."라고 홀컴 박사가 덧붙였다. 그가 말하길, 만일 첫 번째 연습 이후 새로운 학습이 없는 반복 활동을 5시간 내지 6시간 동안 할 경우 (기억은) 훨씬 좋을 것이라고 한다.

NOTE

Step 1	Survey
Key Words	Physical skill; permanent storage; memory
Signal Words	It is not enough; you have to; it would be better
Step 2	Reading
Purpose	To explain and inform readers about a scientific finding regarding how the brain processes and stores new physical skills in memory
Pattern of Organization	Not clear
Tone	Neutral
Main Idea	The brain needs an uninterrupted six-hour period to properly store new physical skills in permanent memory, during which learning additional new skills can disrupt the process.
Step 3	Summary
지문 요약하기 (Paraphrasing)	Research reveals that after learning a new physical skill, the brain requires six hours to transfer the memory from temporary to permanent storage. During this critical period, attempting to learn another new skill can disrupt the storage process of the first skill. To retain new skills effectively, people should engage in familiar activities during the six-hour consolidation period.
Step 4	Recite
	요약문 말로 설명하기

34 하위내용영역 일반영어 A형 서술형 / 배점 4점 / 예상정답률 40%

모범 답안 The word that suits the blank is "functions". Second, we can infer from the passage that Chandigarh previously had no centralized marketplaces, with smaller, Indian-style markets located in many villages or small neighborhoods.

채점 기준
- 4점: 모범답안과 같거나 유사하였다.
- 2점: 둘 중 하나만 맞았다.
- 0점: 모범답안과 다르다.

어휘

centralized 집중화된; 중앙집권화된
label 라벨을 붙여 분류[명시]하다; 이름을 붙이다, 명명(命名)하다
layout 지면(地面) 구획, 배치; 설계

한글번역

가정에서 공간의 구분은 문화에 따라 달라질 수 있다. 대부분의 미국 가정에서 방의 배치는 그 기능에 따라 침실과 거실, 식당, 놀이방 등으로 공간을 분리 및 명명하는 것을 보여준다. 이러한 방식은 가정에서 방 하나가 다용도로 쓰이는 다른 문화와는 극명한 대조를 이룬다. 일본에서는 이동식 칸막이 벽이 있는 가정은 큰 방을 두 개의 작은 방으로 바꿀 수 있는데, 그리하여 거실을 침실로도 사용할 수 있다. 가정이나 도시의 설계가 다른 문화에 의해 영향을 받을 때, '원래 있던' 건축양식은 없어지거나 바뀌게 될 수 있다. 예를 들어, 한 프랑스 건축가가 인도 펀잡 지역의 수도인 찬디가르를 설계해달라는 부탁을 받게 됐다. 그 건축가는 대중교통과 마을 중심지로부터의 이동을 필요로 하는 중앙집중화된 쇼핑센터를 갖춘 도시를 설계하기로 했다. 그 결과 인도인들은 그들이 사는 작은 동네에서 사교적으로 서로 만나는 일을 그만뒀다. 명백히 비인도식 건축양식의 도입이 도시에 사는 사람들의 문화적, 사회적 양상에 영향을 준 것이었다.

2S2R 유형

NOTE

Step 1	Survey
Key Words	Separation of space; functions; influence; culture
Signal Words	Vary from culture to culture; in sharp contrast to other cultures
Step 2	Reading
Purpose	To illustrate how architectural and spatial design choices reflect and influence cultural patterns and social behavior
Pattern of Organization	Comparison/contrast
Tone	Neutral
Main Idea	The way space is divided up and used varies from culture to culture and any change in that (the way space is divided up and used) can affect the way of life.
Step 3	Summary
지문 요약하기 (Paraphrasing)	The way people separate space in their homes or divide and use public space varies from culture to culture. In some cultures, each space serves a single function, while in others, a space may be multifunctional. When the use of space is influenced by another culture, it can change the cultural and social patterns of living.
Step 4	Recite
	요약문 말로 설명하기

35 하위내용영역 일반영어 A형 서술형   배점 4점   예상정답률 45%

모범 답안 First, in farming communities that depend on raising livestock, wolves and humans cannot coexist peacefully because wolves pose a direct threat to the communities' means of survival by killing their livestock. Second, the writer believes wolves are valuable to the natural ecology and should not be eliminated.

채점 기준
- 4점: 모범답안과 같거나 유사하였다.
- 2점: 둘 중 하나만 맞았다.
- 0점: 모범답안과 다르다.

어휘
anaemic 빈혈증의; 무기력한
compatible 양립할 수 있는
embodiment 구체화, 구현
odd 이상한
prowl 찾아 헤매다; 배회하다
spawn 산란하다; 야기하다
browse 나뭇잎을 먹다
desuetude 폐지, 폐절(廢絶), 불용(不用)
get[have] a good press (언론의) 호평을 받다
presumably 아마, 추측하건대
seedling 묘목, 어린 나무
turn on ~에 대들다, 갑자기 공격하다

한글번역

늑대는 여러 이야기에 악의 화신으로 나온다. 어떤 면에서 보면, 늑대가 인간에게 최악의 적이라는 것은 이상한 일이다. 훨씬 더 좋은 평을 받는 곰이 더 위험하다. 곰을 괴롭히면 당신에게 달려들 수 있으나, 늑대를 괴롭히면 달아날 것이다. 아마도 경쟁이 이러한 오랜 증오를 설명해줄 것이다. 한 때의 늑대들은 한 시간 안에 수백 마리의 양을 기꺼이 죽일 것이다. 네 발 달린 동물에게 생계가 달린 사회에서는, 늑대와 인간이 양립할 수 없다. 이러한 경쟁 관계가 끔찍한 잔인함을 야기했고, 19세기 초 미국에서는, 늑대를 죽이는 것을 좋은 오락으로 간주했다. 그러나 20세기 중반 무렵에 정서가 바뀌기 시작했다. 우선, 보존주의 사고에 변화가 찾아왔는데, 그것은 미국 환경운동의 아버지인 알도 레오폴드의 삶과 글이 잘 보여주고 있다. 20세기 초에, 환경운동가들은 포식동물들이 다른 동물들을 죽이기 때문에, 환경 보존은 포식동물들을 죽임으로써 가장 잘 이루어질 수 있다고 믿었다. 그러나 레오폴드는 이러한 운동의 결과에 대해 점점 우려하게 됐다. 그의 환경보호 관련 베스트셀러 가운데 하나에서, 그는 다음과 같이 썼다. "나는 최근에 늑대가 살지 않게 된 많은 산의 표면을 주의 깊게 관찰했는데, 남쪽을 향해 있는 비탈면에 사슴이 지나다니는 길들이 미로와 같이 어지럽게 새로 나 있는 것을 봤다. 나는 모든 식용 관목과 어린나무들이 그 잎들이 뜯겨, 처음에는 활기 없이 시들어가다, 나중에는 죽어가는 것을 목격했다."

NOTE

Step 1	Survey
Key Words	Wolf; competition; cruelty; conservationist; environmental
Signal Words	Not clear
Step 2	**Reading**
Purpose	To trace the historical transformation of attitudes toward wolves and explain how scientific understanding revealed their importance in ecosystem management
Pattern of Organization	Not clear
Tone	Critical
Main Idea	Society's perception of wolves has evolved from viewing them as dangerous pests to recognizing their vital role in maintaining ecological balance.
Step 3	**Summary**
지문 요약하기 (Paraphrasing)	Wolves used to be regarded as dangerous and even evil because they would attack livestock as well as other wild animals, so people killed them off. But then, in the middle of the 20th century, people began to take seriously Aldo Leopold's concerns about the environmental damage caused by the loss of the wolf population, so their attitudes toward wolves have changed.
Step 4	**Recite**
	요약문 말로 설명하기

36 하위내용영역 일반영어 A형 서술형   배점 4점   예상정답률 40%   본책 p.142

모범 답안 The main intention is to highlight the problems with declining hours of operation experience for young surgeons and its effect on ability. Previously, the most effective training was hands-on with daily operation experience.

채점 기준
- 4점: 모범답안과 같거나 유사하였다.
- 2점: 둘 중 하나만 맞았다.
- 0점: 모범답안과 다르다.

어휘

cutting-edge 최첨단의
laudatory 칭찬의
obsolete 더 이상 쓸모가 없는, 구식의, 낡은
resuscitation 소생, 의식의 회복
scramble 급히 서두르다
simulated 모의의, 모조의, 흉내 낸
first-hand 직접 얻은, 경험한
make up for ~을 벌충하다, 만회하다
pedantic 학자 티를 내는, 아는 체하는, 현학적인
sardonic 냉소적인, 조소하는; 비꼬는
scrub (수술 전에 외과 의사·간호사가 손과 팔을) 씻다
surgical 외과의, 수술의

한글번역

 거의 한 세기 동안, 외과 전문의의 실습 기간은 집중적인 경험을 하는 시기인 동시에 책임이 증가하는 시기였다. 최근의 연구가 한층 더 축적되면서 외과 의사의 수술 기술과 시술한 수술 횟수, 환자의 결과 사이에 강력한 상관관계가 있음이 입증되면서, 이러한 접근법이 옳았음이 확인되고 있다. 지난 10년 동안, 젊은 외과 수련의들이 병원에서 보내는 시간의 상한선이 정해지면서, 수술에 참여할 기회도 덩달아 줄어들었다. 이전 세대의 수련의들이 적어도 하루에 한 번 수술에 참여했던 반면에, 요즘의 수련의들은 일주일에 두 번 혹은 세 번 정도의 수술에 참여할 시간만 있었다. 외과 분야를 선도하는 이들은 오늘날 젊은 예비 외과 의사들이 병원에서 보내는 시간이 줄어듦으로써 '잃어버린' 시간을 계산했는데, 그들이 거의 1년 치에 해당하는 경험을 놓치고 있다고 추정했다. 수술 자체도 변화하고 있고, 현재 외과 의사가 필요로 하는 기술의 숫자도 늘어나고 있었다. 새로운 약물이 발견되면서 한때 표준적이었던 수술이 실시되는 일이 줄어들었지만, 완전히 쓸모없어진 것은 아니었다. 그래서 외과 의사들은 그런 수술들을 예전만큼 자주 하지는 않아도, 모든 수술법을 다 알고는 있어야 했다. 외과 수련 프로그램들은 온라인 교육 도구를 개발하고 수련의들에게 모의수술실에서의 수술 경험과 전자 마네킹을 이용한 외상소생술 기회를 제공함으로써, 줄어든 시간을 서둘러 벌충하고 끊임없이 늘어나는 지식을 다뤘다. 그러나 한 연구 결과가 보여주듯이, 최상의 설비로 채워진 가상 실험실이라 해도 잃어버린 1년 치의 경험에 해당하는 가치를 대신할 수는 없다.

NOTE

Step 1	Survey
Key Words	Surgeons; residency; experience; simulation
Signal Words	More recent research; for the past decade; while previous generations
Step 2	**Reading**
Purpose	To point out the problems of the current system of training surgeons
Pattern of Organization	Not clear
Tone	Critical
Main Idea	Young doctors in training to become surgeons receive less experience than they used to.
Step 3	**Summary**
지문 요약하기 (Paraphrasing)	Young doctors in training to become surgeons receive less experience than they used to. Up until about a decade ago, doctors in training to become surgeons gained experience in the operating room almost on a daily basis, but recently they have only enough time to participate in two or maybe three operations a week. This means they lose the equivalent of a year's worth of experience. Training programs try to make up for this using simulation, but this is inadequate.
Step 4	**Recite**
	요약문 말로 설명하기

37 하위내용영역 일반영어 A형 서술형   배점 4점   예상정답률 50%   본책 p.144

모범 답안 It is to criticize the idealization of the social elite by the media. Second, the word for the blank is "media".

채점 기준
- 4점: 모범답안과 같다.
- 2점: 둘 중 하나만 맞았다.
- 0점: 모범답안과 다르다.

한글번역

방송과 신문은 정기적으로 대단한 성공을 거둔 개인들에 대한 과장된 선전 기사를 내보낸다. 이러한 이야기들의 주인공들은 대개 스포츠나 연예계의 유명 인사들이다. 사회면이나 가십란은 엘리트 계층이 서로서로 알게 해주는 기능을 하고, 평범한 사람들이 엘리트 계급의 부절제를 넋을 잃고 멍하니 바라보게 하며, 아메리칸 드림이 실현 가능한 것이라고 믿도록 해준다. 신문은 거대한 회사의 창업자를 다루는 특집 기사를 아주 좋아한다. 이러한 이야기는 때때로 내부인의 성공한 기업가의 개인적 또는 회사 내에서의 삶에 대한 시각을 보여주는데, 그 내용은 기업의 성공을 거지가 갑부가 되는 이야기처럼 설명하고 있다. 이러한 이야기들은 기업의 성공이 일련의 영리한 대처, 기민한 인수, 시기적절한 합병, 그리고 적시의 임원 이동에 기인한 결과라고 말하고 있다. 상류 계급을 긍정적인 방향과 아무런 잘못도 저지르지 않은 것처럼(노동운동 지도자나 노동조합은 이와 정반대의 대우를 받는다) 색칠함으로써, 매체들은 부와 권력이 호의적인 것이란 확신을 심어준다. 한 사람의 자본축적은 전체를 위해 이로운 것으로 추정된다. 엘리트 계급은 투자의 마법사 또는 특별한 재능과 기술을 가진 사람으로 묘사된다. 또는 이들의 희생자들인 노동자와 소비자들도 심지어 이들을 숭배하는 것처럼 묘사된다.

NOTE

Step 1	**S**urvey
Key Words	Media; elite; upper class
Signal Words	Also
Step 2	**Reading**
Purpose	To criticize the idealization of the social elite by the media
Pattern of Organization	Series
Tone	Critical
Main Idea	The way that the media present the upper class is intentionally manipulative and positive.
Step 3	**Summary**
지문 요약하기 (Paraphrasing)	The way the media present the successful is meant to portray them as benevolent and specially skilled individuals, without questioning them or their actions.
Step 4	**Recite**

요약문 말로 설명하기

38 하위내용영역 일반영어 A형 서술형 　배점 4점　예상정답률 45% 　　　　　　　　　　　본책 p.146

모범 답안 The author of the passage presents three assertions skeptics of computer intelligence present: computers are serial, digital, and cannot generate emotion. The writer rebuffs the first two points by explaining the modern computers operate with parallel and analogous processes. Then, the third point is challenged by the fact that human brains employ biological "computing" to process emotions, showing that the two processes are not dissimilar. Second, the word is "computer".

채점 기준

+3점: 모범답안과 같거나 유사하였다. 즉, 회의주의자들 주장 3개를 올바르게 서술하고(1.5점), 저자의 반박 3개를 올바르게 서술하였다(1.5점).
☞ 위의 기준을 바탕으로 점수를 조합한다.
- 회의주의자들 주장 3개를 올바르고 명확하게 서술하였고, 저자의 반박은 2개만 올바르게 서술하였거나 회의주의자들 주장 2개만 서술하였고, 저자의 반박은 3개 모두 올바르게 서술하였으면 2점을 준다.
- 회의주의자들 주장 2개만 서술하였고, 저자의 반박은 2개만 올바르게 서술하였거나 회의주의자들 주장 3개를 명확하게 서술하였고, 저자의 반박은 구체적이지 못하고 뭉뚱그려 서술하였으면 1점을 준다.
- 회의주의자들 주장 0-1개만 서술하였고, 저자의 반박도 0-1개만 서술하였으면 0점을 준다.

+1점: 빈칸에 들어갈 단어를 "computer"라 정확히 답하였다.

한글번역

우선, 왜 두뇌가 컴퓨터가 아닐 수도 있는가에 대한 일반적인 주장들은 꽤 빈약하다. "두뇌는 병렬적이지만, 컴퓨터는 순차적이다."라는 주장을 들어 보자. 비평가들이 궁극적으로 인간이 무언가를 할 때마다, 두뇌의 서로 다른 많은 부분이 사용된다는 점을 주목하는 것은 옳다; 그건 병렬적인 것이지, 순차적인 것이 아니다.

그러나 컴퓨터가 완벽하게 순차적이라는 생각은 한심하도록 시대착오적이다. 데스크톱 컴퓨터가 대중적으로 자리잡은 이래로, 컴퓨터에는 하드 드라이브 컨트롤러나 중앙처리장치 같은 서로 다른 부품에 의해 동시에 여러 계산이 처리되면서 어느 정도의 병렬성도 항상 있었다. 그리고 시간이 지남에 따라 하드웨어 사업에서의 트렌드는 멀티코어 프로세서와 그래픽 처리 장치와 같은 새로운 접근법을 사용해 컴퓨터를 더욱더 병렬적으로 만드는 것이었다.

컴퓨터 비유에 대한 회의론자들은 또한 "두뇌는 아날로그지만, 컴퓨터는 디지털이다."라고 주장하기를 좋아한다. 여기 이 생각은 디지털인 것들은 디지털 시계 같은 오직 개별적인 분할로 작동한다는 것이지만, 구식 시계처럼 아날로그인 것들은 부드러운 연속체 속에서 작동한다는 것이다.

그러나 둘 중 어느 포맷이든 시계에 적용할 수 있듯이 둘 중 어느 포맷이든 컴퓨터에 적용 가능하며, 많은 '디지털' 컴퓨터 스위치들은 아날로그적 부품과 처리로부터 구축된다. 비록 궁극적으로는 모든 근대 컴퓨터가 디지털일지라도, 대부분의 초기 컴퓨터들은 아날로그였다. 그리고 우리는 우리의 두뇌가 아날로그인지 디지털인지 혹은 그 둘의 어떤 혼합일지 여전히 정말로 아는 것은 아니다.

또한, 인간의 두뇌는 감정을 생성할 줄 아는 반면, 컴퓨터들은 그렇지 못하다는 인기 있는 주장이 있다. 그러나 컴퓨터가 우리가 아는 대로 확실히 감정이 결핍된 반면, 그 사실 자체가 감정이 연산의 산물이 아니라는 것을 의미하는 건 아니다. 반대로, 감정을 조절하는 편도체와 같은 신경 체계는 두뇌의 나머지가 하는 방식과 대략 같은 방법으로 일하는 것으로 보이는데, 이를 통해 말하려 하는 것은 그 신경 체계가 정보의 신호를 보내고 정보를 통합하며, 투입을 산출로 바꾼다는 것이다. 어느 컴퓨터 과학자라도 당신에게 말할 것과 같이, 그건 꽤 컴퓨터가 하는 일이다.

NOTE

Step 1	**S**urvey
Key Words	Brains; computers; serial
Signal Words	To begin with; take the argument; but the idea…; Also; but while computers…; On the contrary
Step 2	**R**eading
Purpose	To disprove arguments that computers are unlike brains
Pattern of Organization	Comparison/contrast
Tone	Critical
Main Idea	Computers are similar to brains despite arguments to the contrary.
Step 3	**S**ummary
지문 요약하기 (Paraphrasing)	Computers are similar to brains despite arguments to the contrary. Critics have said that brains are parallel while computers are serial. However, modern computers are becoming more and more parallel through hardware development. Secondly, the argument that brains are analog while and computers are digital is inaccurate because computers have been at times analog and brains might be digital to a degree. Finally, computers not showing emotions does not mean emotions are not generated through computation, as neural systems are similar to computers.
Step 4	**R**ecite
	요약문 말로 설명하기

39 하위내용영역 일반영어 A형 서술형　배점 4점　예상정답률 45%　　본책 p.148

모범 답안 Japanese researchers found that apes had memory and would anticipate key locational content and the use of relevant items in events that were shown to them before. Second, their method is different (from previous method) in that they used short movies as a memory cue unlike the previous experiment which used "hidden food".

채점 기준

+2점 : 일본 학자들이 발견한 것이 "apes not only have memories of specific events but also that they're tracking some of the emotions associated with those events"이라고 명확하게 서술하였거나 유사하였다.
　☞ "apes remember major events in movies, even on a single viewing"이라 했어도 맞는 것으로 한다.

+2점 : 일본 학자들의 방법론이 전에 있었던 연구 방법(음식을 이용)과의 차이에 대하여 일본 학자들이 기억 테스트로써 "영화"를 사용한 것에 있다고 서술하였다.
　☞ 이전의 연구에 대한 언급 없이 일본 학자들이 영화를 사용한 것이라는 내용만 있으면 1.5점을 준다.

한글번역

우리는 모두 때때로 정말로 다시 보고 싶고 가장 좋아하는 영화의 순간을 가지고 있다. 침팬지와 보노보 역시, 그들이 이전에 봤었던 영화에 나오는 아주 신나는 장면을 회상하고 그 장면들이 언제 나타날지 기대하는 지성을 가지고 있다. 유인원은 중대한 최근 사건들을 단지 한 번 봄으로써, 그 사건들을 쉽게 기억하고 기대할 수 있다. 기억력 테스트로 숨겨진 음식을 사용하는 대신, 일본 연구자들은 짧은 영화들을 만들고 이틀 연속 유인원들에게 그 영화들을 보여줬다.

카노와 그의 동료 사토시 히라타는 두 단편 영화를 제작하고 주연을 맡았다. 또 다른 등장인물은 유인원처럼 킹콩 의상을 차려입은 인간들에 대한 공격을 계속하며, 첫 번째 영화에서 주요 줄거리 순간을 제공한 인간이었다. 두 영화는 모두 기억할 만한 극적인 사건을 포함하도록 설계됐고, 연구자들은 동물들이 이러한 순간들을 먼저 알아차리고 기억하는지 보기 위해 레이저 시선 추적 기술을 배치했다.

연구자들은 공격성을 포함한 감정이 북받치는 장면을 상연하는 것이 그 동물들이 기억의 어떤 낌새라도 알아내는 것을 도와줄 것이라고 희망했다. 30초 길이의 두 영화 중 첫 번째 영화에서, 유인원 캐릭터가 오른쪽의 문을 통해 불쑥 들어와서—둘 중 하나는 스크린을 통해 보인다—18초에 두 사람 중 한 명을 공격한다.

여섯 침팬지와 여섯 보노보의 시선을 추적하는 것을 통해 연구원들은 두 번째 시청에서 동물들이 유인원이 들어오기 약 3초 전쯤 먼저 오른쪽의 출입구를 본 것을 발견했고, 이것은 장소적 내용의 회상을 입증한다. 두 번째 영화는 그 연구원들에게 유인원들이 어떤 물건이 줄거리와 관련이 있었는지 역시 기억할 수 있다는 것을 보여줬다.

첫 번째 상영에서 인간 캐릭터는 24초에 유인원에 보복 공격을 개시하기 위해 인접한 두 가지 무기 중 하나를 골랐다. 교묘하게 두 번째 상영은 두 무기의 위치를 바꿔 미묘하게 다른 버전을 사용했다. 동물들은 그들의 예상에서 나오는 시선을 첫 번째 상영에서 무기가 있었던 곳이 아니라, 첫 번째 상영에서 사용된 무기에 집중시킴으로써, 이 동물들이 무엇이 사용될 것인지 알았으며 비록 무기가 다른 장소에 있더라도, 그 캐릭터가 그 무기를 다시 고를 것이라는 동물들의 기대를 입증했다.

NOTE

Step 1	Survey
Key Words	Movies; apes
Signal Words	In the first screening

Step 2	Reading
Purpose	To show how apes were proven to recall and anticipate events in films
Pattern of Organization	Series
Tone	Neutral
Main Idea	Apes are shown to recall and anticipate events they have seen before on films.

Step 3	Summary
지문 요약하기 (Paraphrasing)	Apes are shown to recall and anticipate events they have seen before on films. Researchers made films to test apes along with eye-tracking technology to test if they would notice and remember moments. In the films there were emotionally-charged attack scenes. The animals on second viewing would look toward key parts of the screen anticipating action. Likewise, the apes would notice changes on a slightly-changed film, noticing when a weapon used in an attack was moved.

Step 4	Recite
	요약문 말로 설명하기

40 하위내용영역 일반영어 A형 서술형   배점 4점   예상정답률 55%

모범 답안 The word is "hostility". Second, the two opinions on the war are, first, the German people are inherently evil and, second, it was caused by international relations and (nationalistic) ambition. The writer instead believes that war derives from universal human "impulses" not unique to Germany but accentuated by the society of that time.

채점 기준
- 2점: 빈칸에 들어갈 단어를 "hostility"라 답하였다.
- 1점: 전쟁이 일어나는 것에 대한 (일반인들의) 통속적인 생각을 첫째 "독일인이 사악하기" 때문이라는 것, 둘째 "외교적인 분규와 각국 정부의 야심에서 비롯한 것"이라고 명확하게 서술하였다.
- 1점: 위의 통속적인 견해에 대해 저자가 거부하는 이유는 그런 통념과는 다르게 "전쟁은 평범한 인간의 본성에서 비롯한 것"이라고 서술하였다.

한글번역

전쟁은 불가피한 것이라는 신념 체계 밖에 서 있는 사람은 고립감, 즉 보편적인 행동을 마다할 때 겪어야 하는 고통스러운 고립감을 피해갈 수 없다. 보편적인 재앙이 깊은 공감을 불러일으키는 지금과 같은 상황에서는 공감 그 자체가 전 세계를 휩쓸고 있는 자멸의 충동에 대한 무관심을 강요한다. 급하게 죄어치며 다가오는 파멸로부터 사람들을 지키고자 하는 무력한 열망을 가진 인간은 시대적인 경향에 반대하다가 적의 어린 시선과 비정한 인간이라는 평가에 시달리게 되고 결국에는 강력한 신념의 힘을 잃어버릴 수밖에 없다. 그러나 다른 사람들이 적의를 품는 것을 막지는 못한다 해도 자신이 느끼는 적의는 상상력에 의지한 이해심과 동정심을 통해 충분히 막을 수 있다. 이런 이해심과 동정심 없이 세계를 재앙으로부터 건져낼 방법을 찾는 것은 불가능하다.

내가 도저히 받아들일 수 없는 두 가지 전쟁관이 있다. 그중 하나는 흔히 볼 수 있는 것으로 독일인의 사악함이 전쟁의 원인이라는 입장이다. 다른 하나는 대부분의 반전론자가 그렇듯이 전쟁은 외교적인 분규와 각국 정부의 공명심에서 비롯한 것이라고 보는 입장이다. 이런 입장에 묶여 있으면 전쟁은 평범한 인간의 본성에서 비롯한 것이라는 깨달음에 이를 수 없다. 독일인과 각국 정부 인사들은 대개 평범한 사람들이다. 그들은 일반인과 똑같은 감정에 따라서 행동하며 저마다 다른 상황에 처해 있기는 하지만 다른 나라 사람들과 크게 다른 점이 없다. 독일인이 아닌 사람, 그리고 외교에 종사하지 않는 사람도 부적절하고 부정한 동기에 의해 전쟁을 기꺼이 묵인하고 받아들인다. 이것은 다른 나라 혹은 다른 계급 내에 전쟁에 대한 강한 반감이 일반화돼 있다면 결코 발생할 수 없는 일이다. 사람들이 옳지 않은 것들을 신뢰하고 옳은 것들을 의심하는 것은 그들이 지닌 충동을 드러내는 지표이다. 사람들의 소신은 전염성이 있으므로 여기서 말하는 충동은 개인적인 충동에만 국한되지 않으며 공동체의 보편적인 충동 역시 포함한다.

NOTE

Step 1	**S**urvey
Key Words	War; human nature; impulse
Signal Words	Not clear
Step 2	**Reading**
Purpose	To explain the causes for war
Pattern of Organization	Cause/effect; series
Tone	Critical
Main Idea	War comes from the community impulses within human nature.
Step 3	**S**ummary
지문 요약하기 (Paraphrasing)	War comes from the community impulses within human nature. Those who oppose war experience isolation from general people and they should maintain emotional distance and imaginative sympathy as community impulses drive towards acceptance of war. Inaccurately, some have cited the wickedness of Germans or diplomatic tangles and ambitions as the cause for the war, instead of the fundamental truth of human nature following community impulses.
Step 4	**R**ecite
	요약문 말로 설명하기

41 | 하위내용영역 일반영어 A형 서술형 | 배점 4점 | 예상정답률 50% | 본책 p.152

모범 답안 Most jazz musicians solidify their playing style early in life as opposed to Miles Davis who continually changed his style. Second, the writer does not accept the purists' argument in that the argument just reveals more about their narrow tastes.

채점 기준

+ 2점: 마일즈 데이비스와 대다수 재즈 음악가들의 차이를 "most jazz musicians solidify their playing style early in life as opposed to Miles Davis who continually changed his style"이라 명확하게 서술하였거나 유사하였다.
+ 2점: 순수주의자들의 주장―이 시기가 데이비스가 최고의 성취를 이룬 시기였다―에 대해 저자가 "동의하지 않는" 이유를 "그들의 주장 자체가 (예술적 판단에 대한) 그들의 속 좁음을 드러내는 것일 뿐"이라고 명확하게 서술하였거나 유사하였다.

한글번역

마일즈 데이비스는 재즈에서 변화무쌍한 인물이다; 마치 음악의 피카소처럼, 그는 커리어 과정 동안 일련의 스타일들을 숙달하고 나서 버렸다. 이것은 어느 예술가에서도 드물지만, 음악가의 스타일이 보통 극도로 일찍 형성되고, 그러고 나면 그 혹은 그녀의 남은 일생 동안 정제되고 반복되는 재즈의 세계에서는 거의 들어본 적 없는 것이다. 비록 데이비스는 1950년대에 그를 처음으로 유명하게 만들어 준 음악을 계속해서 연주함으로써 수백만을 벌어들일 수도 있었지만, 그는 자기 자신을 반복하기를 거부했다. 그는 젊고 이제 막 떠오르는 음악가들과 함께 일하고, 쉴 새 없이 새로운 소리를 찾으면서, 꾸준히 그의 음악적 지평선을 넓히기를 갈구했다.

그가 1940년대의 비밥 재즈로 첫 경험을 한 이후, 1950년대에 데이비스는 '쿠커' 스타일을 개발하고 5인 캄보와 함께 그의 이름을 알렸다. 소위 말하는 '순수주의자'들은 이 시기가 데이비스의 성취의 정점을 나타낸다고 종종 주장해 왔다. 그러나 이 주장은 마일즈 데이비스의 이른바 한계라는 것에 대해서 보다는 어떤 비평가들의 좁은 취향에 대해 더욱더 드러낸다. 데이비스가 1960년대에 이끈 그룹은 웨인 쇼터나 허비 핸콕과 같은 새로운 세대의 최고의 음악가들을 포함했으며, 새롭고 복잡한 리듬의 조화를 탐험하는 음악을 만들었다.

그러나 비평가들은 계속해서 불평했다. 그리고 데이비스가 1970년에 'Bitches Brew'를 발매했을 때, 재즈 '순수주의자'들은 충격에 빠졌다: 그의 밴드는 전자 악기를 사용하고 있었으며, 그 음악은 록의 리듬과 '애시드' 록의 사이키델릭한 소리를 심하게 차용하고 있었다. 일반적으로, 데이비스는 자신의 예술적 비전에 확고해, 폭풍 같은 항의를 무시했다. 1907년대 초반 동안, 그는 계속해서 그의 편에 최고의 새로운 연주자들을 끌어들였다. 그 연주자들은 그의 방대한 경험과 숙달로부터 혜택을 입었고, 그는 그 연주자들의 젊은 에너지와 음악에 대한 신선한 접근으로부터 득을 얻었다.

NOTE

Step 1	Survey
Key Words	Miles Davis; jazz; styles; musicians; critics
Signal Words	In the 1950s; After cutting his teeth…; in the 1950s; in the 1960s; Yet critics…; Throught the early 1970s
Step 2	**Reading**
Purpose	To show the evolution of Mile Davis musical career over time
Pattern of Organization	Series; time order
Tone	Informative
Main Idea	Miles Davis was an exceptional jazz artist who consistently reinvented his musical style and embraced innovation throughout his career.
Step 3	**Summary**
지문 요약하기 (Paraphrasing)	Miles Davis was an exceptional jazz artist who consistently reinvented his musical style and embraced innovation throughout his career. Beginning with bebop in the 1940s, he developed his "cooler" style in the 1950s with a five-man combo. Despite criticism from jazz purists, Davis continued to innovate in the 1960s with new rhythmic textures and in the 1970s by incorporating electronic instruments and rock elements. He consistently worked with young musicians, benefiting from their fresh perspectives while sharing his expertise.
Step 4	**Recite**
	요약문 말로 설명하기

42

모범 답안 The word for the blank is "relationship". Second, the circumstances necessary for confusion are when the relationships between the two confused people are similar.

채점 기준
- 4점: 모범답안과 같거나 유사하였다.
- 2점: 둘 중 하나만 맞았다.
- 0점: 모범답안과 다르다.

어휘

conference 회의, 회담
momentarily 잠시
retrieval 회복, 복구, 만회
contextual 전후관계상의, 문맥상의
positivity 명백성, 긍정성

한글번역

　　당신은 얼마나 자주 어떤 이에게 잘못된 이름이나 호칭을 불러본 적이 있는가? 아마도 당신은 선생님과 대화 중에 우연히 그를 '아빠'라고 불러본 적이 있을 것이다. 우리는 모두 이런 실수를 하며, 그리고 그런 실수 중 일부로 인해 심각한 문제에 빠진다! 연구에 따르면 우리는 우리와 비슷한 관계에 있는 두 사람을 혼동하는 경향이 있다. 당신이 선생님을 '아빠'라고 부르는 것은 두 사람 모두 권위를 가진 성인 남자이기 때문이라고 설명할 수 있다. 이것은 또한 다른 일상적인 실수를 설명할 수 있는데, 남자친구나 여자친구를 이전의 남자친구나 여자친구 이름으로 부르는 경우이다. 어떤 사람과의 의지적이고 친밀한 관계를 다른 사람과의 의지적이고 따뜻하고 친밀한 관계와 순간적으로 혼동하는 것이다. 이와 대조적으로, 매우 다른 형태의 관계에서는 거의 실수를 하지 않는다. 예를 들면, 당신이 교수와 지적인 열띤 논쟁을 하고 있는데 과거에 당신과 전 남자친구의 관계가 주로 그런 격렬한 논쟁으로 이루어지지 않았다면, 당신은 교수에게 당신의 전 남자친구의 이름을 (실수로) 부르지는 않을 것 같다. 위의 연구 결과는 우리가 다른 사람들에 대해 가지고 있는 인식과 사회적 관계의 인지구조는 그러한 특정한 개인들에 관해서 뿐만 아니라 그들과의 사회적 관계의 본질에 관해 기억 속에 조직화돼 있음을 보여준다.

NOTE

Step 1	**S**urvey
Key Words	Name; social relationship
Signal Words	Why; because; in contrast; different
Step 2	**R**eading
Purpose	To explain why we sometimes call someone by the wrong name
Pattern of Organization	Cause/effect; comparison/contrast
Tone	Neutral
Main Idea	Sometimes we call someone by the wrong name because our relationship is similar to one we have with someone else.
Step 3	**S**ummary
지문 요약하기 (Paraphrasing)	Sometimes we call someone by the wrong name because our relationship with that person is similar to one we have with someone else. We might call a new boyfriend or girlfriend by the name of a someone we used to date, but we are unlikely to address a professor by a friend's name. This shows that our memory of people is organized both by specific individuals and by relationships.
Step 4	**R**ecite
	요약문 말로 설명하기

43 | 하위내용영역 일반영어 A형 서술형 | 배점 4점 | 예상정답률 45% | 본책 p.156

모범 답안 The most appropriate word to fill in the blank is "disease"(or pathogens). The first settlers thought of Bighorn as symbols of rugged wilderness due to their capacity to adapt to harsh and barren terrain.

채점 기준
- 4점: 모범답안과 같거나 유사하였다.
- 2.5점: 둘 중 서술형 문제만 맞았다.
- 1.5점: 둘 중 기입형(빈칸형) 문제만 맞았다.
- 0점: 모범답안과 다르다.

어휘

cavort 뛰어다니다, 흥청대다
pathogen 병원
take a hold 사로잡다, 장악하다
embrace 받아들이다, 수용하다
pneumonia 폐렴
steep 가파른, 까다로운

한글번역

빅혼(큰뿔양)은 약 100,000년 전 베링육교(현재 베링 해협 부근에 상부 플라이스토세 빙기에 육지화돼 있었던 지역)를 건너 북미로 온 시베리아 야생 양의 후손이다. 이 무리는 현지의 거주지에 적응하고 다양화돼 남쪽으로 퍼져 나갔다. 빅혼은 다른 종들이 견뎌낼 수 없는 가파르고 황량한 지역에 서식한다. 그들의 인내력 덕분에 빅혼은 오랫동안 상징적인 종이 돼왔다. 초기 북미 원주민들은 바위 위에 빅혼과 유사한 것들을 새겨 놓았고, 초기 정착민들은 그들을 바위투성이의 미국 서부 황야의 상징으로 삼았다. 절정기에는 2백만 마리 이상의 빅혼들이 캘리포니아에서 네브래스카까지 돌로 덮인 비탈을 우아하게 뛰어다니면서 서부를 배회했다. 그러나 19세기 말에 빅혼은 위기를 겪게 됐다. 가축용 양 산업이 서부를 장악하게 됐고 야생 양은 유럽의 가축에 의해 들어온 질병에 저항할 면역력이 전혀 없었다. 수백만 마리의 가축용 양이 그 지역에 몰려들자 폐렴과 같은 치명적인 병원균으로 인해 빅혼이 대량으로 죽게 됐다. 규제받지 않는 사냥이 얼마 남지 않은 빅혼 무리에게 큰 타격을 줬다. 1940년에는 이미 빅혼의 개체 수가 20,000마리가 채 안 되게 급락했고, 서부 전역에 흩어져 있는 매우 작은 고립된 장소에 살게 됐다. 최근 수십 년 동안 주 야생동물 관리국들은 벼랑 끝에 몰린 빅혼을 다시 소생시키기 위해 광범위한 보존 노력을 기울였다. 그중 많은 노력이 빅혼 무리를 포획해서 다른 지역으로 재배치하는 것에 중점을 두고 있다. 빅혼들은 헬리콥터 아래에 달린 자루에 싸여 취급지역으로 이송되고 거기서 수의사들이 질병의 징후가 있는지 검사한다. 만약 그들이 건강하다면 새로운 거주지로 이동된다. 지금까지 2,000마리가 넘는 양들이 성공적으로 이송됐다. 이런 형태의 광범위한 보존 노력이 네바다의 빅혼의 개체 수를 늘리는 데 도움을 줬고 20세기 중반에 낮게는 2,000마리 정도였던 개체 수가 11,000마리 이상이 됐다.

NOTE

Step 1	ⓢurvey
Key Words	Bighorns; conservation work; pathogens
Signal Words	100,000 years ago; At their peak; by the late 19th century; By 1940; in recent decades; in the mid-20th century
Step 2	**ⓡeading**
Purpose	To illustrate the decimation and conservation of Bighorn sheep
Pattern of Organization	Time order
Tone	Neutral
Main Idea	The population of wild bighorn sheep was greatly reduced because of the introduction of domestic sheep, but conservation efforts to save them are underway.
Step 3	**ⓢummary**
지문 요약하기 (Paraphrasing)	Bighorn sheep were hardy and adapted to habitats all across the western parts of North America. At their peak, there were more than two million of them, but with the introduction of domestic sheep from Europe, they succumbed to many diseases against which they had no immunity. Unregulated hunting also killed many of them. By 1940, there were only about 20,000 left, but recent conservation efforts are saving them from extinction.
Step 4	**ⓡecite**
	요약문 말로 설명하기

44 하위내용영역 일반영어 A형 서술형   배점 4점   예상정답률 45%   본책 p.158

모범답안 The two words are "central dogma". Secondly, the comparison used by the writer regarding the protection of status quo is with religion, through a similar use of ostracism.

채점 기준
- 4점: 모범답안과 같거나 유사하였다.
- 2.5점: 둘 중 서술형 문제만 맞았다.
- 1.5점: 둘 중 기입형(빈칸형) 문제만 맞았다.
- 0점: 모범답안과 다르다.

어휘

give rise to 일으키다, 생기게 하다
insidious 음험한; (병 등이) 모르는 사이에 진행하는, 잠행성의
obsolete 쓸모없게 된; 진부한, 구식의
the status quo 현재 상황; 구태
inertia 불활동, 불활발; 타성
ostracism 추방, 배척
seductively 매혹적으로

한글번역

　어떤 사실들은 오로지 DNA 유전자만이 특정 유전 형질을 생겨나게 하는 분자 과정을 관장한다는 중심 원리의 주된 격언과 모순을 이룬다. 대부분의 분자생물학자는 시대에 뒤떨어진 이론에 마음을 빼앗겼기 때문에, 생체 과정의 체계를 조심스럽게 살펴보는 경우 DNA가 생명의 비밀이 아님을 충분히 깨달을 수 있음에도 불구하고 그러하다는 가정하에서 연구하고 있다.
　그렇다면 왜 중심 원리가 계속해서 자리를 지켜 왔던 것일까? 그 이유는 어느 정도 그 이론이 과학보다는 종교에 공통된 장치를 통해 비판으로부터 보호받아 왔기 때문인데, 그것은 곧 반대 혹은 단순히 일치하지 않는 사실을 발견하는 것도 벌을 받을 만한 죄, 즉 학계로부터 쉽게 추방당하게 될 수도 있는 이단이라는 것이다. 이러한 편견은 상당 부분은 제도적인 타성, 즉 엄정함을 유지하지 못한 탓으로 돌릴 수 있지만, 왜 분자유전학자들이 현 상태에 만족하고 있을지에 대한 다른 숨어있는 이유가 더 많이 있다. 그것은 중심 원리가 그들에게 유전에 대해 대단히 만족스럽고 매력적일 만큼 단순한 설명을 제공해 왔기 때문이다.

NOTE

Step 1	Survey
Key Words	Central dogma; DNA gene; heredity
Signal Words	Because of; why; then; to some degree; much of this
Step 2	**Reading**
Purpose	To question why the dogma that DNA governs molecular processes continues to stand
Pattern of Organization	Cause/effect; question/answer
Tone	Critical
Main Idea	The central dogma that a DNA gene governs molecular processes in biology has survived because of exclusion of discordant facts, institutional inertia, and geneticists' satisfaction with the dogma's simple explanation of heredity.
Step 3	**Summary**
지문 요약하기 (Paraphrasing)	The central dogma that a DNA gene governs molecular processes in biology has survived because of exclusion of discordant facts, institutional inertia, and geneticists' satisfaction with the dogma's simple explanation of heredity.
Step 4	**Recite**
	요약문 말로 설명하기

45 하위내용영역 일반영어 A형 서술형   배점 4점   예상정답률 55%   본책 p.160

모범 답안 The word that best fits the blank is "moral". Next, the author does not believe in the views of Freud and Jung because they seem to describe individuals as powerless over their own actions, like the classic idea of predestination.

채점 기준
- 4점: 모범답안과 같거나 유사하였다.
- 2점: 둘 중 서술형 문제만 맞았다.
- 2점: 둘 중 기입형(빈칸형) 문제만 맞았다.
- 0점: 모범답안과 다르다.

어휘
dazzling 눈부신
gland 선(腺), 샘
individualist 개인주의자
unrelieved 짙은; 변함없이 계속되는
doctrine 교의; 주의, 신조
incompetence 무능력
predestination (운명)예정설, 숙명

한글번역

20세기 중반 이래로, 행동과 도덕의 상대성에 중요한 변화가 일어났다. 그 이전에는, 사람들은 '선'과 '악' 사이에 간격이 존재하며, 전자는 눈부신 흰색으로, 후자는 짙은 검은색으로 칠해져 있다는 데 대해서 거의 의심을 하지 않았다. 하지만 프로이드와 융 그리고 그들의 제자들이 그 모든 것을 바꿔 놓았다. 이제 우리는 사람이 하는 그 어떤 것도 사실은 그의 잘못이 아니며, 부모의 무능 혹은 미발달된 기회와 선에서 파생된 억압과 금지 때문이라는 것을 알게 됐다.

그러나 아직도 나처럼 이러한 정신분석적인 설명에 상당한 불신을 갖고 바라보는 시대에 뒤떨어진 사람들도 있다. 신념적으로 개인주의자인 나는 개인이 자신의 행동에 책임이 있는 것으로 간주하며, 정신분석학자들의 가르침에 의해 주입된 도덕적 책임의 상대성이 내게는 오래된 예정설만큼 침울하고 비관적으로 보인다.

NOTE

Step 1	Survey
Key Words	Relativity of conduct and morals; pyschoanalysis
Signal Words	However
Step 2	**Reading**
Purpose	To show disagreement with the 20th-century psychoanalysts' belief in the relativity of moral responsibility
Pattern of Organization	Not clear
Tone	Critical
Main Idea	Although the psychoanalysts of the 20th century asserted that moral responsibility was relative, the writer finds this teaching depressing and believes in personal responsibility.
Step 3	**Summary**
지문 요약하기 (Paraphrasing)	In the 20th century, psychoanalysts, such as Freud and Jung, assigned moral responsibility to parental upbringing, repressed tendencies, and hormones, but the writer of this piece is an individualist who finds this teaching depressing and believes in personal responsibility.
Step 4	**Recite**
	요약문 말로 설명하기

46

모범답안 The words are "narrative painting". Second, the public regarded the Civil War first through painting, and then through photography and illustration.

채점 기준
- 4점: 모범답안과 같거나 유사하였다.
- 2점: 둘 중 하나만 맞았다.
- 0점: 모범답안과 다르다.

어휘

be well on the[one's] way to ~을 거의 다 해[이루어]가다
commemorate 기념하다, 축하하다
displace 대신하다; 바꾸어놓다; 쫓아내다
engraving 조각(술); 판화
interpretation 해석, 설명; 연출
memorialization 기념함; 건의함
pioneer (새 분야를) 개척하다
renown 명성
skirmish 사소한 충돌, 승강이, 작은 접전[언쟁]
sweep (문명 등의 급속한) 진보, 발전; (사상·글 등의) 범위
woodcut 목판화
consequential 결과로서 일어나는; 당연한, 필연적인; 중대한
flourish 번창하다, 번성하다; (문화·학문 등이) 꽃 피다
latitude (견해·사상·행동 등의) 허용 범위[폭], 자유
pictorial 그림의; 그림으로 나타낸; 그림 같은
practitioner (기술을 요하는 일을) 정기적으로 하는 사람, 현역
resultant 결과로서 생기는, 그에 따른
strain 긴장; 피로, 피곤

한글번역

　　남북 전쟁은 미국미술에 있어 일종의 분수령을 나타낸다. 폭동이 시작되던 때에는, 전쟁 미술 뿐 아니라 일반 회화에서도 낭만적인 이미지가 여전히 두드러지는 특징이었다. 하지만 전쟁 기간 동안 사진 촬영술과 삽화가 실린 잡지들이 등장해서 더욱 사실적인 전쟁 이미지들을 낮은 가격으로 대중에게 선보이게 됐다. 특히 하퍼와 프랭크 레슬리의 화보 신문과 같은 잡지에 실린 대량 생산된 목판화들이 많은 독자들에게 그림과 스케치를 전했다. 삽화가 실린 잡지들이 남북 전쟁 기간에 번창할 동안, 사진 촬영술은 여전히 초창기에 있었다. 섬터 요새에 대한 포격이 있기 불과 몇 년 전에 발발했던 크림 전쟁 기간 동안 영국 사람인 로저 팬튼이 전쟁 사진 분야를 개척했다. 남북 전쟁 기간 동안 몇몇 현역 사진가들이 종군했는데, 그중에는 아마도 모든 미국 사진가 중 제일 유명한 매슈 브래디가 가장 잘 알려져 있었다. 19세기 말에, 사진은 이미 손으로 그린 그림을 대신해 기본적인 전쟁 화보 기록으로 거의 자리 잡고 있었다. 전쟁 사진의 출현은 화가들에게 주제의 선택과 연출에 더 많은 자유를 허용했다. 그들은 더이상 중대한 사건들을 기념하는 그림을 그리도록 강요받지 않게 됐으며, 대신에 병영 생활과 익숙지 않은 작은 교전들에 대한 서사적인(이야기식의) 그림을 그리기 시작했다. 그러나 주요 사건 기념 그림으로부터의 전환이 전쟁 미술이 덜 중요하게 된 것을 의미하는 것은 아니었다. 주요 사건들을 모조리 묘사해야 할 필요가 없게 돼 예술가들은 전장 생활에서의 감정과 긴장감을 더 깊이 탐구할 수 있었다. 그 결과로 생긴 서사적인 그림은 묘사된 사건들의 명성에서 그 의의를 끌어내는 것이 아니라 전쟁을 치르는 병사들에 대해 그림이 말하는 내용에서 그 의의를 도출해 냈다.

NOTE

Step 1	Survey
Key Words	The Civil War; photography
Signal Words	At the beginning; During the war; during the Civil War; By the end of the century
Step 2	Reading
Purpose	To explain the emergence of photography for recording the events of war and the effect this change had on military art
Pattern of Organization	Not clear
Tone	Neutral
Main Idea	The emergence of photography as the main pictorial record of war freed artists to do narrative painting that portrayed the emotions and strains of military life.
Step 3	Summary
지문 요약하기 (Paraphrasing)	During the U.S. Civil War, photography began to replace hand-drawn art as a means of recording military events. By the end of the 19th century, photography had become the main medium for portraying such events journalistically. Painters of military art were now free to do narrative interpretations of combat life.
Step 4	Recite
	요약문 말로 설명하기

47 | 하위내용영역 일반영어 A형 서술형 | 배점 4점 | 예상정답률 30% | 본책 p.164

모범 답안 Christians, like Jews, could only loan within their own ranks if the loan was without interest, or "usury", because to do so was labeled a sin.

채점 기준
- 4점: 모범답안과 같거나 유사하였다.
- 0점: 모범답안과 다르다.

어휘

commercial credit 상업 신용(은행이 기업에 제공하는 신용대출)
cramped 비좁은, 답답한
do business 장사하다
excommunicate (특히 가톨릭교에서) 파문[제명]하다
get-out (특히 책임·의무를) 회피할 방법
iron foundry 주물 공장
mayest may의 직설법 2인칭 단수 현재형
pound of flesh 터무니없는 요구, (빚 따위를) 가혹하게 받아내기
testament 성서
Deuteronomy 신명기(申命記) (구약 성서 중의 한 책)
ethnic minority 소수 민족 집단
ghetto (특정 사회 집단의) 거주지
loan shark 고리대금업자, 악덕 사채업자
usury 고리대금

한글번역

셰익스피어의 희곡 "베니스의 상인"에 나오는 유대인 고리대금업자인 샤일록은 왜 안토니오가 채무 변제 의무를 다할 수 없으면 말 그대로 1파운드의 살덩이—사실상, 안토니오의 죽음—를 요구하는 그런 악당인 것으로 판명되는가? 정답은 샤일록이 민족적 소수 집단에 속했던 역사상의 많은 고리대금업자 중 한 명이라는 것이다. 셰익스피어가 활동하던 때에 유대인들은 이미 거의 한 세기 동안 베니스에서 신용대출업을 해오고 있었다. 그들은 베니스의 중심부에서 조금 떨어진 곳의 비좁은 유대인 거주 지역에 있는 방코 로쏘(Banco Rosso, 16세기 유대인들의 전당포)로 알려진 건물 앞에서 사업을 했다. 베니스의 상인들이 대출을 받으려면 유대인 거주 지역에 와야 했던 타당한 이유가 있었다. 기독교인들에게 있어 고리대금은 죄악이었다. 1179년 제3차 라테란 공의회에서 고리대금업자들은 파문을 당했었다. 유대인들 또한 이자를 받고 돈을 빌려줘서는 안 되도록 돼 있었다. 하지만 구약성서의 신명기에는 편리하게 이를 회피할 한 구절이 있다: "이방인에게 네가 돈을 빌려주면 이자를 받아도 되거니와, 네 형제에게 돈을 빌려주거든 이자를 받지 말라." 다른 말로 하면, 유대인은 다른 유대인에게는 합법적으로 돈을 빌려줄 수 없지만, 기독교인에게는 합법적으로 돈을 빌려줄 수 있었던 것이다. 그렇게 하는 것의 대가는 사회적으로 배척을 당하는 것이었다. 1516년에 베니스 당국은 게토 누보(게토는 문자 그대로 주물을 의미한다)로 알려진 오래된 주물 공장 부지에 유대인들을 위한 특정 구역을 지정했다. 그들은 매일 밤 그리고 기독교인들의 명절에 그곳에 갇히게 됐다.

NOTE

Step 1	Survey
Key Words	Loan shark; villain; ethnic minority; usury; excommunicated
Signal Words	Why; the answer; why
Step 2	Reading
Purpose	To explain why Jews worked as money lenders in past centuries
Pattern of Organization	Cause/effect
Tone	Neutral
Main Idea	The practice of loaning commercial credit by Jews led to them being ostracized and depicted as villains.
Step 3	Summary
지문 요약하기 (Paraphrasing)	Shakespeare's villainous character Shylock reflects the historical reality of Jewish moneylenders in Venice, who were confined to ghettos but provided essential financial services. While Christian doctrine prohibited usury (lending with interest), Jews could legally lend to non-Jews based on a passage in Deuteronomy. Though vital to Venice's commerce, Jewish moneylenders faced social exclusion and restrictions, including mandatory confinement to the ghetto nuovo during nights and Christian holidays, which began in 1516.
Step 4	Recite
	요약문 말로 설명하기

48 하위내용영역 일반영어 A형 서술형　배점 4점　예상정답률 50%　　본책 p.166

모범 답안　The key evidence comes from human burials (containing human remains). Second, the problems are that fewer human burials have been found, those that were found had been carelessly excavated, disturbances had damaged the original layers of earth, and many sites contained no human remains.

채점 기준
- 4점: 모범답안과 같거나 유사하였다.
- 2점: 둘 중 하나만 맞았다.
- 0점: 모범답안과 다르다.

어휘

archaeologist 고고학자
Eurasia 유라시아(유럽과 아시아를 합쳐 하나의 대륙으로 봤을 경우의 명칭)
extended 장기간에 걸친
grant 부여하다
Homo sapiens sapiens 호모 사피엔스 사피엔스, 신인류(후기 구석기시대 이후 현대에 이르는 인류)
intact 온전한, 손상되지 않은
land bridge 육교, 지협(두 개의 육지를 연결하는 좁고 잘록한 땅)
landmass 대륙, 광대한 육지
tip 끝
devastating 대단히 파괴적인
glimpse 잠깐 봄; 짧은 경험
remains 유해; 유골, 유물
usher in 예고하다; (시대 등의) 도래를 알리다

한글번역

　　'호모 사피엔스 사피엔스'는 다른 대륙에 도착한 것보다 훨씬 늦은 시기에 아메리카 대륙에 도착했다. 서반구에서 확인된 최초의 인간 거주는 기원전 약 10,500년으로 거슬러 올라가는데, 이때는 유라시아 대륙과 오스트레일리아 대륙에 정착한 지 약 4만 년이 지난 이후이다. 따라서 아메리카 대륙에 현재까지 발견된 모든 유물들은 '호모 사피엔스' 종(種)의 것이었다. 그러나 우리는 다른 대륙들에 대해 아는 것보다 아메리카 대륙의 정착에 관해 아는 것은 훨씬 더 적다. 학자들은 초기의 이주자들이 어떤 길을 택했는지, 언제 아메리카 대륙으로 건너갔는지, 그리고 이들이 육로로 갔는지, 바다를 통해 갔는지에 대해 확신하지 못한다. 아메리카 대륙에서는 훨씬 더 적은 수의 인간 매장지가 발견돼 왔으며, 발견된 극소수의 매장지는 유라시아 대륙과 아프리카 대륙보다 과학적인 관리가 덜 된 채 발굴됐다. 많은 유적지가 훼손돼서 고고학자들에게 너무나 귀중한 원래의 지층들은 더이상 온전하지 않다. 많은 초기의 유적지들에는 인간의 유물이 전혀 들어있지 않다. 한 가지 설명은 인간이 시베리아에서 지협을 통해 아메리카 대륙에 도착했다는 것이다. 베링기아는 지금은 바다 밑에 있는 육지로, 러시아 시베리아의 끝과 알래스카의 북동쪽 모서리를 연결했던 땅덩어리다. 오늘날 베링기아는 너비 80km의 베링해로 덮여 있다. 베링해 중에서 베링기아가 있는 부분의 물은 수심이 얕다. 지구가 빙하기라 불리는 장기간에 걸친 추운 기간을 여러 번 겪었을 때, 바닷물은 얼어붙었고 베링기아의 북동쪽 땅은 얼음으로 뒤덮였다. 빙하기 동안 해수면은 내려갔고, 고대 베링기아 땅이 (바다 위로) 모습을 드러내 러시아와 아메리카 대륙 사이의 지협을 형성했다.

NOTE

Step 1	Survey
Key Words	Human occupation; human remains; settlement; archaeologists
Signal Words	We know; however; one theory is that
Step 2	Reading
Purpose	To illustrate the limited understanding and theories regarding the arrival of humans to the Americas
Pattern of Organization	Series; cause/effect
Tone	Neutral
Main Idea	The arrival of humans to the Americas is not yet well understood by archaeologists due to limited evidence.
Step 3	Summary
지문 요약하기 (Paraphrasing)	The arrival of humans to the Americas is not yet well understood by archaeologists due to limited evidence. We know that human beings reached the Americas much later than other parts of the world, but we are not certain about how they arrived. One theory is that they crossed a land bridge that emerged during the Ice Ages, connecting Siberia and Alaska.
Step 4	Recite
	요약문 말로 설명하기

49 하위내용영역 일반영어 A형 서술형　배점 4점　예상정답률 45%　　본책 p.168

모범 답안　The word is "linguistic". The standards are those regarding language use.

채점 기준
- 4점: 모범답안과 같거나 유사하였다.
- 2점: 둘 중 하나만 맞았다.
- 0점: 모범답안과 다르다.

어휘

admonition 책망, 경고
couch (특정 방식으로) 말하다
inasmuch as ~이므로; ~인 점을 고려하면
construe ~을 이해하다, 해석하다
disciplinary 징계의; 규율의
perpetuate 영속시키다

한글번역

　학교 교육은 주로 언어적 과정이며, 언어는 종종 학생들을 평가하고 구분 짓는 무의식적인 방법의 역할을 한다. 교육 내용과 학문적 지식이 언어를 통해 구성되고 제시되는 한, 하나의 학과목을 배운다는 것은 특정한 의사소통의 목적을 이루기 위해 언어적으로 잘 구성된 글을 읽고 쓰는 것을 의미한다. 학교에서 학생들은 그들이 배운 것과 사고하는 것이 공유되고, 평가되며, 더 나아가서는 질문을 받거나 지지받을 수 있는 방식으로 표현하기 위해 언어를 사용할 것으로 기대된다. 하지만 언어 패턴 그 자체가 학생들과 선생님들의 관심의 중심이 되는 경우는 거의 없다. 그들의 관심은 일반적으로 그들이 읽고 반응하는 글의 내용에 있는 것이지 언어가 그 내용을 해석하는 방식에 있는 것이 아니다. 게다가 언어 사용에 대한 선생님들의 기대는 좀처럼 분명하게 표현되지 않으며, 학습 과업에서 언어 사용과 관련해 기대되는 것의 많은 부분은 여전히 "너만의 단어를 사용하라."거나 "명료하게 써라."는 선생님의 애매모호한 훈계의 말로 표현된다. 쓰기 과업은 특정한 글 유형이 어떻게 일반적으로 구성되고 조직되는지에 대한 학생들을 위한 분명한 지침 없이 주어진다. 이 때문에 크리스티는 언어를 학교 교육의 '감춰진 교육과정'이라 칭했다. 학생들의 능력에 대한 판단은 흔히 그들이 어떻게 언어로 본인의 지식을 표현하느냐에 기초한다. 이런 판단을 특징짓는 시험과 상담, 교실에서의 상호작용은 종종 명백하게 표현되지 않는 가치들을 영속화시키고 지속시킨다. 이는 학습상의 언어적 어려움을 주의 깊게 분석하는 것이 학생들이 직면한 어려움을 이해하고 학생들이 배운 주제에 대해 말하고 쓰는 데 있어 드러내는 한계를 이해하는 데 중요하다는 것을 암시한다.

NOTE

Step 1	Survey
Key Words	Linguistic; focus of attention; structured; organized; curriculum
Signal Words	Inasmuch as; in addition; for these reasons; this suggests that
Step 2	**Reading**
Purpose	To argue for a better understanding of the linguistic challenges of learning
Pattern of Organization	Series
Tone	Critical
Main Idea	More attention should be paid to the linguistic challenges of learning in order to understand the difficulties students face.
Step 3	**Summary**
지문 요약하기 (Paraphrasing)	More attention should be paid to the linguistic challenges of learning in order to understand the difficulties students face. Although the processes of teaching and learning involve the use of language at every stage, attention is mainly focused on the content rather than key linguistic aspects themselves. Students are judged on the basis of how they express their knowledge, yet are not given explicit guidelines about their use of language. An analysis of this situation is important in understanding students' situation.
Step 4	**Recite**
	요약문 말로 설명하기

50 하위내용영역 일반영어 A형 서술형 　 배점 4점 　 예상정답률 50% 　 　 본책 p.170

모범 답안 The writer uses gambling as an analogy to exemplify impulsivity. In a speaker of three languages, the higher-developed new brain, which handles language and rationality, would be used.

채점 기준
- 4점: 모범답안과 같거나 유사하였다.
- 2점: 둘 중 하나만 맞았다.
- 0점: 모범답안과 다르다.

어휘

amygdala (소뇌의) 편도체
faculty 능력; (대학의) 학부
gusto 열정
limbic system 변연계(인체의 기본적인 감정, 욕구 등을 관장하는 신경계)
neocortex 신피질
pleasure center 쾌락 중추
rationality 합리성, 순리성
turmoil 혼란, 소란
equilibrium 평형; 마음의 평정
go for ~에 덤벼들다
nucleus accumbens 측좌핵
prospect 가망, 예상
spur 자극하다

한글번역

　　내성적인 사람과 외향적인 사람에게 예상되는 보상에 대한 다른 반응을 이해하기 위해서는 뇌 구조에 대해 약간은 알 필요가 있다. 인간의 변연계는 가장 원시적인 포유동물들도 갖고 있으며 도른이 '구뇌'라고 부르는 것인데, 이것은 감정적이고 본능적이다. 변연계는 편도체를 포함한 다양한 구조들로 구성돼 있고, 때로는 뇌의 '쾌락 중추'라 불리기도 하는 측좌핵과 서로 관련돼 있다. 도른에 의하면, 구뇌는 끊임없이 우리에게 "그래, 그래, 그래! 더 먹고, 더 마시고, 더 모험을 해 봐. 네가 할 수 있는 모든 열정에 도전해 봐. 그리고 무엇보다도 생각하지 마!"라고 일러주고 있다. 구뇌 중에 보상을 바라고 쾌락을 즐기는 부분은, 도른의 생각에 사람들이 평생 모은 돈을 카지노의 칩처럼 취급하도록 부추긴 것이다. 우리는 또한 신피질이라고 불리는 '신뇌'도 가지고 있는데, 이는 변연체가 생기고 수천 년 후에 진화한 것이다. 신뇌는 사고, 계획, 언어, 의사 결정을 관장하는데, 이것들은 바로 우리를 인간으로 만들어주는 능력들의 일부이다. 신뇌가 우리의 감정생활에서도 상당한 역할을 하지만 이것은 이성을 관장하는 부분이다. 도른에 의하면, 이것의 역할은 "안 돼, 안 돼, 안 돼! 하지 마, 위험하고 말도 안 되는 것이고, 너, 네 가족이나, 사회에 가장 유익한 게 아니니까."라고 말하는 것이다. 구뇌와 신뇌가 함께 작용하지만 항상 효율적인 것은 아니다. 실제로는 가끔 그것들이 마찰을 일으키기도 하는데, 그러면 우리의 결정은 어느 것이 더 강한 신호를 보내느냐에 따라 정해진다.

NOTE

Step 1	**S**urvey
Key Words	Introverts; extroverts; brain structure; limbic system
Signal Words	It comprises; we also have; although
Step 2	**R**eading
Purpose	To describe the differences between the "old brain" and the "new brain"
Pattern of Organization	Comparison/contrast
Tone	Neutral
Main Idea	The older, emotional and instinctive part of the brain and the newer, thinking and planning part sometimes work together and sometimes are in conflict.
Step 3	**S**ummary
지문 요약하기 (Paraphrasing)	The older, emotional and instinctive part of the brain and the newer, thinking and planning part sometimes work together and sometimes are in conflict. The limbic system is the older part of the brain, which we share with primitive mammals. It prompts us to act emotionally and instinctively to increase pleasure. The neocortex is the newer part that makes as think and plan. It prompts us to be rational and careful, acting in our best interest.
Step 4	**R**ecite
	요약문 말로 설명하기

51

모범답안 The word is "academic". Second, the main difference is that unlike the Impressionists who painted finished works outdoors, Corot opted to paint his works indoors(in the studio) in the detailed way most in-line with the academic manner, (forgoing direct observation that made the Impressionists choose different colors and techniques from his).

채점 기준
- 4점: 모범답안과 같거나 유사하였다.
- 2점: 둘 중 하나만 맞았다.
- 0점: 모범답안과 다르다.

어휘
academic art 아카데미 미술(16세기 말에서 19세기까지 관영 아카데미의 규범에 따라 창조된 미술양식)
atmospheric 대기의; 분위기의
integral 필수적인; 완전한
modeling 모형화; 입체감 표현
underscore 강조하다
impressionist 인상파 화가
meticulously 꼼꼼하게; 지나치게 소심하여
prolific 다작(多作)의; 다산(多産)의
with regard to ~에 관해

한글번역

가장 많은 작품을 내놓고 가장 많은 영향력을 끼치고 있던 19세기 풍경화가 코로는 인상파 전시회에 참여하라는 초대를 거절했으나, 그의 영향력은 그 곳에 전시됐던 모네와 피사로, 르누아르의 많은 작품 속에서 확연히 느껴졌다. 많은 다른 화가들과 마찬가지로 코로 또한 스케치를 밖에서 했지만, 그는 스케치를 이용해 화실 안에서 작품들을 창작했다. 이 작품들은 특히 물감 처리와 구성적 균형 면에서 아카데미 미술의 필수 요소인 마무리 솜씨를 보여줬다. 그러나 인상파 화가들은 스케치뿐 아니라 완성된 작품의 물감칠도 야외에서 했는데, 그것이 직접 관찰의 자연스러움을 보존함으로써 그들의 스타일을 변화시켰다. 그들은 실제적인 시각적 경험을 더 정확하게 반영하는 색상들을 채택했으며, 그림자와 입체감 표현을 위한 검은색과 갈색의 사용을 피했다. 그 결과, 그들의 작품들은 색채, 빛, 그리고 분위기 효과를 강조했다. 게다가, 그들의 비교적 여유 있고 개방된 붓놀림은 예전에 프랑스 회화의 중심이었던 지나칠 정도로 상세한 학문적인 방식으로부터의 자유를 강조했다.

NOTE

Step 1	Survey
Key Words	Corot; Impressionists; outdoors; studio
Signal Words	Like; however; unlike; not only…but also
Step 2	**Reading**
Purpose	To illustrate the stylistic importance and differences of Corot's work in regard to other French Impressionists.
Pattern of Organization	Comparison/contrast
Tone	Neutral
Main Idea	Corot held influence on the French Impressionist painters but differed through his approach of using painstaking detail in the academic manner while working in his studio, rather than painting outdoors.
Step 3	**Summary**
지문 요약하기 (Paraphrasing)	Corot, who was an influential French artist of the 19th century, held influence on the French Impressionist painters but differed through his approach of using painstaking detail in the academic manner while working in his studio, rather than painting outdoors. In his work, he painted in his studio, following a finished, academic style. The Impressionists, on the other hand, painted outdoors, using a spontaneous style based on direct observation.
Step 4	**Recite**
	요약문 말로 설명하기

52 하위내용영역 일반영어 A형 서술형 배점 4점 예상정답률 45% 본책 p.174

모범 답안 The word that best fits the blank is "morality"(or ethics). According to the above passage, our society's normal culture could be defined as "abnormal" or "aberrant" by other cultures (since normality is culturally defined).

채점 기준
- 4점: 모범답안과 같거나 유사하였다.
- 2점: 둘 중 하나만 맞았다.
- 0점: 모범답안과 다르다.

어휘

aberrant 비정상적인, 일탈적인
condition 조절하다, 결정하다
derive ~로부터 끌어내다; ~의 기원을 찾다
inclination 경향; 경사도
institutional 제도상의, 규격화된, 획일적인
uncongenial 마음에 들지 않은; 적합하지 않은
be subject to ~의 지배를 받다, 영향을 받다
constitution 구성; 기질; 헌법, 관습
discredit 신용을 떨어뜨리다; 믿지 않다
incontrovertibly 반박의 여지가 없이, 확실하게
mores 풍습, 관습, 사회적 관행
utilize 활용하다, 소용되게 하다

한글번역

　그 어떤 문명도 그 문명의 사회적 관습을 이루는 데 있어 가능한 모든 범위의 인간 행위를 이용할 수는 없다. 모든 사회는 어느 쪽이든 한 방향으로 어느 정도 기울기 시작해서 그 선호하는 쪽으로 점점 더 나아가면서 그 사회가 선택한 기반 위에 점점 더 완전하게 통합되며, 적합하지 않은 유형의 행위들은 버린다. 우리에게는 아무런 논란의 여지 없이 비정상적으로 보이는 그런 인성 조합들 대부분을 다른 문명들은 그들의 제도적 생활의 바로 그 토대를 이루는 데 사용해 왔다. 정반대로 우리 문명의 정상적인 개개인들의 가장 존중되는 특징들이 우리와 다르게 조직된 문화들에서는 비정상적인 것으로 간주돼 왔다. 간단히 말해, 매우 넓은 범위에서는 정상이란 문화적으로 규정되는 것이다. 우리가 문제를 인식하는 바로 그 시각은 우리 사회의 오랜 전통적 관습에 의해 정해진다.
　그것은 정신의학과 관련해서라기보다 윤리와 관련해 더 자주 지적된 요점이다. 우리는 우리들이 사는 장소와 시대의 도덕성을 인간 본성의 필연적 구성으로부터 직접 도출하는 실수를 더이상 저지르지 않는다. 우리는 그것을 제1원리라는 고귀한 지위로 추켜세우지 않는다. 우리는 도덕성이 사회마다 다르며 사회적으로 인정된 관습들을 가리키는 편리한 용어일 뿐이라는 것을 인정한다. 인류는 항상 "그게 관습적이지."라는 말보다 "그게 도덕적으로 옳아."라는 말을 선호해 왔다. 그러나 역사적으로 이 두 표현은 같은 뜻을 나타낸다.

NOTE

Step 1	Survey
Key Words	Mores; human behavior; abnormal; normality; morally good; habitual
Signal Words	Conversely; in short; it is a point that
Step 2	**Reading**
Purpose	To assert that what is considered normal and moral varies from society to society
Pattern of Organization	Not clear
Tone	Persuasive
Main Idea	Behavior that is considered normal is often just a matter of the traditional habits of a society and may be considered abnormal in a different culture.
Step 3	**Summary**
지문 요약하기 (Paraphrasing)	Every civilization has its own set of mores, and behavior that is accepted as normal in one society may be regarded as abnormal in another. In other words, when we say something is "morally good," we often merely mean that it is a habit that is considered acceptable in our society.
Step 4	**Recite**
	요약문 말로 설명하기

53 하위내용영역 일반영어 A형 서술형 배점 4점 예상정답률 45%

모범 답안 The word for the blank is "individual". Second, in regards to family, the passage describes Asians as showing filial piety, showing "subordination and restraint" more easily than Westerners.

채점 기준
- 4점: 모범답안과 같거나 유사하였다.
- 2.5점: 둘 중 서술형 문제만 맞았다.
- 1.5점: 둘 중 기입형(빈칸형) 문제만 맞았다.
- 0점: 모범답안과 다르다.

어휘
bliss 더 없는 행복
bridle at ~을 무시하다, 콧방귀 뀌다
filial piety 효도, 효심
gregarious 사교적인; 군집의
implication 영향; 암시; 의미
self-contained 자족적인; 자립하는
subordinate 경시하다; 종속시키다
tremendous 엄청난, 굉장한

boldness 대담, 배짱
collective 집단, 공동체
foster 촉진하다, 조장하다; 육성하다
humility 겸손; 비하
jockey for ~을 차지하려고 다투다
submit to ~에 복종하다
restraint 구속, 자제
undue 지나친, 적당하지 않은

한글번역
많은 아시아 문화는 단체 중심적이지만, 서구인들이 단체에 대해 생각하는 그런 방식으로는 아니다. 아시아의 개인들은 자신들을 가족이든, 회사든, 지역사회든 더 큰 전체의 일부로 인식하고, 그 집단 안에서의 조화에 큰 가치를 부여한다. 그들은 종종 그들 자신의 개인적 욕망을 집단의 이익 아래에 두고, 집단의 위계질서 안에서의 그들의 지위를 받아들인다. 이와는 대조적으로, 서양 문화는 개인을 중심으로 해서 조직된다. 우리는 우리 자신을 독립된 단위로 간주한다. 그래서 우리의 운명은 자신의 생각과 감정을 표현하는 것이고, 우리의 행복을 추구하는 것이고, 부당한 구속으로부터 자유로워지는 것이고, 다른 사람들이 아닌 우리만이 해내도록 이 땅에 불려오게 된 그 한 가지를 성취하는 것이다. 우리는 집단적일 수 있지만, 집단의 의지에 굴복하지는 않는다. 혹은, 적어도 굴복한다고 생각하기를 좋아하지는 않는다. 우리는 부모님을 사랑하고 존경하지만, 효도와 같은 개념은 복종과 구속을 암시하고 있어서 무시한다. 우리가 다른 사람들과 어울릴 때는, 다른 독립된 단위들과 함께 즐기고, 경쟁하고, 두각을 나타내고, 자리다툼을 하며, 그리고, 물론, 사랑하는 그런 독립된 단위로서 어울린다. 그렇다면, 서양인들은 개성을 증진하는 특성들인 대담성과 언어 구사 능력을 높이 평가하는 반면, 아시아인들은 집단의 화합을 강화하는 과묵함, 겸손함, 감수성에 가치를 둔다는 것이 이치에 닿게 된다. 만일 당신이 집단주의 사회에 살고 있다면, 자제하면서 심지어 복종하면서 처신한다면 일이 훨씬 더 순탄하게 진행될 것이다.

NOTE

Step 1	**S**urvey
Key Words	Asian cultures; Westerners; group; team; individual; self-contained; gregarious; filial piety
Signal Words	But; by contrast; while
Step 2	**R**eading
Purpose	To point out some differences between Asian and Western cultures
Pattern of Organization	Comparison/contrast
Tone	Not clear
Main Idea	Asians tend to subordinate their personal desires to the interests of the group to which they belong, while Westerners tend to be individualistic.
Step 3	**S**ummary
지문 요약하기 (Paraphrasing)	Asians tend to subordinate their personal desires to the interests of their family, community, or whatever group they belong to, accepting their place in the hierarchy of that group. Westerners, on the other hand, tend to be individualistic and competitive, seeing themselves as self-contained units. When one lives in a collective, the Asian type of restraint makes things go more smoothly.
Step 4	**R**ecite
	요약문 말로 설명하기

54　하위내용영역 일반영어 A형 서술형　배점 4점　예상정답률 45%　본책 p.178

모범 답안　The statues are important because of the tourism revenue they bring in. Second, the earlier incident suggested to have created distrust amidst villagers was the taking of 35 statues by Konrad Preuss.

채점 기준
- 4점: 모범답안과 같거나 유사하였다.
- 2점: 둘 중 하나만 맞았다.
- 0점: 모범답안과 다르다.

어휘

artefact 인공물[품]
centenary 100주년 (기념일)
complex 복합체; 합성물; 복합 단지
likeness 닮음; 초상, 화상, 닮은 것
replica 복제; 복제품
suspicious 의심스러운, 의심하는

blockade 차단하다, 막다
chieftain 추장, 두목, 수령
excavation 발굴
megalithic 거대한 돌의
trample 짓밟다, 유린하다

한글번역

　산 아구스틴에 있는 고대 석상들은 가장 불가사의한 콜럼버스 이전 시대의 고고학적 유물들에 속한다. 지금까지 고고학자들은 남미 최대의 거대 석상 지대가 된 곳에서 신화 속의 동물, 신(神), 추장들의 모습을 한 600여 점의 석상이 있는 40개의 거대한 봉분들을 발견했다. 그 지역의 다른 유적지들과 마찬가지로, 산 아구스틴도 약탈을 경험했다. 그곳에서 유럽 최초의 발굴을 이끌었던 독일 인류학자, 콘라드 프루스는 자신이 발견한 35개의 조각상을 베를린의 한 박물관으로 싣고 갔는데, 그것들은 여전히 그곳에 남아있다. 이러한 역사는 그 유적지에 오는 관광객들을 통해 생계를 유지하는 그 지역 주민이 의심을 하게 만들었다. 그 의심은 그 석상 중 20개를 프루스의 유적지 발견 100주년을 기념하기 위한 3개월의 전시를 위해, 차로 열 시간 거리에 있는 수도, 보고타로 옮기겠다는 국립박물관의 계획에 의해서도 입증됐다. 일시적이라 하더라도 석상을 옮기는 것이 민감한 문제임을 인식하고 있던 콜롬비아 인류학 연구소의 인류학자들은 그 석상들을 더 많은 사람들이 볼 수 있도록 허락하는 것이 갖는 중요성을 설명하기 위해 지역 회의를 개최했다. 그러나 지역 주민들은 석상들이 반환되지 않거나 모조품으로 바꿔치기 될 것이 걱정된다고 말했다. 전시 날짜가 다가오자, 그들은 석상의 반출을 허락하는 대가로 도시에 새 상수도 시설을 설치해 줄 것 등과 같은 요구를 하기 시작했다. 협상은 타결되지 않았다. 지난 달, 석상을 보고타로 옮기기로 예정돼 있던 날에 지역 주민들은 도로를 봉쇄하고 인부들이 트럭에 짐을 싣는 것을 막았다. 박물관은 나름의 항의 형식을 택했다. 그 전시회는 11월 28일에 석상 없이 시작됐다. 석상이 있었을 곳에는 조명이 비치고 있다. 가이드들은 가상현실 프로그램과 태블릿 컴퓨터를 이용해 방문객들에게 그곳에 있어야 했을 석상의 입체 영상을 보여준다. 박물관은 강경한 입장을 취했다. 즉, 개관식의 전시품은 관람객들이 '소수의 사람들이 우리의 유산에 대한 배타적 권리를 주장해 모든 콜롬비아인들의 문화적 자유를 짓밟을 때 생기는 공허함과 침묵'에 대해 생각해보도록 한다.

Step 1	Survey
Key Words	Statues at San August; archaeological artefacts; megalithic
Signal Words	So far; like other sites; as the date neared; on the day
Step 2	Reading
Purpose	To explain why and how the people of San Agustín protected their region's ancient statues
Pattern of Organization	Time order (narrative)
Tone	Neutral
Main Idea	Having suffered plunder previously, the people of San Agustín protested when the national museum was going to take 20 of their ancient statues away for an exhibit.
Step 3	Summary
지문 요약하기 (Paraphrasing)	Archaeologists have discovered about 600 ancient statues in 40 large burial mounds in San Agustín, Colombia. A century ago, a German archaeologist took 35 of the statues away to Berlin, where they remain today. Having suffered such plunder, the people of San Agustín protested when the national museum was going to take 20 of the statues away for an exhibit. They blockaded the site, so the museum was forced to open the exhibit without the statues.
Step 4	Recite
	요약문 말로 설명하기

55

모범 답안 The incorrect navigation of Europeans was to look for passage to Asia through Northern America. The most powerful force in the seventeenth century Americas was the Dutch.

채점 기준
- 4점: 모범답안과 같거나 유사하였다.
- 2점: 둘 중 하나만 맞았다.
- 0점: 모범답안과 다르다.

어휘

carve out (진로·토지 따위)를 개척하다, 트다   dividend 배당금
flex one's muscles 힘이 있음을 보이다, 힘으로 위협하다
have a hand in ~에 관여[참가]하다
literally 문자[말] 그대로; 그야말로; 정말로   lucrative 돈벌이가 되는, 유리한, 수지맞는
maritime 바다의, 해양의; 배의   mouth (강의) 어귀
pirate 해적 행위를 하다; 약탈하다; 저작권을 침해하다; 표절하다
populate (어떤 지역에) 살다; 사람을 거주시키다
outpost 전초지[부대]; 최선단; 변경의 식민지   rim 가장자리, 테두리; [항해] 해면(海面)
seaboard 해안, 연해[연안] 지방   set off 출발하다
take over 인계받다; 탈취[장악]하다   with the aim of ~을 지향해, ~을 목표로

한글번역

　　남북 캐롤라이나주에서 뉴잉글랜드에 이르는 대서양 연안으로 재빨리 주민을 이주시키고 있던 영국인들은 아메리카 신대륙에 대한 독점권을 가지고 있지 않았다. 프랑스와 네덜란드 탐험가들 또한 바빴으며, 프랑스와 네덜란드 두 국가는 북아메리카에서 독립된 영토들을 개척하고 있었다. 네덜란드는 지금의 뉴욕주인 허드슨강 유역에 뉴 네덜란드를 세웠고, 1609년 헨리 허드슨의 탐험을 근거로 그 지역에 대한 권리를 주장했다.
　　영국인 허드슨은 아시아의 북쪽 해안을 따라 중국에 이르는 항로인 북동 항로를 찾길 원했던 네덜란드 회사에 고용됐다. 1609년 허드슨은 '하프 문'을 타고 북동 항로 대신에 북서 항로를 향해 출발했다. 대서양 연안을 따라 남하하면서, 허드슨은 체서피크 만에 들어갔고 거기서 유턴해 다시 북쪽으로 허드슨 강을 따라 탐험하며 올라가 멀리 상류에 있는 올버니에 이르렀다. 그는 조수가 없음에 주목하여 이 항로가 태평양 연안에 이르지 않을 것이라고 옳게 추정했다.
　　1600년대 초 영국이 새롭게 힘을 과시하고 있었지만, 세계에서 가장 큰 상선을 건조함으로써 해양 문제에서 진정한 세계 강대국이 된 것은 네덜란드였다. 그 당시 이미 알려진 세계에서 네덜란드가 해양 문제에 있어 관여하지 않은 곳은 말 그대로 하나도 없었다. 암스테르담은 유럽에서 가장 분주하고 부유한 도시가 됐다. 1621년 네덜란드 서인도회사가 유럽과 아메리카 신대륙 간의 무역을 장악하기 위해 설립됐고, 네덜란드는 곧 1624년에 포르투갈로부터 수익성이 좋은 노예와 설탕 무역 전초기지에 대한 통제권을 빼앗았다. 2년 후에 무역 도시인 뉴암스테르담(나중에 뉴욕으로 개칭)이 허드슨 강의 어귀에 건설되었다. 네덜란드 서인도회사는 무역과 식민지 건설 이상의 일을 했다. 1628년 네덜란드 서인도회사의 피트 헤인 제독은 스페인의 보물 함대를 포획했고, 회사 주주들에게 75% 배당금을 지급할 수 있을 정도로 충분한 은을 약탈했다.

NOTE

Step 1	Survey
Key Words	Explorers; territories; maritime; merchant marine fleet
Signal Words	In 1609; 1621; 1624; two years later
Step 2	**Reading**
Purpose	To describe Dutch exploration in the New World
Pattern of Organization	Time order
Tone	Neutral
Main Idea	By the early 1600s, the Dutch were a major maritime power and continued to expand, conducting trade between Europe and the New World.
Step 3	**Summary**
지문 요약하기 (Paraphrasing)	By the early 1600s, the Dutch were a world-class maritime power. in 1621, they formed the Dutch West India Company, conducting trade between Europe and the New World and even taking control of the lucrative slave and sugar trade from the Portuguese. They established New Netherlands in the Hudson River valley, with its main settlement at New Amsterdam, which was later to become New York City. They even captured Spanish treasure ships, enriching their shareholders.
Step 4	**Recite**
	요약문 말로 설명하기

56 하위내용영역 일반영어 A형 서술형   배점 4점   예상정답률 55%   본책 p.182

모범 답안 The word for the blank is "capital". Second, the reason is that the U.S. is a rich country, as the passage mentions that nearly 60 percent of global migrants live in rich countries, with the U.S. hosting 38 million foreign-born people. This suggests economic opportunity is a major factor, since the passage states that "People migrate primarily for economic reasons."

채점 기준
- 4점: 모범답안과 같거나 유사하였다.
- 2점: 둘 중 하나만 맞았다.
- 0점: 모범답안과 다르다.

어휘
around-the-clock 24시간 연속의, 쉴 새 없이 계속되는
chunk 큰 덩어리; 상당한 양[액수]
downside 불리한[덜 긍정적인] 면
inflow 유입
portfolio 유가 증권 명세표, 포트폴리오; 자산 구성(각종 금융 자산의 집합)
recycle 재생 이용하다, 재순환시키다, (차관·투자 등의 형태로) 환류시키다
regulated 통제된, 규제된
set up 건립하다, 설립하다
deposit (돈 따위를) 맡기다, 예금하다
impose 지우다, 부과하다; 강요[강제]하다
net (에누리 없는) 정(正)~, 순(純)~; 최종적인
restricted 제한된, 한정된
subsidiary 자회사

한글번역
　오늘날 세계에는 자신이 태어난 곳이 아닌 다른 국가에서 살고 있는 사람이 약 1억 9천만 명에 이른다. 그들 중 거의 60%가 부유한 국가에서 살고 있다(약 3천 6백만 명의 사람들이 유럽에서 살고 있으며 3천 8백만 명의 사람들이 미국에서 살고 있다). 사람들은 주로 경제적인 이유로 이주하지만, 정치적·종교적 탄압을 피하기 위해 이주하는 사람들도 있다. 미국에서 살고 있는 3천 8백만 명의 외국 태생의 사람들은 미국 인구의 12.6%에 상당한다. 이들 중 거의 30%에 달하는 1천 1백만 명의 사람들이 미국에 불법적으로 들어왔다. 대부분의 국가들은 미숙련된 사람들의 유입을 줄이기 위해 이주에 제한을 가하고 있다(종종 고도로 숙련되고 전문적인 사람들의 이주를 장려하기도 한다). 이주는 대개 재화, 서비스 그리고 자본의 국제적인 이동보다 더 제한되고 통제되고 있다.
　일반적으로, 자본은 사람들보다 국가적 경계를 넘어 자유롭게 유입된다. 은행 융자나 채권 등의 금융 자본 또는 포트폴리오 자본은 대개 이자율이 더 높은 국가와 시장으로 이동하며, 공장과 회사의 외국인 직접 투자는 예상 수익이 더 높은 국가로 이동한다. 이는 자본의 보다 효율적인 사용을 유발하며 대개 대출자와 차용자 모두에게 이득이 된다. 1970년대에 중동 국가들은 석유 수출로 얻은 다량의 막대한 수익을 뉴욕 은행과 런던 은행에 예치했고, 그러고 나서 그 은행들은 그 자금을 라틴 아메리카와 아시아의 정부들과 기업들에게 빌려줬다. 1980년대에 일본은 막대한 수출수익 가운데 상당 액수를 금융자산과 부동산에 투자했고 미국에 자회사들을 설립했다. 1980년대 중반 이래로 미국은 생산에 대한 과잉 지출을 충당하기 위해 세계 나머지 국가들의 점점 더 큰 순차용국이 되어왔다. 글로벌 은행들은 전 세계 주요 국제적인 금융 중심지에 은행 지점들을 설치했고, 3조 달러에 달하는 외국 통화가 세계 금융 중심지에서 매일 24시간 거래를 통해 교환되고 있으며, 그리고 신설된 국부펀드(중동의 석유 수출 국가, 싱가포르, 중국, 러시아, 브라질이 소유하는 투자기구)는 전 세계에 온갖 종류의 막대한 투자를 하고 있다. 금융시장은 전에 없이 세계화되고 있다. 단점은 금융위기가 한 국가에서 시작되면 그것이 다른 국가들에 빨리 퍼진다는 것이다.

NOTE

Step 1	**S**urvey
Key Words	Migrate; economic; capital; financial
Signal Words	Primarily; in general; this leads to; during; since
Step 2	**R**eading
Purpose	To highlight financial globalization
Pattern of Organization	Not clear
Tone	Informative
Main Idea	Global capital moves relatively freely across borders and has become increasingly interconnected, while human migration remains more restricted despite substantial immigrant populations in wealthy nations, particularly the United States.
Step 3	**S**ummary
지문 요약하기 (Paraphrasing)	Many people migrate to countries other than the one they were born in, but such immigration is more restricted than the movement of goods, services, and capital. Bank loans and bonds tend to go to places where interest rates are higher, while direct investment tends to go to places where higher profits can be expected. Today, financial institutions owned by exporting nations are making big investments all over the world. The disadvantage of such globalization is that a financial crisis in one country easily spreads to others.
Step 4	**R**ecite
	요약문 말로 설명하기

57 하위내용영역 일반영어 A형 서술형　배점 4점　예상정답률 50%　　　본책 p.184

모범 답안　Such things refer to works of art—specifically music, plays, and books—which are mentioned immediately before as the types of experiences people are willing to receive openly even after they stop being receptive to new experiences in general. Second, the words are "breaking crusts".

채점 기준
- 4점: 모범답안과 같거나 유사하였다.
- 2점: 둘 중 하나만 맞았다.
- 0점: 모범답안과 다르다.

한글번역

　아주 많은 사람들이 아주 어린 나이에 제한적인 판단력의 재고에 무엇인가를 채워 넣는 일을 그만둔다. 특정한 나이가 지나면, 가령 25살 이후, 이들은 교육받는 것이 끝났다고 생각한다. 이들이 고통스럽고 지루한 과정—명확하게 말해서 교육과정—을 통과하고 나서 교육은 끝났다고 생각하는 것, 또는 평생 동안 주위에서 일어나는 모든 사건에 라벨을 붙여서 그것을 각각의 주어진 분류함에 집어 넣을 준비가 됐다고 생각하는 것은 아마도 자연스러운 것처럼 보인다. 어떠한 사건에도 붙일 라벨을 갖추고 있는 사람은 더 이상 어떠한 것도 보려고 하지 않는다. 그는 심지어 그가 학교에 들어가기 전에 스스로 관심을 가지고 관찰했던 일상적인 사건들에도 더 이상 관심을 기울이지 않는다. 그는 단지 행동하고 반응할 뿐이다. 더 이상 주위의 사건에 주목하지 않는 사람들에게 유일하게 가능한 새로운 또는 다시 새로워진 경험, 즉 새로운 지식은 예술 작품으로부터 온다. 이 예술 작품은 위에서 언급한 사람들이 그들이 바라는 조건에 근거해 수용할 준비가 돼있는 유일한 경험이기 때문에 이들은 그들을 싸고 있는 껍데기로부터 나와서 음악, 연극, 서적 등을 접하게 된다. 왜냐하면 이것은, 이들이 인정한, 새로운 경험과 지식을 즐기는 방법이기 때문이다. 사실, 이들은 예술적인 편견을 가지고 연극이나 서적에 접근할지도 모른다. 이러한 편견은 그들이 지금 보고 있는 연극을 제대로 파악하지 못하게 할 것이며, 자신이 지금 보는 책을 제대로 이해하지 못하게 할 것이다. 아마도 이들의 예술적 민감성이란 것은 이들의 정신처럼 껍데기로 덮여져 있을 것이다. 하지만 이러한 껍데기를 깨는 것이 예술가들의 일이다. 그들 자신을 위해 일을 하는 것이 아니라 다수의 대중을 위해 일을 하는 예술가들은 이러한 껍데기를 부수는 데 관심을 가지고 있다. 왜냐하면 이들 예술가들은 그들의 직관을 대중들과 소통하고자 하기 때문이다.

NOTE

Step 1	**S**urvey
Key Words	New knowledge; Artist's job
Signal Words	Not clear
Step 2	**R**eading
Purpose	To point out problems of current education and the role of art
Pattern of Organization	Not clear
Tone	Critical
Main Idea	Art can give renewed experience and knowledge to people who stop observing and learning after their formal education.
Step 3	**S**ummary
지문 요약하기 (Paraphrasing)	Many people stop observing and learning after they complete their formal education. Such people may wrongly think they already know how to judge everything and may miss out on many experiences. Art can give renewed experience and knowledge to such people.
Step 4	**R**ecite
	요약문 말로 설명하기

58

모범답안 The word for the blank is "low". Second, it is because a knock-out is arranged to keep the prices in the auction room low.

채점 기준
- 4점: 모범답안과 같거나 유사하였다.
- 2.5점: 둘 중 서술형 문제만 맞았다.
- 1.5점: 둘 중 기입형(빈칸형) 문제만 맞았다.
- 0점: 모범답안과 다르다.

> **한글번역**
>
> 경매는 대개 미리 광고가 되는데, 판매될 물품들 및 언제 그리고 어디서 장래 구매자들이 그것들을 볼 수 있는지에 대한 충분하고도 자세한 내용들이 거기에 실린다. 만일 광고가 세부 사항들을 충분하게 제공하지 못하게 될 경우에는 카탈로그가 인쇄되고, 또한 '로트'라고 불리는 같이 팔리게 될 물건들의 각 묶음에 번호가 부여된다. 경매인은 로트 번호 1번부터 번호 순서대로 시작할 필요는 없다. 그는 경매장에 어떤 딜러들이 있는지를 알아차릴 때까지 기다릴 수도 있고, 그런 다음 딜러들이 흥미를 가질 만한 경매품들(로트)을 소개한다. 경매인의 서비스는 그 물건이 판매되는 가격에 대한 특정 비율의 형식으로 지급된다. 따라서 경매인은 입찰 가격을 가능한 한 높게 올리는 일에 관심을 갖게 된다. 경매인은 자신이 팔려고 내놓은 물건의 현재의 시장 가치를 매우 정확하게 알고 있어야 한다. 그리고 그러한 물품들을 구입할 만한 구매자들에 대해서 잘 알고 있어야 한다. 경매인은 입찰 가격을 너무 낮은 데서 시작해 시간을 낭비하는 일은 하지 않을 것이다. 또한 구매자들 사이에 경쟁을 붙여, 사업상 경쟁자들로 하여금 서로 대립해 가격을 부르도록 만들어 보다 높은 가격을 이끌어 내려고 노력할 것이다. 판매자가 '최저 경매 가격', 말하자면 그 이하로는 물건이 판매될 수 없는 가격을 정하게 되는 것도 대체로 경매인의 충고에 따른 것이다. 그러나 비록 최고의 경매인이라고 할지라도 녹아웃(서로 짜고 헐값에 낙찰 받는 일)을 멈추게 하는 일을 쉽지 않다. 녹아웃을 통해서, 딜러들은 불법적으로 미리 서로에게 해가 되는 낙찰 가격은 부르지 않도록 조정해 그들 가운데 단 한 명만을 유일한 입찰자로 정하는데, 이렇게 되면 가장 낮은 가격으로 상품을 살 수 있게 된다. 만일 그와 같은 녹아웃이 일어나면, 실제 경매는 딜러들 사이에서 후에 비밀리에 일어나게 된다.

NOTE

Step 1	ⓈurveyLabel
Key Words	Auction; auctioneer; lot; knock-out
Signal Words	Not clear
Step 2	**Ⓡeading**
Purpose	To describe the role of the auctioneer
Pattern of Organization	Time order (process)
Tone	Neutral
Main Idea	An auctioneer directs the flow of the auction for the benefit of the sellers, while buyers sometimes make other arrangements.
Step 3	**Ⓢummary**
지문 요약하기 (Paraphrasing)	An auctioneer directs the flow of the auction for the benefit of the sellers, using his knowledge of the items and market to do his best. Buyers sometimes covertly arrange to avoid bidding in the official auction in order to bid in a smaller, private group.
Step 4	**Ⓡecite**
	요약문 말로 설명하기

59 하위내용영역 일반영어 A형 서술형 배점 4점 예상정답률 45% 본책 p.188

모범 답안 It is because she wants to reinforce the idea Mexican-Americans are a native rather than an immigrant group or a conquered group in the United States. Second, it is to provide a historical perspective for a new analysis of Mexican-American culture.

채점 기준
- 4점: 모범답안과 같거나 유사하였다.
- 2점: 둘 중 하나만 맞았다.
- 0점: 모범답안과 다르다.

> **한글번역**
>
> 전통적인 연구에서는 멕시코계 미국 문화에 대해 멕시코와 미국의 해석만을 직면해 왔다. 이제 우리는 이 문화를 우리 멕시코계 미국인들이 경험하는 대로 연구해야 한다. 주권 국민에서 새롭게 도착하는 정착민과 함께하는 동포로, 마침내는 자기의 땅에서 법적으로 명시된 소수민이 된 정복된 국민 문화 말이다. 스페인들이 처음 멕시코에 왔을 때, 그들은 토박이와 결혼해서 토착민 인디언의 문화를 흡수했다. 문화 변용을 통한 이러한 식민지화 정책은 계속되다가 멕시코가 1800년대 초 텍사스를 획득하고 토착민 인디언을 멕시코의 삶과 지배 가운데 데려왔다. 1820년대, 미국 시민은 텍사스로 이주해서 면화에 적당한 땅을 찾아갔다. 그들의 숫자가 보다 많아지면서 본토 민족을 정복함으로써 땅을 얻어내는 정책이 지배하기 시작했다. 두 이념이 반복해서 충돌했고, 미국이 승리하게 된 군사적 충돌로 절정을 이루었다. 따라서 우리의 조상 문화를 갑자기 빼앗겼기 때문에 우리는 생존을 위해 독특한 멕시코계 미국인으로서의 사고와 행동 양식을 발전시켜야 했다.

Step 1	**S**urvey
Key Words	Mexican-American culture
Signal Words	Now; When; first; when; in the early 1800s; In the 1820s
Step 2	**R**eading
Purpose	To show the history of the Mexican-American cultural identity
Pattern of Organization	Time order
Tone	Critical
Main Idea	Mexican-American cultural identity should be understood within the context of Mexican-American history.
Step 3	**S**ummary
지문 요약하기 (Paraphrasing)	Mexican-American cultural identity should be understood within the context of Mexican-American history. The history of Mexican-American cultural identity began with gradual migration of U.S. citizens and then with a severing of ties with Mexico following war, leading to new ways of thinking for the sake of survival.
Step 4	**R**ecite
	요약문 말로 설명하기

B형 서술형

PART 02 서술형

01　하위내용영역 일반영어 B형 서술형　배점 4점　예상정답률 45%　본책 p.190

모범 답안 The word is "punishment". Second, it means that the high concentration of lightning rods in Boston, which are intended to divert lightning strikes and thus thwart God's punishment, has led to an escalation of earthquakes as a substitute punishment.

채점 기준

+2점: 빈칸에 들어갈 단어를 "punishment"라 정확히 기입하였다. 이외에는 답이 될 수 없다.

+2점: 밑줄 친 부분의 의미를 "the high concentration of lightning rods in Boston, which are intended to divert lightning strikes and thus thwart God's punishment, has led to an escalation of earthquakes as a substitute punishment"라 서술하였거나 유사하였다.

☞ 다음과 같이 서술하였어도 2점을 준다.

- "according to him, because Boston had more lightning rods, which were seen as defying God's will, compared to other areas in New England, it(Boston) experienced more severe divine punishment in the form of earthquakes."
- "Dr. Price interprets the increased presence of lightning rods in Boston as an act of defiance against God's will to punish sinners with lightning strikes. Dr. Price perceives the absence of lightning strikes as evidence of God's frustration, leading to earthquakes as an alternative form of punishment."

한글번역

　과학의 발전으로 인간이 자연의 법칙과 자연의 힘보다 우위에 서는 법을 알게 됐던 지난 400년 동안, 성직자들은 과학과 승산 없는 싸움을 해왔는데, 천문학과 지질학, 해부학과 생리학, 생물학과 심리학 및 사회학에서 그러했다. 어떤 특정한 자리에서 쫓겨나면, 성직자들은 또 다른 자리로 옮겼다. 천문학에서 패배당한 후엔, 지질학의 등장을 막기 위해 최선을 다했고; 생물학에서 다윈과 싸웠으며, 현재에 이르러서는 심리학과 교육 영역에서의 과학적 이론과 싸우고 있다. 각각의 단계에서 성직자들은 대중들로 하여금 성직자 본인들이 저질렀던 예전의 몽매주의를 잊도록 노력하는데, 이렇게 하는 이유는 성직자 자신들이 가지고 있는 현재의 몽매주의의 있는 그대로의 본질이 (대중들에게) 알려지지 않게 하기 위해서이다. 과학이 등장한 이후 성직자들이 보였던 비합리성의 몇 가지 사례를 살펴본 뒤, 나머지 인류가 (성직자들보다) 더 나은지 질문하겠다.

　벤자민 프랭클린이 피뢰침을 발명했을 때, 영국과 미국의 성직자들은 영국 왕 조지 3세의 열렬한 지지를 받아 그것이 하나님의 뜻을 거스르는 불경한 시도라 비난했다. 정신이 제대로 박힌 사람들 모두가 알고 있듯이, 번개는 하나님에 의해 불신앙이나 다른 중대한 죄를 범한 사람을 처벌하기 위해 보내진 것이기 때문이다.—선한 자는 벼락을 절대 맞지 않는다. 따라서 만일 신이 누군가를 벌하길 원한다면, 벤자민 프랭클린은 신의 계획을 방해해서는 안 된다. 그렇게 하는 것은 죄인이 (신의) 처벌로부터 도망가도록 도와주는 것일 따름이다. 하지만 보스턴의 주요 성직자 중 한 명인 프라이스 박사의 말을 믿는다면 신은 그 상황에 적절하게 대처했다. "총명한 프랭클린 박사가 발명한 쇠막대기로 번개가 효과가 없어진" 매사추세츠에서는 지진이 발생했는데, 프라이스 박사에 따르면 이것은 "쇠막대기"에 대한 신의 분노 때문이었다. 그 주제에 관한 설교에서, 프라이스 목사는 "보스턴에는 뉴 잉글랜드의 다른 곳보다 더 많은 쇠막대기가 세워져 있기에, 보스턴이 더 무시무시하게 흔들렸던 것입니다."라고 말했다.

　그러나 신은 보스턴의 사악함을 치료하려는 모든 희망을 포기한 것이 명백했다. 왜냐하면 피뢰침이 더욱더 흔해졌음에도, 매사추세츠에서 지진은 아주 드물었기 때문이다. 그럼에도 불구하고, 프라이스 박사의 시각이나 그와 유사한 시각은 지금도 가장 영향력 있는 살아있는 인물 중 하나에 의해 지지되고 있다. 한때 인도에서 몇 번의 끔찍한 지진이 있었을 때, 마하트마 간디는 이 재앙들이 인도인들의 죄악을 벌하기 위해 보내졌다고 엄숙하게 경고했다.

NOTE

Step 1	Survey
Key Words	Clergy; science; lightning rod; punishment; earthquakes; God's wrath
Signal Words	After; at each stage; at the present time; when; nevertheless; furthermore
Step 2	**Reading**
Purpose	To illustrate the historical conflict between religious clergy and scientific advancement (using specific examples to show how religious authorities have consistently opposed scientific progress)
Pattern of Organization	Time order; series (The passage presents a historical progression of religious opposition to scientific advances, providing specific illustrations like Franklin's lightning rod controversy and Gandhi's earthquake interpretation.)
Tone	Critical and mildly satirical (The author uses examples to point out the irrationality of religious opposition to science, with subtle mockery of the clergy's shifting positions and interpretations of natural events.)
Main Idea	The relationship between scientific advancement and religious authority has been marked by centuries of systematic opposition, revealing a persistent pattern of institutional resistance to scientific progress.
Step 3	**Summary**
지문 요약하기 (Paraphrasing)	The relationship between scientific advancement and religious authority has been marked by centuries of systematic opposition, revealing a persistent pattern of institutional resistance to scientific progress. Over 400 years, religious authorities have consistently challenged scientific discoveries across disciplines, from astronomy to psychology, adapting their positions only after being forced to retreat from previously held stances. This pattern is vividly illustrated by the clergy's response to Benjamin Franklin's lightning rod, which they condemned as an impious attempt to thwart divine punishment. The persistence of such resistance, exemplified even in modern times by influential figures like Mahatma Gandhi attributing natural disasters to divine retribution, demonstrates how deeply rooted the conflict between scientific and religious interpretations of natural phenomena remains.
Step 4	**Recite**
	요약문 말로 설명하기

02 하위내용영역 일반영어 B형 서술형 배점 4점 예상정답률 50%

모범 답안 The word is "literacy". Second, the writer primarily argues that material possessions or technological advancements, such as telephones, do not necessarily contribute to progress if they disrupt the quality of life or interfere with personal enjoyment.

채점 기준

+2점: 빈칸에 들어갈 단어를 "literacy"라 정확히 기입하였다. 이외에는 답이 될 수 없다.
+2점: 밑줄 친 부분이 가리키는 것이 "material possessions or technological advancements, such as telephones, do not necessarily contribute to progress if they disrupt the quality of life or interfere with personal enjoyment"라 서술하였거나 유사하였다.

☞ 다음과 같이 서술하였어도 2점을 준다.
- "progress should not solely be measured by material wealth or technological advancements but also by factors that enhance the quality of life and preserve individual happiness and tranquility."
- "despite the availability of modern conveniences like telephones, the intrusion they bring, such as interrupting a peaceful nap, can detract from the overall sense of progress or well-being."

한글번역

진보에는 여러 가지 측면이 있다. 원시인들과 대부분의 개발도상국들에게 진보는 영유아 사망률의 감소, 수명의 증가, 그리고 문맹률의 확대를 의미한다. 수명이 한계치에 근접하고, 영유아 사망률이 거의 제로에 가까워지고, 95%가 넘는 국민들이 글을 읽고 쓸 수 있는 선진 세계에서, 진보는 종류와 정도가 다른 개선을 필요로 한다. 단순한 문해력만으로는 충분하지 않다. 대신 더 높은 교육 수준, 모든 연령대와 인구 집단을 위한 건강 개선, 그리고 자원에 대한 통제력이 확대되기를 기대한다. 증대된 지식은 사람들을 지성적으로 자유롭게 하고, 개선된 건강은 더 나은 삶을 만든다.

모든 변화가 진보인 것은 아니다, 특히 모든 사람에게는 그렇지 않다. 많은 남성과 여성들은 현 상태를 유지하려고 한다. 다른 이들이 진보라 부르는 것을 중단하려는 상당수의 사람들도 있다. 내가 이 글을 쓰는 지금, 나는 멀리 떨어진 그리스 산마을의 발코니에 앉아 있다. 나는 이 고요한 장소에 처음 왔을 때 그곳에는 전기가 없었다. 주로 방문객들인 많은 이들이 집에서 집까지 전선을 설치하는 것을 반대했는데, 심미적으로 좋지 않다는 것이 이유였다. 원주민들에게 전기는 조명과 냉장을 가능하게 하며, 매우 바람직한 진보를 제공했다. 그 혁신이 없었다면 이 마을은 오늘날 죽어있을 것이다. 왜냐하면 거의 아무도 계속해서 여기에 오지 않았을 것이기 때문이다. 저지대에서 겨울을 나는 지역민들은 차디찬 집안에서 머물러야 했을 것이다. 초창기 방문 때에는 쓰레기를 우리가 머무르던 별장에서 100피트 떨어진 계곡에 버리는 것 이외에는 다른 대안이 없었다. 이제 풍족함으로 인해, 그 도시는 매주 두 번의 쓰레기 수거를 제공하고, 지역 피크닉 장에 쓰레기를 버리지 말라는 표지를 설치했으며, 전략적인 장소에 쓰레기통을 설치했다. 더 부유해진다는 것은 더 깨끗해짐을 의미한다!

이 마을에 처음 왔을 때 아내는 당나귀를 탔다. 오늘날 이 마을에는 텔레비전, 세탁기, 트랙터, 전화기가 있지만 당나귀는 없다. 25년 전에는 닭이 꼬꼬댁거리고, 염소 종소리, 그리고 당나귀가 울고 있었다. 하지만 오늘날에는 이 소리들이 오토바이, 차 경적 및 전기톱 소리에 가려진다. 이것이 진보일까? 여기서 살고 있는 사람들에게는 그렇다. 우리 같은 방문자들에게는 약간 슬픈 일이다. 비록 장소의 아름다움은 영향을 받지 않았지만.

1인당 소득이 증가한다고 해서 인류에게 개선을 의미하는 것은 아니다. 화창한 그리스에서 따뜻한 오후 낮잠을 깨우는 전화기가 진보를 증진시키지는 않는다.

NOTE

Step 1	Survey
Key Words	Progress; literacy; development; innovation; change; modernization
Signal Words	For; instead; when; today; now; overall
Step 2	**Reading**
Purpose	To explore the complex and subjective nature of progress, demonstrating how its meaning varies between developed and developing nations, and between residents and visitors
Pattern of Organization	Compare/contrast with examples (The passage contrasts different perspectives on progress between developed/developing nations and locals/visitors, using a Greek village as an extended example.)
Tone	Reflective/balanced (The author considers multiple viewpoints on progress, acknowledging both its benefits and drawbacks through personal observations and experiences.)
Main Idea	The concept of progress manifests uniquely across different stages of societal development, challenging simplistic definitions of advancement.
Step 3	**Summary**
지문 요약하기 (Paraphrasing)	The concept of progress manifests uniquely across different stages of societal development, challenging simplistic definitions of advancement. While developing nations measure progress through fundamental improvements in life expectancy, infant mortality, and basic literacy, developed societies focus on enhancing educational quality and expanding resource access. This complexity is poignantly illustrated through the transformation of a Greek mountain village, where modernization brought essential improvements like electricity and waste management, yet also altered its traditional character. Such changes highlight how progress often involves a delicate balance between practical advancement and cultural preservation, suggesting that rising living standards don't automatically translate to universal betterment.
Step 4	**Recite**
	요약문 말로 설명하기

03 하위내용영역 일반영어 B형 서술형　배점 4점　예상정답률 40%　본책 p.196

모범 답안 The word is "similarity". Second, critics argue that organic solidarity can result in a loss of community and social cohesion as individuals become more specialized and isolated, potentially exacerbating social inequality and stratification in complex societies.

채점 기준

+2점: 빈칸에 들어갈 단어를 "similarity"라 정확히 기입하였다. 이외에는 답이 될 수 없다.
+2점: 유기적 연대에 대한 비판의 내용을 "organic solidarity can result in a loss of community and social cohesion as individuals become more specialized and isolated, potentially exacerbating social inequality and stratification in complex societies"라 서술하였거나 유사하였다.

한글번역

　　유기적 연대는 사회 내 개인들 간의 상호의존에서 비롯되는 사회적 결속을 말한다. 프랑스의 사회학자 에밀 뒤르켐이 『사회 분업론』(1893)에서 제시한 개념으로, 이 이론에 따르면 사회가 점점 더 복잡하고 산업화됨에 따라 사회 내 분업이 증가하고, 이에 따라 개인들 간의 상호의존도 높아진다는 것이다.

　　뒤르켐은 전통 사회에서는 기계적 연대가 지배한다고 봤다. 이때는 개인들이 유사한 가치, 신념, 관습을 공유하며, 분업은 거의 없다. 이런 사회에서는 개인들 간의 유사성이 사회적 결속을 유지시키고, 집단의식이 강하게 작용한다. 하지만 사회가 복잡하고 산업화되면서 분업은 증가하고, 그에 따라 사회 내 역할과 기능이 다양화된다. 그 결과 개인들은 점점 더 전문화되고 상호의존적이 되며, 사회적 결속은 유사성이 아니라 상호의존성에서 유지된다. 뒤르켐은 유기적 연대가 사회 진화의 자연스럽고 필연적인 측면이라고 봤다. 사회가 복잡해질수록 분업은 더욱 전문화되고, 개인 간의 상호의존도는 더욱 강해진다. 이러한 상호의존은 다시 분업을 심화시키고, 이는 더 큰 사회적 결속으로 이어진다.

　　유기적 연대는 사회의 효율적인 작동을 가능하게 한다는 점에서 중요하다. 개인들이 서로 다른 역할과 과업에 전문화되면, 그만큼 효율성과 생산성이 높아지고 사회 전체가 이익을 본다. 또한 유기적 연대는 개인들이 서로의 욕구와 필요를 충족시키기 위해 의존하게 되면서 더 큰 사회적 결속감과 통합을 만들어낸다.

　　하지만 뒤르켐의 이론에 대한 비판도 있다. 유기적 연대는 공동체성과 사회적 결속의 상실로 이어질 수 있다는 것이다. 개인들이 점점 더 전문화되고 상호의존적일수록, 서로 고립되고 단절될 가능성도 높아진다. 게다가 사회가 복잡해질수록 분업은 사회적 불평등과 계층화를 심화시킬 수 있다. 하지만 뒤르켐의 이론은 이념형(현실을 그대로 묘사하는 것이 아니라, 사회 현상의 본질적 특징만을 뽑아낸 이론적인 모델)으로 볼 수 있으며, 모든 사회가 이러한 수준의 유기적 연대에 도달하는 것은 아니다. 현대의 사회학자들은 유기적 연대가 포용적으로 작동하도록 만들고, 사회적 불평등과 계층화 문제를 해결함으로써 그것을 강화할 수 있다고 본다.

Step 1	**S**urvey
Key Words	Organic solidarity; social cohesion; interdependence; division of labor; mechanical solidarity
Signal Words	However; as a result; additionally; furthermore
Step 2	**R**eading
Purpose	To explain Durkheim's concept of organic solidarity and its role in modern societies, (including both its benefits and potential drawbacks)
Pattern of Organization	Definition (The passage defines organic solidarity, explains its development through societal evolution, and examines its implications and criticisms.)
Tone	Neutral (objective) (The passage presents sociological concepts in a formal, objective manner while examining multiple perspectives on the theory.)
Main Idea	Émile Durkheim's concept of organic solidarity provides a fundamental framework for understanding how social cohesion evolves in increasingly complex societies.
Step 3	**S**ummary
지문 요약하기 (Paraphrasing)	Émile Durkheim's concept of organic solidarity provides a fundamental framework for understanding how social cohesion evolves in increasingly complex societies. Contrasting with mechanical solidarity found in traditional societies, where cohesion stems from shared beliefs and customs, organic solidarity emerges from the specialized division of labor characteristic of industrialized societies. This evolution creates a web of interdependence among individuals, enhancing societal efficiency and productivity through specialized roles. However, while Durkheim viewed this transformation as a natural progression of social evolution, critics warn of potential negative consequences, including social isolation and inequality. Modern sociologists argue that these challenges can be addressed by ensuring inclusive practices and actively working to reduce social stratification, thereby preserving the benefits of specialization while mitigating its potential drawbacks.
Step 4	**R**ecite
	요약문 말로 설명하기

04 하위내용영역 일반영어 B형 서술형   배점 4점   예상정답률 50%   본책 p.199

모범 답안 There are two main reasons why standardized entrance exams exist. First, they offer a consistent measure to assess applicants' knowledge and skills, ensuring that they meet the foundational requirements necessary for success in various academic programs. Second, standardized exams create a fair comparison among candidates from varied educational backgrounds by using uniform criteria, thus promoting equity in the admissions process. In conclusion, despite their significant roles, it is crucial to acknowledge that such exams can reinforce socioeconomic inequalities and prioritize limited forms of intelligence, which may overlook other valuable skills like creativity and critical thinking.

채점 기준

+1점: 글의 topic sentence를 다음과 같이 서술하였거나 유사하였다.
"There are two main reasons why standardized entrance exams exist."

+2점: 글의 major supporting details를 다음과 같이 서술하였거나 유사하였다.
"First, they offer a consistent measure to assess applicants' knowledge and skills, ensuring that they meet the foundational requirements necessary for success in various academic programs(1점)." "Second, standardized exams create a fair comparison among candidates from varied educational backgrounds by using uniform criteria, thus promoting equity in the admissions process(1점)."
☞ 2개 중 2개 모두를 정확하게 요약한 경우 2점, 1개만 요약한 경우 1점, 요약하지 못한 경우 0점을 준다.

+1점: 글의 결론을 "In conclusion, despite their significant roles, it is crucial to acknowledge that such exams can reinforce socioeconomic inequalities and prioritize limited forms of intelligence, which may overlook other valuable skills like creativity and critical thinking."라 서술하였거나 유사하였다.

● **감점**
- 본문에 나오는 연속되는 5단어 이상을 사용하였다. −1pt
- 문단을 두 개나 그 이상으로 구성하였다. −1pt
- grammar나 영어표현이 합쳐 4개 이상 오류가 있다. −1pt

한글번역

　　표준화된 입시시험의 역사는 고대 문명까지 거슬러 올라갈 수 있지만, 현대 교육 제도의 발전과 함께 본격적으로 인정받고 널리 채택되기 시작했다. 이러한 시험은 전 세계적으로 교육 기회의 형성과 평가 방식에 중요한 역할을 해왔다. 표준화된 입시시험은 주로 두 가지 주요 이유로 존재한다.
　　첫째, 표준화된 시험은 지원자의 지식, 기술, 비판적 사고 능력을 평가할 수 있는 일관된 기준을 제공하기 때문에 존재한다. 공통된 기준에 따라 평가함으로써, 교육 기관은 학생이 해당 교육 과정에서 성공할 수 있는 기초 지식과 지적 역량을 갖췄는지 판단할 수 있다. 이 시험들은 일반적으로 다양한 과목이나 해당 전공 분야에 관련된 영역을 다루며, 고등교육이나 전문 과정에서 요구되는 수준에 적합한 학생을 선별하는 데 도움을 준다.
　　둘째, 표준화된 시험은 서로 다른 교육적 배경, 학교, 지역 출신의 학생들을 같은 기준으로 평가할 수 있도록 해준다. 이는 주관적 평가나 학교 간 교육 수준의 차이에서 비롯될 수 있는 편향과 불균형을 줄이는 데 기여한다. 하나의 통일된 기준을 제시함으로써, 표준화된 시험은 정량화 및 비교 가능한 데이터를 바탕으로 입시 결정을 내릴 수 있게 해 선발 과정의 공정성을 높이려 한다.

이러한 이유들로 인해 표준화된 시험은 입시 제도에서 중요한 역할을 한다. 그러나 이러한 시험이 사회경제적 격차를 고착화하고, 암기식 학습이나 수학적·언어적 능력 등 특정 유형의 지능에만 치우치는 경향이 있다는 점은 간과할 수 없다. 이는 창의성, 비판적 사고, 그리고 표준화된 시험으로는 측정하기 어려운 다양한 지적 능력을 등한시할 수 있다는 비판을 낳는다.

NOTE

Step 1	**S**urvey
Key Words	Standardized exams; evaluation; assessment; admissions; educational access
Signal Words	However; also; thus; these reasons
Step 2	**R**eading
Purpose	To explain the two main purposes of standardized entrance exams while acknowledging their limitations
Pattern of Organization	Cause/effect; series (The passage introduces the topic, presents two main reasons for standardized testing, and concludes with limitations.)
Tone	Objective (The passage presents both the benefits and drawbacks of standardized testing in a factual manner.)
Main Idea	There are two main reasons why standardized entrance exams exist.
Step 3	**S**ummary
지문 요약하기 (Paraphrasing)	There are two main reasons why standardized entrance exams exist. First, they offer a consistent measure to assess applicants' knowledge and skills, ensuring that they meet the foundational requirements necessary for success in various academic programs. Second, standardized exams create a fair comparison among candidates from varied educational backgrounds by using uniform criteria, thus promoting equity in the admissions process. In conclusion, despite their significant roles, it is crucial to acknowledge that such exams can reinforce socioeconomic inequalities and prioritize limited forms of intelligence, which may overlook other valuable skills like creativity and critical thinking.
Step 4	**R**ecite
	요약문 말로 설명하기

05 하위내용영역 일반영어 B형 서술형 · 배점 4점 · 예상정답률 40% · 본책 p.202

모범 답안 The word is "nostalgia". Second, the writer mentions it to illustrate that even though the 1990s are often talked about as a period of impressive economic growth, they did not achieve the same level of economic and social improvements seen in the mid-century (late 1950s and 1960s).

채점 기준

+ 2점: 빈칸에 들어갈 단어를 "nostalgia"라 정확히 기입하였다. 이외에는 답이 될 수 없다.
+ 2점: 저자가 "클린턴 시대"를 언급한 주요한 이유를 "to illustrate that even though the 1990s are often talked about as a period of impressive economic growth, they did not achieve the same level of economic and social improvements seen in the mid-century (late 1950s and 1960s)"라 서술하였거나 유사하였다.

☞ 다음과 같이 서술하였어도 2점을 준다.

- By comparing the economic performance and social progress of the 1990s to that of the mid-century, the writer illustrates that the latter period was significantly more beneficial in terms of wage growth, economic equality, and social solidarity. This comparison serves to highlight the unique and substantial progress made during the mid-century, reinforcing the argument that the fondness for that era is not merely nostalgic but grounded in real historical achievements.
- The writer mentions it to provide a point of comparison for economic growth and social conditions. By contrasting the economic gains during the 1990s with those of the mid-20th century, the writer illustrates that the later period did not achieve the same level of "economic equality, political comity, social fraternity, and cultural solidarity" as the mid-century, thereby supporting the argument for the unique attractiveness of that earlier era.

한글번역

이글레시아스는 "향수는 막다른 길에 처해있다"라고 주장하는데, 어떤 면에서 그가 옳다. 그는 보수적인 향수의 호소력이 관객들의 막연한 옛날의 좋은 시절에 대한 감각에 염치없이 의존하면서, 더 나은 미래를 위한 긍정적인 정책 해결책을 제공하지 않는다는 점에서 옳다. 그는 또한 향수가 주로 주관적이라는 점에서도 옳다. 우리는 종종 더 젊었을 때, 더 많은 가처분 소득을 가졌을 때, 책임이 덜했을 때, 또는 오늘날보다 더 건강했을 때를 그리워한다. 이는 타당하다.

그의 주장을 입증하기 위해 그는 우리가 현재 얼마나 더 부유하고 잘 살고 있는지를 설명한다. 우리는 더 많은 자동차를 가지고 있고, 더 많은 전자레인지와 더 큰 집을 가지고 있다. 그렇다면 오늘날이 그렇게 훌륭하다면, 왜 그렇게 많은 사람들이—매우 상반된 정치적 세계와 매우 다른 연령층에 있는—20세기 중반기를 그렇게 매력적으로 여기는가?

2016년 뉴욕 타임스는 "미국이 가장 위대했던 때는 언제였던가?"라는 질문을 한 모닝 컨설트 설문조사 결과를 발표했다. 결과는 20세기 중반에 대한 특별한 애정을 확인시켜준다. 공화당원들은 1950년대 (그리고 로니 레이건의 1980년대)를 황금기로 칭송하는 경향이 있었다. 그러나 흥미롭게도 민주당원들 가운데선, "샌더스의 지지자들이 1960년대의 어느 해를 선택하는 경향이 더 컸고, 클린턴 지지자들은 그녀의 남편이 대통령이었던 1990년대를 최고의 시기로 선택했다"고 타임스는 언급한다.

그 시기를 실제로 경험한 사람들에게는 애정이 더욱 깊은 것으로 보인다. 제퍼슨 카우이는 그의 저서 "Stayin' Alive"에서 그 10년이 노동 계급에게는 정말로 계시적이었다고 언급하며, 1947년에서 1972년 사이에 노동자의 임금이 거의 62% 증가했다고 기록하고 있다. 비교하자면, 1998년에서 2022년 사이에 실질 중위 가구 소득은 13.88%만 증가했다. 클린턴 시대의 인상적인 성장에 대한 많은 이야기에도 불구하고, 1990년대는 "해방"과는 거리가 멀었다.

경제적 평등, 정치적 예의, 사회적 형제애, 문화적 연대는 20세기 중반, 특히 1950년대 후반과 1960년대에 절정을 이뤘다. 그 이후로 미국의 사회적 세계는 해체를 향해 나아가고 있다.

소득과 부의 측면에서, 우리 사회는 1960년대 후반에 최고 평등을 이뤘다. 이는 최상위층과 최하위층 사이의 격차뿐만 아니라, 1913년에서 약 1970년 사이의 기간 동안 중산층과 하위층 내에서도 불평등이 감소했다는 점에서도 사실이다. 게다가, 미국의 흑인들은 1950년대 후반과 1960년대 초반 동안 가장 빠른 임금 성장과 가장 적은 흑백 임금 격차를 경험했다. 이 시기의 경제적 평등의 증가가 바로 참정권법과 민권법을 실현가능한 정치 프로그램으로 만든 것이었다. 그리고 이러한 법안들이 성공적으로 통과된 후, 더 큰 평등으로 가는 경향이 멈추고 역전된 것은 역사적 비극이다.

20세기 중반기 미국 역사를 깊이 들여다보면 강력한 노동 운동이 사회적 통합, 평등, 그리고 시민권을 증진시키는 데 중요한 역할을 했음을 알 수 있다. 향수가 막다른 길처럼 보일 수도 있지만, 과거는 더 나은 미래를 형성하는 데 귀중한 교훈을 제공한다.

NOTE

Step 1	Survey
Key Words	Nostalgia; mid-century; equality; wages; social unity
Signal Words	Yet; however; since then; additionally
Step 2	**Reading**
Purpose	To challenge the dismissal of mid-century nostalgia by demonstrating that the era had measurable advantages in economic equality and social progress
Pattern of Organization	Not clear
Tone	Analytical/persuasive
Main Idea	Yglesias argues that "nostalgia is a dead end," and while he makes some valid points, there are also lessons to be learned from the past.
Step 3	**Summary**
지문 요약하기 (Paraphrasing)	Yglesias argues that "nostalgia is a dead end," and while he makes valid points, he overlooks important lessons from the past. He contends that nostalgia is unproductive, often driven by a vague longing for a bygone era, without offering concrete solutions for a better future. Although he acknowledges modern advancements, he highlights how many people still idealize the mid-20th century, particularly the 1950s and 1960s. This period saw substantial economic growth, especially for the working class, and greater income equality. The civil rights movements also gained momentum during these decades. Yglesias emphasizes that understanding the past, particularly the role of labor movements in fostering social unity and equality, can provide valuable insights for shaping a better future.
Step 4	**Recite**
	요약문 말로 설명하기

06 하위내용영역 일반영어 B형 서술형   배점 4점   예상정답률 40%   본책 p.205

모범 답안   The word is "whole". Second, the paradox highlights the futility of believing that all parts of knowledge can be integrated into a complete and coherent whole.

채점 기준

+2점: 빈칸에 들어갈 단어를 "whole"이라 정확히 기입하였다. 이외에는 답이 될 수 없다.
☞ 보충설명은 다음과 같다.

Both "whole" and "totality" are contextually appropriate, but "whole" is more straightforward and accessible. Here's why "whole" is better: ① Consistency: The passage already uses the word "whole" multiple times (e.g., "whole elephant," "whole picture"). Using "whole" in the blank maintains consistency in terminology and reinforces the key idea. ② Clarity: "Whole" is a more common and easily understood term compared to "totality." This makes the passage clearer to a wider audience. ③ Directness: "Whole" directly conveys the idea of completeness or entirety without the philosophical abstraction that "totality" might imply. Given these points, "whole" is indeed a strong and appropriate choice for the blank.

+2점: "paradox"가 부각시키는 것을 "the futility of believing that all parts of knowledge can be integrated into a complete and coherent whole"이라 서술하였거나 유사하였다.
☞ 다음과 같이 서술하였어도 2점을 준다.
- The underlined "paradox" highlights "the inherent contradiction in the pursuit of complete knowledge."
- This paradox underscores "the disillusionment with the idea that knowledge can ever be fully complete or unified."
- It emphasizes that "the quest to understand the world depends on two mythical constructs: an imagined whole world at the beginning and a different, unified world of knowledge at the end. However, this pursuit is fundamentally flawed."

☞ 보충설명은 다음과 같다.

① Non-Knowledge at Both Ends: The process of knowing starts with an imagined, unknown whole and aims toward a projected, unified world of knowledge. Both of these are forms of non-knowledge, as they are based on assumptions rather than reality. ② Fragmented Knowledge: The knowledge gained in between these two points is always partial and fragmented. Each way of knowing produces parts that belong to different wholes, making it impossible to combine them into a single, coherent picture of the world. ③ Loss of Unity: Knowledge no longer has a unifying "religion" or belief system that binds it together across time and disciplines. This fragmentation means that the parts of knowledge do not necessarily add up to a cohesive whole.

한글번역

　직접적으로 접근하는 것보다 맹인 학자들과 그들의 코끼리에 대한 우화를 통해 간접적으로 접근하는 것이 좋다 : 각자는 코끼리의 일부분을 만지고, 감지하고, 알고, 그들이 만지는 것을 코끼리라고 선언한다. : "상아와 같고, 코와 같고, 꼬리와 같다"라고. 각자는 자신이 만진 것과 상응하지 않는 어떤 것에 대해 다른 사람이 말하는 것을 듣는다.

　이 우화의 첫 번째 한계는 아마도 볼 수 있는 전체 코끼리가 없을 수도 있다는 것이다. 코끼리를 볼 수 있는 학자도 시각을 잃은 학자들보다 더 잘 알지는 못할 것이다. 왜냐하면 볼 수 있는 학자의 설명은 코끼리의 회색 피부를 포함할 수 있지만, 그들은 코끼리의 질감이나 냄새에 대해서는 아무것도 알지 못할 수 있기 때문이다. 아무도 총체적인 것을 알 수는 없다.

　이 우화의 두 번째 한계는 이 부분적인 코끼리 설명들을 결합해 (총체성으로서의, 하나의 세계로서의) 코끼리 전체의 진실하고 완전한 그림을 만들 수 없을 수도 있다는 것이다. 부분들이 전체로 합쳐지지 않는다. 각 인식 방식은 인식하는 대상을 부분적으로 형성해 서로 다른 전체의 부분들을 만들어 낸다. 인식은 결코 완전히 하나로 합쳐지지 않으며, 그것이 가능할지도 모른다는 허구(부분이 모여서 전체의 진실하고 완전한 그림을 만들 수 있다는 믿음)에서는 더 이상 그 어떠한 도움도 얻을 수 없을 것 같다.

　이것은 항상 세계를 인식하려는 프로젝트에 대한 역설이었다. 인식은 처음에 하나의 전체적이고 미지의 세계를, 그리고 끝에는 또 다른 전체적 세계, 즉 지식의 통일적 세계를 상정하는 신화에 의존했다. 인식은 두 개의 것 사이에 껴있는데, 즉, 비지식이라는 상상된 시작과 투사된 미래 사이에 껴있다. 이제는 더 이상 아무도 이를 잘 믿지 않는다. 지식은 자신의 종교를 잃었는데, 이 종교는 시간과 학문 전반에 걸쳐 지식을 하나로 묶어주던 것이었다. 누구에게도, 특히 우리 자신에게, 이를 숨기려 시도하는 것은 무의미한 짓이다. 그 이전의 교회와 마찬가지로 대학은 이제 신이 없는 습관일 뿐이다. 지식은 합쳐지지 않는다. 그 어떤 것도 지식의 각 부분들이 전체의 부분임을 보장하지 않는다.

NOTE

Step 1	ⓢurvey
Key Words	Knowledge; parable; elephant; totality; paradox
Signal Words	First; second; while; anymore
Step 2	**ⓡeading**
Purpose	To explore the limitations of human knowledge and challenge the idea that different forms of knowledge can be unified into a complete understanding
Pattern of Organization	Not clear
Tone	Contemplative (The author uses a reflective, analytical approach to examine deep questions about the nature and limits of knowledge.)
Main Idea	The parable of the blind scholars and the elephant illustrates the fundamental limitations of human knowledge and our inability to comprehend a complete, unified understanding of the world.
Step 3	**ⓢummary**
지문 요약하기 (Paraphrasing)	The parable of the blind scholars and the elephant serves as a powerful metaphor for the epistemological limits of human knowledge. It illustrates how individual perspectives capture only fragmentary aspects of reality, making a comprehensive understanding fundamentally impossible. Each observer perceives a partial truth, yet no single perspective can synthesize these fragments into a complete whole. The passage argues that knowledge itself has become decentralized and fragmented, undermining traditional attempts to construct a unified understanding of the world. Consequently, we are left with disconnected insights that resist comprehensive integration, challenging the very notion of absolute or complete knowledge.
Step 4	**ⓡecite**
	요약문 말로 설명하기

07

모범 답안 The word is "art". Second, it is because it was sealed off for over 50,000 years, preserving it as a "time capsule" from the period when only Neanderthals lived in Europe.

채점 기준

+2점: 빈칸에 들어갈 단어를 "art"라 정확히 기입하였다. 이외에는 답이 될 수 없다.
+2점: 라 로슈 코타르드 동굴이 특별한 이유를 "because it was sealed off for over 50,000 years, preserving it as a "time capsule"(1점) from the period when only Neanderthals lived in Europe(1점)"이라 서술하였거나 유사하였다.

한글번역

　최근 연구에 따르면 수천 년 동안 봉인된 프랑스 라 로슈 코타르드 동굴에 새겨진 흔적이 실제로 네안데르탈인이 만든 것임이 밝혀졌다. 이 발견은 네안데르탈인이 예술에 대한 이해를 가진 최초의 인간임을 보여준다.

　1974년 처음으로 라 로슈 코타르드 동굴에 들어간 프랑스 고고학자 장-클로드 마케는 벽의 세밀한 선들이 인간에 의해 만들어졌을 수 있다고 의심했다. 그는 또한 동굴이 네안데르탈인에 의해 사용됐음을 시사하는 무스테리안 석기 유물인 깎는 도구와 기타 다듬어진 조각들을 발견했다.

　이 벽의 흔적이 초기 네안데르탈인 예술 활동의 증거일까? 이 질문을 제기하는 것은 네안데르탈인이 고등 인지 능력을 결여됐다는 당시의 주류 의견과의 단절을 의미했다. 마케는 자신의 가설을 입증할 충분한 과학적 증거를 제공할 수 없을 것이라는 두려움에, 거의 40년 동안 동굴을 그대로 뒀다.

　2016년, 그는 서로 다른 나라에서 온 사람들로 구성된 팀과 함께 또 다른 시도를 했다. 이번에는 바젤 대학교 환경 과학부의 통합 선사 및 고고학 과학(IPAS) 소속으로 고고학적 사용 흔적 분석을 전문으로 하는 도로타 워이츠차크 박사가 동행했다. 이들의 임무는 현대적인 방법을 사용해 이 벽의 새겨진 흔적이 인간에 의해 만들어졌다는 것을 증명하는 것이었다. 연구진은 최근 이들의 발견을 PLoS ONE 저널에 발표했다.

　먼저 사진과 그림으로, 나중에는 3D 스캐너로 동굴 벽의 응회암에 있는 흔적을 세밀하게 기록했다. 바젤에 있는 그녀의 실험실에서 워이츠차크는 손, 뼈, 돌 도구 및 손으로 실험적으로 작업한 응회암과 동굴에서 채취한 샘플을 비교했다. 연구 결과는 이 동굴 흔적이 도구가 아닌 인간의 손가락으로 긁어 만들어진 것임을 명확히 보여줬다.

　동시에 이 동굴은 발견되기 전까지 50,000년 이상 동안 루아르 강의 진흙 잔여물과 토양 침전물에 의해 봉인된 상태였다. 이것은 라 로슈 코타르드 동굴 시스템이 매우 특별한 장소, 즉 실제 "타임캡슐"이라는 것을 의미한다. "50,000년 전, 유럽에는 현대의 인간(즉, 호모 사피엔스)은 없었고 오직 네안데르탈인만 있었다"고 워이츠차크는 말한다. 따라서 벽의 흔적과 유물은 이 초기 인간들(즉, 네안데르탈인)로부터 나올 수밖에 없다.

　평행선과 삼각형 선으로 된 명확한 기하학적 모양이 이 흔적이 우연히 벽에 낙서된 것이 아님을 시사하지만 연구자는 그것들이 무엇을 나타내는지는 모른다. "하지만 그것들은 계획과 이해를 가지고 진행한 사람만이 만들 수 있었을 것"이라고 그녀는 말한다. 그리고 그것이 예술인지 또는 기록 형태인지 여부는 해석의 문제다. 워이츠차크는 모든 조사가 네안데르탈인을 예술적 활동이 부족한 열등한 인간으로 보는 전통적인 견해를 더 해체하는 데 도움이 될 것이라고 확신한다.

NOTE

Step 1	Survey
Key Words	Neanderthals; engravings; cave; artifacts; geometric shapes
Signal Words	First; while; before; therefore; at the same time
Step 2	**Reading**
Purpose	To present new research findings that challenge previous assumptions about Neanderthals' cognitive abilities and artistic capabilities
Pattern of Organization	Time order (The passage traces the discovery and investigation of the cave markings over time, showing how modern methods solved the original question about their origins.)
Tone	Objective
Main Idea	Recent archaeological research in the La Roche-Cotard cave provides groundbreaking evidence of Neanderthals' cognitive complexity and potential artistic expression.
Step 3	**Summary**
지문 요약하기 (Paraphrasing)	Archaeological research in the La Roche-Cotard cave reveals Neanderthals' unexpected cognitive sophistication through intricate wall engravings created approximately 50,000 years ago. Using advanced 3D scanning, researchers confirmed these geometric marks were intentionally made by human fingers, challenging previous assumptions about Neanderthal mental capabilities. While the engravings' precise meaning remains unknown, they represent significant evidence of early human creativity and potentially symbolic thinking, fundamentally reshaping our understanding of Neanderthal intellectual potential.
Step 4	**Recite**
	요약문 말로 설명하기

08 하위내용영역 일반영어 B형 서술형 배점 4점 예상정답률 50%

모범 답안 An online echo chamber, which is a virtual environment where specific viewpoints are amplified, while differing viewpoints are marginalized, has a few negative results for society as well as individuals. First, for individuals, this environment diminishes critical thinking and increases susceptibility to manipulation, resulting in polarized views. Additionally, echo chambers weaken social cohesion and hinder healthy democratic debate. In conclusion, to mitigate these negative impacts, individuals should recognize the existence of echo chambers and actively seek diverse viewpoints and sources of information.

채점 기준

+1점: 글의 topic sentence를 다음과 같이 서술하였거나 유사하였다.
"An online echo chamber, which is a virtual environment where specific viewpoints are amplified, while differing viewpoints are marginalized, has a few negative results for society as well as individuals."

+2점: 글의 major supporting details를 다음과 같이 서술하였거나 유사하였다.
"First, for individuals, this environment diminishes critical thinking and increases susceptibility to manipulation, resulting in polarized views(1점). Additionally, echo chambers weaken social cohesion and hinder healthy democratic debate(1점)."
☞ 2개 중 2개 모두를 정확하게 요약한 경우 2점, 1개만 요약한 경우 1점, 요약하지 못한 경우 0점을 준다.

+1점: 글의 결론을 "In conclusion, to mitigate these negative impacts, individuals should recognize the existence of echo chambers and actively seek diverse viewpoints and sources of information."라 서술하였거나 유사하였다.

● 감점
 • 본문에 나오는 연속되는 5단어 이상을 사용하였다. −1pt
 • 문단을 두 개나 그 이상으로 구성하였다. −1pt
 • grammar나 영어표현이 합쳐 4개 이상 오류가 있다. −1pt

한글번역

온라인 에코 챔버는 특정 관점이나 이념이 강화되고 확대되지만, 반면에 대안적 관점은 억압되거나 소외되는 일종의 가상 공간이다. 온라인 에코 챔버는 소셜 미디어, 포럼, 뉴스 웹사이트 등 다양한 플랫폼에서 발견될 수 있으며, 사람들이 세상을 인식하고 이해하는 방식에 상당한 영향을 미칠 수 있다. 온라인 에코 챔버의 존재는 개인과 사회 전체에 여러 가지 부정적인 결과를 초래한다.

개인들이 에코 챔버에 참여할 때, 그들은 주로 기존의 견해를 강화하는 정보와 의견에 노출되며, 대안적인 관점은 최소화되거나 무시된다. 이는 다양한 관점에 대한 노출 부족으로 인해 현실에 대한 왜곡된 인식을 초래할 수 있으며, 더 극단적인 시각을 가지게 될 수 있다. 또한, 지속적인 강화 의견에 노출되면 개인의 비판적 사고 능력이 감소할 수 있다. 이로 인해 개인은 조작에 더 취약해지고 독립적인 사고를 덜 하게 된다.

에코 챔버는 사회를 이해와 관용이 부족한 폐쇄적인 그룹으로 분열시킬 수 있다. 이러한 분열은 사회적 결속을 약화시키고 집단적인 문제를 해결하는 것을 더 어렵게 만든다. 또한, 민주적 과정은 건전한 토론에 참여하는 정보에 입각한 시민들에게 의존한다. 에코 챔버는 공유된 사실과 공통 기반이 결여된 분열된 현실을 만들어 건설적인 공적 담론을 어렵게 함으로써 이를 저해할 수 있다.

온라인 에코 챔버의 부정적 결과를 방지하기 위해, 사람들은 에코 챔버의 존재를 인식하고 다양한 관점을 접하려는 노력을 기울이는 것이 중요하다. 이는 다양한 정보 출처를 따르고, 다른 견해를 가진 사람들과 교류하며, 대안적 관점을 고려하는 데 열려 있는 것을 포함할 수 있다.

NOTE

Step 1	**S**urvey
Key Words	Echo chambers; perspectives; polarization; fragmentation; manipulation
Signal Words	When; also; while; this
Step 2	**R**eading
Purpose	To explain the concept of online echo chambers and their harmful effects on individuals and society, while suggesting ways to combat them
Pattern of Organization	Series/definition (The passage defines echo chambers, explains their negative impacts, and concludes with solutions to address these problems.)
Tone	Analytical/cautionary (The author presents a systematic analysis of echo chambers while warning about their detrimental effects on critical thinking and social cohesion.)
Main Idea	An online echo chamber, which is a virtual environment where specific viewpoints are amplified, while differing viewpoints are marginalized, has a few negative results for society as well as individuals.
Step 3	**S**ummary
지문 요약하기 (Paraphrasing)	An online echo chamber, which is a virtual environment where specific viewpoints are amplified, while differing viewpoints are marginalized, has a few negative results for society as well as individuals. First, for individuals, this environment diminishes critical thinking and increases susceptibility to manipulation, resulting in polarized views. Additionally, echo chambers weaken social cohesion and hinder healthy democratic debate. In conclusion, to mitigate these negative impacts, individuals should recognize the existence of echo chambers and actively seek diverse viewpoints and sources of information.
Step 4	**R**ecite
	요약문 말로 설명하기

09 하위내용영역 일반영어 B형 서술형 배점 4점 예상정답률 40%   본책 p.213

모범 답안 The word is "understanding". Second, the three aspects are as follows: longitudinal design(the study follows participants over an extended period); behavioral measures(this study incorporates behavioral observations of interactions between parents and adolescents, as well as between adolescents and their close friends); focus on real-life interactions(the study involved recording actual conversations between teens, their mothers, and their close friends).

채점 기준

+2점: 빈칸에 들어갈 단어를 "understanding"이라 정확히 기입하였다. 이외에는 답이 될 수 없다.
+2점: 3가지 요소를 "longitudinal design, behavioral measures, focus on real-life interactions"이라 서술하였거나 유사하였다.
☞ 다음과 같이 서술하였어도 2점을 준다.
1. behavioral measures : The study's use of **direct behavioral observations** provides more objective and reliable data than the self-reported measures typically used in previous research. 2. longitudinal design : Tracking participants from age 13 into their late 30s offers a comprehensive view of how empathy development during adolescence affects adult relationships and parenting styles, providing robust longitudinal data. 3. multi-informant approach (또는 Inclusion of multiple informants) : **Involving multiple informants**(the adolescent, their mother, and a close friend) enhances the validity and depth of the findings by gathering diverse perspectives on the adolescent's empathy and social interactions.

한글번역

공감은 사람들이 강한 우정을 쌓고 가까운 가족 관계를 유지하는 데 도움이 될 수 있다. 새로운 연구는 특히 청소년기에 공감을 가르치고 실천하는 것의 중요성을 강조한다. 학술지 "Child Development"에 게재된 장기 연구의 새로운 결과에 따르면, 어머니(연구에 포함된 유일한 부모)로부터 "공감적 돌봄"을 받은 청소년들은 이를 친구들에게 되돌려주고 공감을 표현할 수 있었다. 연구는 더 나아가서 부모의 공감이 세대를 거쳐 전달된다는 것을 시사한다. 공감 능력을 개발한 청소년들은 10년이 넘는 시간이 지난 후에도 건강한 성인 관계를 유지하고 자녀들에게 지지적인 양육 스타일을 보일 가능성이 더 높았다. 이 연구의 주 저자이자 버지니아 대학교 박사 후 연구원인 제시카 스턴은 "이 연구는 청소년기의 우정이 우리가 어떻게 부모 노릇을 하는지를 예측하는 데 역할을 할 수 있다는 것을 보여주는 최초의 연구 중 하나다"라고 말한다.

시간이 지남에 따라 서로 다른 관계를 연결하는 종단 연구는 독특하고 인상적이라고 스태튼 아일랜드 대학의 심리학 교수이자 이번 연구에 참여하지 않은 라나 캐러식은 말한다. 그녀는 "이와 같은 것을 본 적이 없다"고 말한다. "이와 같은 대규모 연구는 일반적으로 자기 보고된 행동에 의존하는 경우가 많다. 부모와 청소년 간, 청소년과 청소년 간 상호작용의 행동적 측정치를 포함한 것은 큰 강점이었다."

이전 연구에 따르면 청소년기는 공감과 기타 사회적, 감정적 기술을 개발하는 중요한 시기다. 청소년들은 부모에게 덜 의존하기 시작하고, 자신의 정체성을 발견하며, 다른 사람의 관점을 이해하는 데 관심을 가지며, 사회적 상황을 독립적으로 탐색하는 법을 배우게 된다.

이번 새로운 연구는 KLIFF/VIDA(어린이, 삶, 가족, 친구/버지니아 성인 발달 연구소에 의해 행해진)라는 진행 중인 프로젝트의 일환이다. KLIFF/VIDA는 1998년부터 샬러츠빌, 버지니아 지역의 중학교에서 모집된 인구학적으로 다양한 184명의 사람들을 13세부터 30대 후반까지 설문조사와 대면 관찰을 통해 추적해 왔다. 이번 프로젝트는 어머니의 공감적 돌봄에 중점을 두었지만, 연구자들은 향후 후속 연구에서 공감하는 아버지의 영향을 포함할 계획이다.

아동 발달 연구에서 연구팀은 청소년들과 각 참가자의 어머니, 그리고 가까운 친구 한 명을 해마다 한 번씩 연구실로 초대해 청소년이 겪고 있는 문제에 대해 6분간 대화하는 장면을 녹화했다. 연구자들은 공감의 네 가지 주요 지표를 관찰했다: 감정적 참여, 지지, 해결책, 그리고 이해. 감정적으로 관여한 어머니들은 적극적으로 경청하고 신중한 후속 질문을 던졌다. 지지적인 부모는 자녀의 감정을 확인하거나 우려나 동정을 표현하며 위로를 제공했다. 그들은 또한 자녀의 요구를 인정하면서 해결책을 제시하는 방향으로 대화를 이끌었다. 그들이 자녀의 경험에 대해 얼마나 이해하는지는 제안과 응답의 관련성을 통해 평가했다.

NOTE

Step 1	Survey
Key Words	Empathy; teens; relationships; study; maternal; development
Signal Words	Further; since; but; also; such as
Step 2	**Reading**
Purpose	To report findings on how maternal empathy affects teens' relationships and future parenting
Pattern of Organization	Not clear
Tone	Objective
Main Idea	A longitudinal study reveals the generational impact of empathy, demonstrating how parental emotional support during adolescence can foster empathetic skills that influence future relationships.
Step 3	**Summary**
지문 요약하기 (Paraphrasing)	A long-term study demonstrates how maternal empathy during adolescence can profoundly shape social-emotional development across generations. Tracking 184 participants from middle school to their late 30s, researchers discovered that teens who received empathetic parental care were more likely to develop strong empathy skills. By analyzing mother-teen conversations, the study identified key empathy indicators and found that supportive emotional interactions during teenage years can predict healthier adult relationships and more compassionate parenting styles.
Step 4	**Recite**
	요약문 말로 설명하기

10 하위내용영역 일반영어 B형 서술형   배점 4점   예상정답률 45%   본책 p.216

모범 답안 The word is "wrong". Second, the Diderot Effect is a social phenomenon that obtaining a new possession creates a spiral of consumption which leads one to acquire more new things.

채점 기준

+2점: 빈칸에 들어갈 단어를 "<u>wrong</u>"이라 정확히 기입하였다. 이외에는 답이 될 수 없다.

+2점: 디드로 효과를 "<u>a (social) phenomenon that obtaining a new possession creates a spiral of consumption which leads one to acquire more new things</u>"라 서술하였거나 유사하였다.

☞ 다음과 같이 서술하였어도 2점을 준다.

- The Diderot Effect means that "<u>acquiring a new possession triggers a spiral of additional purchases to match or complement the new item</u>, as seen in Diderot upgrading his possessions after buying a scarlet robe."
- The Diderot Effect is "<u>a phenomenon related to consumer behavior, where acquiring a new possession often creates a spiral of consumption that leads to the acquisition of more new things</u>."
- The Diderot Effect means that "<u>obtaining a new possession often creates a spiral of consumption which leads you to acquire more new things</u>. As a result, we end up buying things that our previous selves never needed to feel happy or fulfilled."

한글번역

　디드로는 52세였고 그의 딸은 결혼을 앞두고 있었지만, 그는 지참금을 마련할 수 없었다. 재산이 별로 없었음에도 불구하고, 디드로의 이름은 잘 알려져 있었는데, 당대 가장 포괄적인 백과사전 중 하나인 Encyclopédie의 공동 창립자이자 저자였기 때문이다.

　러시아의 여제 예카테리나 대제는 디드로의 재정적 어려움을 듣고 그의 책들을 1000파운드(2015년 가치로 약 5만 달러)에 사겠다고 제안했다. 갑자기 디드로에게는 여유 자금이 생겼다. 이 행운의 판매 직후, 디드로는 새로 산 진홍색 로브(길고 품이 넓은 겉옷)를 입게 됐다. 그리고 이때 모든 것이 잘못되기 시작했다.

　디드로의 진홍색 로브는 매우 아름다웠다. 사실 너무 아름다워서, 그는 즉시 그 로브가 그의 다른 평범한 소유물들과 얼마나 어울리지 않는지를 깨달았다. 그의 말에 따르면, 로브와 다른 물건들 사이에 "더 이상 조화도 없고, 통일성도 없고, 아름다움도 없다"는 것이었다. 철학자인 그는 곧 그 로브의 아름다움과 어울리는 새로운 물건들을 사고 싶은 충동을 느꼈다.

　그는 낡은 카펫을 다마스쿠스산 새 카펫으로 교체했다. 그는 집을 아름다운 조각상과 더 좋은 식탁으로 장식했다. 벽난로 위에 놓을 새 거울을 샀고, 그의 짚으로 만든 의자는 가죽 의자에 밀려 대기실로 가게 됐다. 이와 같은 반응적인 구매는 디드로 효과로 알려지게 됐다.

　다른 많은 사람들처럼, 나 역시 디드로 효과의 희생양이 된 적이 있다. 나는 최근에 새 차를 샀고, 그 안에 넣을 온갖 추가 물건들을 사게 됐다. 타이어 공기압 게이지, 휴대폰용 차량 충전기, 여분의 우산, 응급처치 키트, 포켓 나이프, 손전등, 비상 담요, 심지어 안전벨트 절단 도구까지 샀다.

　지적하고 싶은 점은, 나는 이전 차를 거의 10년 동안 소유했지만, 위에서 언급한 물품들 중 그 어떤 것도 구매할 가치가 있다고 느낀 적이 없었다는 것이다. 그런데 새 차를 구입하고 나니, 나 자신이 디드로와 똑같은 소비의 나선에 **빠져드는** 것을 발견했다.

디드로 효과는 우리의 삶에 더 많은 것들이 끊임없이 (우리의 삶속으로) 들어오려고 싸우고 있다는 것을 알려준다. 그래서 잘못된 길로 빠지지 않으려면 신중하게 선별하고, 불필요한 것들을 제거하며, 중요한 것들에만 집중하는 법을 배워야 한다.

NOTE

Step 1	**S**urvey
Key Words	Diderot; consumption; purchases; effect; possessions
Signal Words	When; suddenly; soon; after; like; yet
Step 2	**R**eading
Purpose	To explain the Diderot Effect (how one luxurious purchase leads to additional unnecessary spending)
Pattern of Organization	Narrative/definition
Tone	Cautionary/reflective
Main Idea	The Diderot Effect illustrates how acquiring a single high-quality possession can trigger a cascading cycle of consumption and replacement of surrounding items.
Step 3	**S**ummary
지문 요약하기 (Paraphrasing)	The Diderot Effect reveals how acquiring a single high-quality item can trigger an unexpected cascade of consumption. After receiving a beautiful scarlet robe, philosopher Denis Diderot found himself compelled to replace his existing possessions, creating a psychological pattern of upgrading surrounding items. This phenomenon demonstrates how material acquisitions can drive unnecessary spending and highlights the importance of intentional consumption.
Step 4	**R**ecite
	요약문 말로 설명하기

11 하위내용영역 일반영어 B형 서술형　배점 4점　예상정답률 50%　본책 p.219

모범 답안　There are two main reasons why employers prefer full-time in-office work. First, they believe that in-person collaboration and spontaneous interactions are essential for innovation and maintaining a strong corporate identity. Second, they are concerned that prolonged remote work could weaken their company's culture, which they see as vital to its success. In conclusion, a hybrid work model may offer a balanced solution that addresses both employers' and employees' needs.

채점 기준

+1점: 글의 topic sentence를 다음과 같이 서술하였거나 유사하였다.
"There are two main reasons why employers prefer full-time in-office work."

+2점: 글의 major supporting details를 다음과 같이 서술하였거나 유사하였다.
"First, they believe that in-person collaboration and spontaneous interactions are essential for innovation and maintaining a strong corporate identity. Second, they are concerned that prolonged remote work could weaken their company's culture, which they see as vital to its success."

☞ 2개 중 2개 모두를 정확하게 요약한 경우 2점, 1개만 요약한 경우 1점, 요약하지 못한 경우 0점을 준다.

+1점: 글의 결론을 "In conclusion, a hybrid work model may offer a balanced solution that addresses both employers' and employees' needs."라 서술하였거나 유사하였다.

● **감점**
- 본문에 나오는 연속되는 5단어 이상을 사용하였다. -1pt
- 문단을 두 개나 그 이상으로 구성하였다. -1pt
- grammar나 영어표현이 합쳐 4개 이상 오류가 있다. -1pt

한글번역

직장 복귀 문제를 둘러싼 고용주와 직원 간의 주도권 싸움이 계속되고 있다. 많은 회사들이 직원들이 사무실에서 일하는 것을 재개하도록 강하게 요구하고 있으며, 38%의 회사가 풀타임으로 사무실 근무를 요구하고 있다. 이러한 고집에는 몇 가지 이유가 있다.

고용주들은 직원의 참여와 인간적 연결의 필요성에 대한 우려를 점점 더 크게 표현하고 있다. 그들은 대면 상호작용의 시너지와 공유된 물리적 공간에서 발생하는 자발적인 대화가 혁신, 협업, 그리고 공유된 기업 정체성을 촉진하는 데 필수적이라고 주장한다. 많은 조직들에게 이러한 요소들은 성공의 중심으로 여겨지며, 가상 환경에서는 유지하기 어려운 부분으로 간주된다.

회사는 또한 원격 근무가 무기한 계속될 경우 기업 문화가 희석될 가능성에 대해 우려하고 있다. 직원들 간의 동료애와 소속감을 형성하는 데 필요한 공유된 경험은 온라인에서 쉽게 재현되지 않으며, 많은 비즈니스 리더들은 사무실 복귀 없이 회사의 고유한 문화가 약화될 것을 두려워하고 있다. 2022년 Korn Ferry 설문조사에 따르면, 전 세계 15,000명의 경영진 중 2/3가 기업 문화가 회사의 시장 가치의 30% 이상을 차지한다고 동의했다. 많은 리더들은 강력한 문화를 구축하고 유지하기 위해서는 적어도 일부 시간 동안은 모두가 동일한 근무 환경을 공유해야 한다고 믿는다.

반면에 직원들은 원격 근무를 계속 유지하기를 원하고 있다. 많은 직원들은 원격 근무가 제공하는 유연성과 자율성을 선호한다. 따라서 양측이 직원들의 필요와 선호를 존중하면서 고용주의 우려를 해결할 수 있는 중간 지점을 찾는 것이 필요하다. 이 타협안에는 원격 근무와 사무실 근무를 균형 있게 조화시켜 유연성과 팀의 결속력을 모두 촉진할 수 있는 하이브리드 근무 모델이 포함될 수 있다.

NOTE

Step 1	Survey
Key Words	Office return; remote work; employers; employees; hybrid
Signal Words	A few reasons; also; However
Step 2	**Reading**
Purpose	To explain why employers want workers back in office and how employees are responding
Pattern of Organization	Cause/effect; opens with effect (companies requiring return to office); lists causes (need for engagement, culture concerns); shows opposing effects (employee resistance)
Tone	Objective/explanatory
Main Idea	There are two main reasons why employers prefer full-time in-office work.
Step 3	**Summary**
지문 요약하기 (Paraphrasing)	There are two main reasons why employers prefer full-time in-office work. First, they believe that in-person collaboration and spontaneous interactions are essential for innovation and maintaining a strong corporate identity. Second, they are concerned that prolonged remote work could weaken their company's culture, which they see as vital to its success. In conclusion, a hybrid work model may offer a balanced solution that addresses both employers' and employees' needs.
Step 4	**Recite**
	요약문 말로 설명하기

12

하위내용영역 일반영어 B형 서술형   배점 4점   예상정답률 40%   본책 p.222

모범 답안 The words are "attention economy". Second, the three forms refer to zany, interesting, and cute.

채점 기준
+ 2점: 빈칸에 들어갈 단어를 "attention economy"라 정확히 기입하였다. 이외에는 답이 될 수 없다.
+ 2점: 밑줄 친 부분의 세 형식을 "zany, interesting, cute"라 서술하였다.

한글번역

나는 한 번 앤디 워홀의 영화 <엠파이어>(1964)를 가능한 한 오래 보려고 시도한 적이 있다. 아마 20분 정도 버텼던 것 같다. 이 8시간짜리 영화 전체는 엠파이어 스테이트 빌딩을 단일 샷으로 촬영한 것이다. 지루해지기 시작했지만, 그러다 한 마리 새가 날아가는 걸 보고 (화자는) 마치 번개에 맞은 것 같았다. 워홀의 모든 예술의 주제를 주의 깊게 관찰하는 행위라고 생각할 수 있다. 이브 시통의 <주의의 생태학>을 읽을 때 워홀을 염두에 두는 게 좋다. 책에서 워홀에 대해 언급하지는 않지만, 그는 주의 문제의 양극단을 다룬다. 한편으로 워홀은 주의가 많이 필요한 작품을 만들었고, 다른 한편으로 그는 자신의 이미지를 즉각적으로 주의를 끄는 도구로 유통시켰다. 그는 주의의 가치를 잘 이해하고 있었다.

물론 워홀이 최초는 아니다. 시통은 가브리엘 타르드로 시작하는 가시성의 경제에 대한 사고의 계보를 다룬다. 이 가시성의 경제(얼마나 많은 관심을 받는 것이 중요한 경제)에서는 명성이 통화가 된다. 그것은 이중적인 의미에서 경제가 되는데, (첫째) 명성은 (전통적 경제에서 통화인 돈처럼) 측정될 수 있고, (둘째) 명성이 얻어다 주는 관심(주의집중)은 (돈처럼) 희소성이 있기 때문이다. (우리가 사는 세상에서) 정보가 점점 더 풍요로워진다는 것은 그 밖 다른 어떤 것(여기선 attention을 의미)이 희소해진다는 것을 의미한다. 경제학자들은 관심을 하나의 상품으로 취급하면서, 그것을 축적하거나 전략적으로 획득해야 할 대상으로 본다. 시통은 이러한 관점에 비판적인 압력을 가하고자 하는데, 이 관점이 간과하고 있는 것에 주의를 기울여야 한다고 주장하면서 말이다. 어쩌면 주의를 끄는 기제의 설계가 최적화되지 않았을지도 모른다. (즉 주의를 끄는 기제가 오류가 있다.)

주의집중이 새로운 관심사는 아니다. (즉, 그 옛날) 고대 수사학도 주의를 끌고 유지하는 것에 관한 것이었다. 현대에 들어와서도 스타일의 혁신에 대한 주의집중은 오랫동안 주의집중을 새롭게 하는 방식이었다. 이는 시안 나이(미국의 문학비평가)의 기괴하고, 흥미롭고, 귀여운 것의 미학에 대해 생각하는 방식과 연결해 보면 알 수 있다. 이것들 각각은 현대 생활의 측면, 즉 생산, 유통, 상품으로 주의를 끌기도 하고, 거기로부터 멀어지게도 한다. 워홀은 주의를 끌기 위한 세 가지 형태를 모두 개척했다.

시통은 주의집중의 경제보다 주의의 생태학을 제안한다. 주의집중의 경제는 마치 주의집중이 항상 존재했던 것처럼 개별화된 주의에서 시작하는 경향이 있는 반면, 주의집중의 생태학은 주의 체제가 애초에 어떻게 개인을 형성하는지도 관심을 둔다. (이 둘 사이의) 주요 차이점은 주의 경제가 개인이 주의를 사용하는 방식이나 교환하는 방식에 초점을 맞추는 반면, 주의 생태학은 더 넓은 맥락(즉, 사회적, 역사적, 정치적, 문화적, 기술적 요소 등)에 관심을 둔다는 것이다. 주의 자체가 어떻게 구성되고 외부 요인에 의해 영향을 받고 형성되는지, 그리고 이러한 과정이 개인과 그들의 주의 패턴 형성에 어떻게 기여하는지를 탐구하는 것이다. 이 생태학은 다소 소란스러울 수 있으며, 고전적인 의사소통 도식의 단순한 발신자→수신자보다 혼란스러운 정보의 혼합물에 더 가깝다.

NOTE

Step 1	**S**urvey
Key Words	Citton; attention; ecology; economy; information
Signal Words	Whereas; while; rather than; but
Step 2	**R**eading
Purpose	To explain Citton's ecological view of attention versus traditional economic views
Pattern of Organization	Not clear (comparison/contrast)
Tone	Objective
Main Idea	Yves Citton's "The Ecology of Attention" explores the complex dynamics of attention as a critical resource in modern information systems, challenging traditional economic perspectives.
Step 3	**S**ummary
지문 요약하기 (Paraphrasing)	Citton's "The Ecology of Attention" reframes attention as a dynamic system shaped by external influences, challenging traditional economic views. By examining how attention regimes structure individual perceptions, the work reveals the complex interactions between information, media, and personal experience.
Step 4	**R**ecite
	요약문 말로 설명하기

13 하위내용영역 일반영어 B형 서술형　배점 4점　예상정답률 45%

모범 답안　The word is "culture". Second, they do in the following ways: students from individualistic communities in China scored higher in boundary-breaking creativity, which supports revolutionary innovations, while those from collectivistic regions excelled in adaptive creativity, focusing on improving existing technologies for next-generation solutions.

채점 기준

+2점: 빈칸에 들어갈 단어를 "culture"라 정확히 기입하였다. 이외에는 답이 될 수 없다.
+2점: "중국 내 개인주의적 문화와 집단주의적 문화가 중학생들의 다양한 유형의 창의적 사고에 어떻게 영향을 미치는가?"에 대한 답을 "students from individualistic communities in China scored higher in boundary-breaking creativity, which supports revolutionary innovations, while those from collectivistic regions excelled in adaptive creativity, focusing on improving existing technologies for next-generation solutions"라 서술하였거나 유사하였다.

한글번역

　창의성과 문화는 어떤 관련이 있을까? 그 답은 "많이"일 수 있다. 개인주의는 오랫동안 창의적인 우위를 가진 것으로 여겨져 왔다. 이와 같은 논리로, 개인주의자들은 사회적 관습에 저항하며, 그러한 반발이 혁신을 지지한다. 예를 들어, 전 세계적으로 개인주의적인 문화가 집단주의적인 문화보다 더 많은 발명 특허를 보유하고 있다. 이러한 우위는 유사한 부를 가진 국가들끼리 비교할 때도 유지된다. 그러나 최근 연구에 따르면 집단주의 문화에 속한 사람들이 특정 유형의 창의적 사고에서 실제로 더 우수할 수 있으며, 이는 그들의 조상이 농사짓던 방식과 관련이 있을 수 있다.

　이 새로운 연구는 중국의 서로 다른 지역에 있는 공동체들을 비교하는 것에서 비롯됐다. 중국은 하나의 국민으로서는 문화적 집단주의 지수가 높지만, 14억 인구는 단일한 문화 그 이상이다. 내 연구에서도 다룬 바와 같이, 중국 내에는 뚜렷한 개인주의적 공동체와 집단주의적 공동체가 존재한다. 예를 들어, 양쯔강 이북 지역 사람들은 더 개인주의적인 경향이 있는 반면, 강을 따라 남쪽으로 더 내려가면 사람들은 더 상호 의존적인 경향이 있다.

　*Frontiers in Psychology*에 발표된 새로운 연구에서 연구자들은 이 두 그룹을 염두에 두고 혁신을 조사했다. 창의성을 측정하는 것은 어렵기로 악명이 높지만, 연구팀은 심리학자들이 만든 그림 테스트를 사용했다. 연구팀은 아이들에게 몇 가지 기본 요소만 인쇄된 종이를 제공했다: 여기저기 몇 개의 점과 물결선, 그리고 그림 틀(종이 위에 그려진 직사각형으로, 그림을 그릴 때 경계나 프레임을 암시하는 요소를 의미)을 암시하는 직사각형이 있었다. 아이들은 자신이 원하는 것을 그릴 수 있도록 15분을 받았다.

　아이들은 물결선과 선을 연결해 독창적이지만 통일된 이미지를 그릴 경우 "적응적 창의성(adaptive creativity)" 점수를 받을 수 있었다. 그중 상자 바깥의 세부 요소를 포함한 경우 "경계 넘기 창의성(boundary-breaking creativity)" 점수를 받을 수 있었다. 중국의 연구자들은 이 테스트를 양쯔강 이북과 이남에서 온 683명의 중학생들에게 실시했다. 아이들의 전체적인 창의성에는 차이가 없었다. 즉, 개인주의적인 공동체 출신의 아이들이 이 과제에서 우위를 가지지는 않았다. 사실, 요소별로 나눠 보면, 집단주의 지역 출신 학생들이 적응적 창의성에서 더 높은 점수를 받았다. 개인주의적인 지역 출신 중학생들은 경계 넘기 창의성에서 더 높은 점수를 받았다.

　성인을 대상으로 한 연구에 따르면, 경계 넘기 창의성은 한 분야를 혁명적으로 변화시키는 혁신을 지지한다. 이 아이디어와 일치하게, 경계 넘기에서 높은 점수를 받은 아이들은 발명 특허가 더 많은 중국 북부의 개인주의적인 지역에 살고 있었다. 반면, 적응적 창의성은 기존 기술과 접근 방식을 개선할 때 발휘되며, 지금까지 이뤄진 것을 바탕으로 차세대 솔루션을 개발하는 데 사용된다. 이러한 차이는 중국의 제조업 부문이 점진적인 개선을 통해 성장해왔으며, 이는 집단주의적인 남부 지역에서 주로 이뤄졌다는 점을 설명할 수 있다.

NOTE

Step 1	**S**urvey
Key Words	Creativity; individualism; collectivism; China; innovation
Signal Words	But; whereas; in contrast; for example; in fact
Step 2	**R**eading
Purpose	To explain how different cultural orientations affect different types of creativity
Pattern of Organization	Comparison/contrast
Tone	Objective (The text is clearly organized around comparisons—from broad cultural comparisons to specific creative differences between regions, making Pattern 3 (comparison) the most appropriate choice among the seven pattern options.)
Main Idea	Creativity varies across cultures, with new research challenging the traditional view that individualistic societies are inherently more innovative.
Step 3	**S**ummary
지문 요약하기 (Paraphrasing)	Creativity transcends cultural boundaries, with recent research in China challenging the traditional notion that individualistic societies are inherently more innovative. By examining middle school students' drawing tests, researchers uncovered nuanced differences in creative thinking between individualistic and collectivistic communities. While individualistic regions excel in boundary-breaking creativity and patent generation, collectivistic areas demonstrate strength in adaptive creativity—strategically improving existing technologies through incremental innovation.
Step 4	**R**ecite
	요약문 말로 설명하기

14 하위내용영역 일반영어 B형 서술형　배점 4점　예상정답률 50%　　본책 p.228

모범 답안　The word is "perfection". Second, the writer argues that by consistently producing work the chances of creating something exceptional increase.

채점 기준

+2점: 빈칸에 들어갈 단어를 "perfection"이라 정확히 기입하였다. 이외에는 답이 될 수 없다.
+2점: 밑줄 친 부분에서 저자가 주장하는 바를 "by consistently producing work the chances of creating something exceptional increase"라 서술하였거나 유사하였다.
　☞ 다음과 같이 서술하였어도 2점을 준다.
　- "regular practice and learning from repeated efforts can lead to occasional high-quality outcomes, or "hitting the bullseye," even if not every attempt is perfect."
　- "maintaining consistency and volume contributes to achieving success over time."
　- "regular practice leads to improvement and occasional success, even if not every effort is perfect."

한글번역

　첫 수업 날, 플로리다 대학교의 교수인 제리 울스만은 그의 필름 사진 수업을 듣는 학생들을 두 그룹으로 나눴다. 그는 교실의 왼쪽에 있는 모든 학생들에게 그들이 "수량" 그룹에 속한다고 설명했다. 이들은 오로지 자신이 생산한 작업물의 양에 따라 성적을 받게 될 것이다. 학기 마지막 날, 그는 각 학생이 제출한 사진의 수를 합산할 것이며, 100장의 사진을 제출하면 A, 90장은 B, 80장은 C와 같은 방식으로 평가될 것이다. 한편, 교실 오른쪽에 있는 모든 학생들은 "품질" 그룹에 속할 것이다. 이들은 오로지 작업물의 우수성에 따라 성적을 받게 될 것이다. 학기 동안 오직 한 장의 사진만을 제출하면 되지만, A를 받으려면 거의 완벽한 이미지여야 했다.
　학기 말에 그는 모든 최고의 사진들이 수량 그룹에서 나왔다는 사실에 놀랐다. 학기 동안 이 학생들은 사진을 찍고, 구도와 조명을 실험하고, 암실에서 다양한 방법을 시험하고, 실수로부터 배우느라 바빴다. 수백 장의 사진을 만드는 과정에서 그들은 자신의 기술을 연마했다. 반면 품질 그룹은 완벽성에 대해 추측만 하고 있었다. 결국 그들은 검증되지 않은 이론과 하나의 평범한 사진 외에는 별로 보여줄 것이 없었다.
　변화를 위한 최적의 계획을 찾으려다 좌절하기는 쉽다 : 체중을 가장 빠르게 줄이는 방법, 근육을 키우기 위한 최고의 프로그램, 부업을 위한 완벽한 아이디어. 우리는 최선의 접근 방식을 찾는 데 너무 집중해서 실제로 행동에 옮기지 못한다. 볼테르가 한때 썼듯이, "최선은 선의 적이다."
　반복이 중요한 것은 예술 스튜디오에서만이 아니다. 일관된 작업을 수행하고 실수로부터 배울 때, 놀라운 진전이 이뤄진다. 이것이 내가 반드시 매주 월요일과 목요일에 새로운 기사를 쓰는 이유이다. 어떤 기사가 유용할지는 예측할 수 없지만, 일주일에 두 번 글을 쓰면 가끔은 적중할 것이라는 것을 안다.

Step 1	**S**urvey
Key Words	Quantity; quality; photos; experiment; mistakes; practice; perfection; consistent; progress; work
Signal Words	First day; during; in the end; meanwhile (showing sequence and contrast)
Step 2	**R**eading
Purpose	To demonstrate that consistent practice and quantity of work often leads to better results than pursuing perfection
Pattern of Organization	Compare/contrast (between quantity and quality groups)
Tone	Objective
Main Idea	Through a compelling classroom experiment, Jerry Uelsmann demonstrated that consistent practice and production yield superior results compared to the pursuit of perfection.
Step 3	**S**ummary
지문 요약하기 (Paraphrasing)	Through a compelling classroom experiment, Jerry Uelsmann demonstrated that consistent practice and production yield superior results compared to the pursuit of perfection. His photography students were divided into two groups: those graded on the sheer quantity of photos produced and those evaluated on the quality of a single perfect image. The quantity group emerged with the finest work, having developed their skills through repeated experimentation and learning from failures. This finding resonates beyond photography, illustrating that regular practice and active engagement consistently outperform perfectionism across diverse fields, whether in physical fitness, entrepreneurship, or creative pursuits.
Step 4	**R**ecite
	요약문 말로 설명하기

15

모범답안 There are two reasons why young people exhibit greater spontaneity compared to adults. First, their brains benefit from higher dopamine levels, which fuel exploratory and spontaneous behavior. This biological advantage diminishes as dopamine levels drop by about 10% each decade. Second, neuroplasticity, which allows flexible learning and thinking, is stronger in youth but declines with age. In conclusion, however, adults can mitigate this decline through regular engagement in creative and physical activities, helping to preserve these youthful traits longer.

채점 기준

+ 1점: 글의 topic sentence를 다음과 같이 서술하였거나 유사하였다.
 "There are two reasons why young people exhibit greater spontaneity compared to adults." 또는 "Young people exhibit greater spontaneity than adults for two key reasons."

+ 2점: 글의 major supporting details를 다음과 같이 서술하였거나 유사하였다.
 "First, their brains benefit from higher dopamine levels, which fuel exploratory and spontaneous behavior. This biological advantage diminishes as dopamine levels drop by about 10% each decade, leading to less impulsive actions(1점). Second, the neuroplasticity during youth allows for flexible thinking and learning, which also decreases with age(1점)." 또는 "First, higher dopamine levels in youth fuel exploratory behavior, but these levels drop by about 10% each decade, reducing impulsive actions(1점). Second, neuroplasticity during youth allows for flexible learning and thinking, which also decreases with age(1점)."
 ☞ 2개 중 2개 모두를 정확하게 요약한 경우 2점, 1개만 요약한 경우 1점, 요약하지 못한 경우 0점을 준다.

+ 1점: 글의 결론을 "In conclusion, however, adults can mitigate this decline through regular engagement in creative and physical activities, helping to preserve these youthful traits longer."라 서술하였거나 유사하였다.

● **감점**
 • 본문에 나오는 연속되는 5단어 이상을 사용하였다. −1pt
 • 문단을 두 개나 그 이상으로 구성하였다. −1pt
 • grammar나 영어표현이 합쳐 4개 이상 오류가 있다. −1pt

한글번역

　젊은 사람들은 본능적으로 내적인 추구를 즐긴다. 피카소가 말했듯이, 우리는 모두 예술가로 태어난다. 문제는 우리가 성장한다는 것이다. 브리티시 컬럼비아 대학교의 철학 교수 에드워드 슬링어랜드는 "아이들은 작은 자발성 기계들"이라고 말한다. 그는 딸이 A 지점에서 B 지점까지 직선으로 걷지 않고 지그재그로 뛰어다니며 공중제비를 돌던 시절을 회상한다. 성인들 중에 이런 행동을 다시 하고 싶어 하는 사람은 거의 없다. 왜 아이들은 작은 자발성 기계들일까?

　하나는 도파민이라는 뇌 화학물질 때문이다. 동기와 보상에 관련된 이 물질은 하버드의 신경생물학자 산디프 로버트 다타가 발견한 바에 따르면, 인간과 쥐 모두에서 자발적인 움직임을 유도한다. 낯선 환경에서 쥐의 뇌를 관찰한 다타는 어린 쥐들이 더 많은 무작위 행동을 보이며, 이런 패턴은 성숙 직전에 절정에 이르렀다가 자발성이 감소한다고 발견했다. 인간의 경우, 도시 같은 환경을 탐험하는 것이 이해력과 융통성을 높일 수 있다. 하지만 쥐와 마찬가지로 인간의 도파민 수치는 10년마다 약 10%씩 감소해 나이가 들수록 자발적인 활동이 줄어든다.

　젊은이들의 자발성을 설명하는 또 다른 이유는 신경가소성이다. 청소년기의 충일함은 뇌가 매우 유연하고 계속해서 배우는 시기와 일치한다. 도파민과 마찬가지로 신경가소성도 일정 시점 이후에 감소한다. 청소년기에서 성인기로 넘어가면서 신경 회로는 어느 정도 고정된다. 자발성은 생물학적 나이의 척도로 볼 수 있다. 이런 변화는 움직임에만 영향을 미치는 것이 아니다. 자발적인 생각도 젊을 때 절정에 달한다. 대학생과 젊은 성인은 하루의 50% 동안 마음이 방황한다. 나이가 들면서 보통 30%로 감소한다.

　젊은 사람들은 높은 도파민 수치와 증가된 신경가소성 같은 생물학적 요인들 때문에 높은 자발성을 보인다. 나이가 들면서 이런 생물학적 요소들이 줄어들면서 자발적인 생각과 행동도 줄어들며, 이는 더 안정되고 예측 가능한 행동으로의 전환을 보여준다. 하지만 정기적으로 창의적이고 신체적인 활동에 참여하면 도파민과 신경가소성을 더 오래 유지할 수 있어, 성인이 돼서도 자발성과 적응력을 유지할 수 있다.

NOTE

Step 1	Survey
Key Words	Spontaneity; dopamine; neuroplasticity; aging; brain; youth; movement; exploration; flexibility; behavior
Signal Words	However; when; as; another
Step 2	**Reading**
Purpose	To explain why young people are naturally more spontaneous than adults through scientific evidence
Pattern of Organization	Cause/effect
Tone	Academic/scientific
Main Idea	There are two reasons why young people exhibit greater spontaneity compared to adults.
Step 3	**Summary**
지문 요약하기 (Paraphrasing)	There are two reasons why young people exhibit greater spontaneity compared to adults. First, their brains benefit from higher dopamine levels, which fuel exploratory and spontaneous behavior. This biological advantage diminishes as dopamine levels drop by about 10% each decade. Second, neuroplasticity, which allows flexible learning and thinking, is stronger in youth but declines with age. In conclusion, however, adults can mitigate this decline through regular engagement in creative and physical activities, helping to preserve these youthful traits longer.
Step 4	**Recite**
	요약문 말로 설명하기

16 하위내용영역 일반영어 B형 서술형   배점 4점   예상정답률 40%   본책 p.233

모범 답안 First, (the writer mentions Mormons) to highlight an exception to the general finding that having more siblings (a larger "sibship") negatively impacts academic performance, suggesting that cultural and social factors can influence this outcome. Second, (it means that) we often take the presence of siblings for granted, not fully appreciating their significance until they are no longer part of our lives, such as when they pass away or move away. This loss makes us realize their profound impact on our lives.

채점 기준

+2점: 모르몬 교도들을 언급한 이유를 "to highlight an exception to the general finding that having more siblings (a larger "sibship") negatively impacts academic performance, suggesting that cultural and social factors can influence this outcome"라 서술하였거나 유사하였다.

☞ 다음과 같이 서술하였어도 2점을 준다.
- "to challenge the universality of the negative impact of larger sibships on academic performance, indicating variability based on community and cultural contexts."
- "to challenge the universality of the finding that children with more siblings do worse in school." (By referencing studies of Mormons and the entire population of Norway, the writer suggests that this negative impact of having more siblings may not apply to all groups or populations.)

+2점: 밑줄 친 부분의 의미를 "we often take the presence of siblings for granted, not fully appreciating their significance until they are no longer part of our lives, such as when they pass away or move away. This loss makes us realize their profound impact on our lives."라 서술하였거나 유사하였다.

☞ 다음과 같이 서술하였어도 2점을 준다.
- The underlined phrase means that siblings often feel like a constant, unchanging presence in our lives, something we might take for granted, but their absence (due to death or separation) reveals how significant they truly were.

한글번역

　우리는 배우자나 친구를 선택하는 방식처럼 형제자매를 선택하지 않는다. 물론 부모도 우리가 선택하는 것이 아니지만, 부모는 대개 우리가 성인이 될 때까지 우리를 양육함으로써 (우리가 부모를 선택하지 못한 것에 대한) 벌충을 해준다. 형제자매는 그냥 그 자리에 있는 존재들이다. 그런데도, 우리의 성장에 있어 형제자매가 부모보다 더 큰 영향을 미칠 수 있다. 형제자매가 나이 많고 멋진 사람이든, 나이 어리고 짜증을 유발하는 사람이든, 우리가 그들의 발자취를 따르든, 반대로 도망치듯 멀리 피하든, 이 사실은 변하지 않는다.

　형제자매의 영향력 중 일부는 그들이 그냥 단순히 존재한다는 것에서 비롯된다. 82%의 아이들이 형제자매와 함께 살며 (아버지와 함께 사는 아이들보다 높은 비율이다), 70세 이상의 사람들 중 약 75%가 생존한 형제자매를 가지고 있다. 형제자매가 있는 우리 중 대부분은, 그들과의 관계가 아마도 우리의 삶에서 가장 긴 관계일 것이다.

　이 관계들이 우리의 삶을 더 나아지게 하는지, 더 나쁘게 하는지는 더욱 복잡한 문제다. 긍정적인 측면에서 보면, 청소년기 동안 형제자매와의 긍정적인 상호작용은 공감 능력, 친사회적 행동, 학업 성취를 촉진한다. 그러나 형제자매가 많은 가정에서는 이 효과가 복잡해질 수 있다. 형제자매가 많은 아이들(산업 용어로는 '형제자매 수가 많은 가정'이라고 한다)은 학교에서 성적이 떨어진다. 하지만 이 발견의 보편성은 모르몬 교도들과 노르웨이 전체 인구를 대상으로 한 연구에 의해 도전받고 있다.

　그러나 형제자매 관계가 나쁠 경우, 그것은 정말 나쁠 수 있다—삶을 망칠 정도로 말이다. 긴장된 형제자매 관계는 사람들이 청소년기에 약물을 남용하거나 우울증과 불안감을 느끼게 할 가능성을 높인다. 게다가 형제자매 간의 괴롭힘은 아이가 십 대 시기에 자해를 하게 만들고 18세가 될 때까지 정신이상 증세에 걸릴 가능성을 높인다.

　어떤 사람이 형제자매를 본보기로 삼거나 (그들과) 구별하려고 노력하는 것은 (그 사람에게) 특히 중요한 결과를 낳는다. 한 연구에 따르면, 서로에 대해 긍정적으로 느끼는 형제자매는 유사한 교육 수준을 달성하는 경향이 있는 반면, 아버지와 함께 보낸 시간이 불균등하고 부모의 차별적인 대우를 인식한 형제자매는 교육적 성취에서 차이가 나타났다. 그렇다고 해서 차이가 반드시 나쁜 것은 아니다. 연구에 따르면 시간이 지남에 따라 부모와의 관계가 달라질수록 형제자매 간의 관계가 더 따뜻해질 수 있다. 그리고 형제자매를 모방하는 것이 때로는 실수일 수 있는데, 그 언니나 오빠가 무엇을 하는가에 달려있기 때문이다. 예를 들어, 언니가 십 대에 임신했다면 여동생이 십 대에 임신할 가능성이 더 크고, 언니나 오빠가 저지른 위험한 행동을 동생이 따라 할 가능성이 더 크다.

　어떤 식으로든, 형제자매의 영향력은 지속된다. 100만 명 이상의 스웨덴인을 대상으로 한 연구에 따르면, 형제자매가 심장마비로 사망한 후 본인도 심장마비로 사망할 위험이 증가했다고 한다. 이는 그들이 DNA를 서로 공유했기 때문만이 아니었다. 형제자매라는 중요한 존재를 잃은 스트레스와 관련이 있다는 것이다. 이는 말이 된다. : 우리 대부분은 형제자매가 없었다면 지금과는 다른 사람이 됐을 것이다. 형제자매는 그들이 그 자리에 있는 동안에는 단지 거기 있는 것처럼 보이지만, 사라지면 그 중요성이 드러난다.

NOTE

Step 1	Survey
Key Words	Siblings; influence; relationships; impact; development
Signal Words	Whether; however; moreover; although
Step 2	**Reading**
Purpose	To explain siblings' impact on our lives
Pattern of Organization	Not clear
Tone	Objective
Main Idea	Sibling relationships profoundly shape our development and life outcomes in ways that can be both beneficial and detrimental.
Step 3	**Summary**
지문 요약하기 (Paraphrasing)	Sibling relationships profoundly shape our development and life outcomes in ways that can be both beneficial and detrimental. Research shows that siblings, who are present in 82% of children's lives and often represent our longest-lasting relationships, significantly influence our personal development and life trajectory. While positive sibling relationships can foster empathy, social skills, and academic success, negative interactions can lead to substance abuse, mental health issues, and behavioral problems. The impact of these relationships extends into adulthood, affecting educational achievement, life choices, and even mortality risk, highlighting the enduring significance of sibling bonds beyond childhood.
Step 4	**Recite**
	요약문 말로 설명하기

17 하위내용영역 일반영어 B형 서술형   배점 4점   예상정답률 40%   본책 p.236

모범 답안 The word is "positive". Second, it is because, as people enter into committed relationships like marriage or long-term partnerships, their priorities and social commitments evolve.

채점 기준

+2점: 빈칸에 들어갈 단어를 "positive"라 정확히 기입하였다. 이외에는 답이 될 수 없다.

+2점: 장기적인 관계의 역학이 성인이 됐을 때 이성 간 우정의 성격이나 보편성에 왜 영향을 미칠 수 있을까라는 질문에 "because, as people enter into committed relationships like marriage or long-term partnerships, their priorities and social commitments evolve"라 서술하였거나 유사하였다.

☞ 다음과 같이 서술하였어도 2점을 준다.

- because individuals often prioritize their partner for emotional and social support, reducing the need for cross-gender friendships.
- because societal norms or concerns about jealousy or inappropriate boundaries might discourage maintaining close cross-gender friendships once someone is in a committed relationship.
- Cross-gender friendships diminish in adults with spouses or partners as their romantic relationships fulfill those interaction needs.
- there may be societal or relational expectations that discourage maintaining close friendships with someone of the opposite gender when in a committed relationship.
- because the priorities and commitments in such relationships often lead individuals to focus more on their partner for emotional and social support, thereby reducing the need or opportunity for close cross-gender friendships. As a result, cross-gender friendships may diminish as individuals invest more in their romantic relationships.
- because these individuals may prioritize their romantic relationships over friendships with the opposite gender, possibly due to social expectations or concerns about maintaining appropriate boundaries.

한글번역

　성별은 우리의 우정에 영향을 미치며, 사람들이 남성과 여성의 우정이 얼마나 다른지 알아내려고 노력하면서 많은 관심을 받아왔다. 남성의 우정이 여성의 우정보다 덜 친밀하다는 생각은 남성이 감정을 표현하지 않는다는 고정관념에 기반을 두고 있다. 실제로 남성들은 여성과 비슷한 정도의 친밀감을 우정에서 느끼지만, 같은 성별의 친구에게 애정을 언어적으로(예: '사랑해'라고 말하기)나 비언어적으로(예: 신체 접촉이나 포옹을 통해) 명확하게 표현하는 경우가 여성보다 적다고 보고된다. 그럼에도 불구하고 남성들은 여전히 함께 활동하거나 서로를 지원하는 방식으로 친밀감을 표현한다.

　점점 더 많은 남성들이 다른 남성과 여성에게 더 편안하게 애정을 표현하고 있음에도 불구하고, 특히 남성들 사이에서 애정을 표현하는 것이 사회적으로 금기시되는 것을 고려할 때 이는 놀라운 일이 아니다. 하지만 연구자들은 남성들이 여전히 다른 친구가 이해할 수 있는 암묵적인 방식으로 애정을 표현하는지 궁금해했다. 남성들은 서로에게 호의를 베풀거나, 우호적인 경쟁을 하거나, 농담을 주고받거나, 자원을 공유하거나, 새로운 기술을 가르치는 등의 활동을 통해 친밀감을 표현할 수 있다. 일부 학자들은 친밀감을 여성적인 것으로 보는 편향이 있으며, 이로 인해 남성 우정에 대한 연구가 왜곡됐을 수 있다고 주장했다. 자기 개방을 통한 언어적 친밀감 표현이 여성 우정의 중요한 특징으로 언급된 반면, 활동 공유는 남성 우정의 초점이 됐다. 나는 어느 한 성별의 우정이 다른 성별보다 더 낫다고 주장하지 않는다. 그리고 친밀감 표현과 관련된 차이점은 우정의 실제 행동에 영향을 미칠 만큼 크지 않다.

　이성 간의 우정은 아동기 후기와 청소년기 초기에 감소하는데, 이 시기에는 남자아이들과 여자아이들이 여러 활동과 사회적 상호작용에서 서로 다른 그룹으로 나뉜다. 그런 우정은 청소년기 후반에 다시 가능성이 생기고, 초기 성인기의 대학 시절에 절정에 이른다. 이후, 배우자나 파트너가 있는 성인들은 독신자들보다 이성 간의 우정을 가질 가능성이 적어진다. 이는 장기적인 관계에서 흔히 동반되는 우선순위와 책임감의 변화를 반영하는 것일 수 있다.

　어쨌든, 연구들은 이성 간 우정이 여러 긍정적인 결과를 가져온다고 밝혔다. 남성과 여성은 자기와 다른 이성이 어떻게 생각하고 느끼는지에 대해 더 깊이 이해할 수 있다고 보고한다. 이러한 우정은 같은 성별의 우정에서 흔히 충족되지 않는 상호작용의 필요를 채워주는 것 같다. 예를 들어, 남성들은 정서적 지원을 위해 이성 간의 우정에 더 많이 의존한다고 보고했다. 마찬가지로 여성들은 남성과의 활동 중심의 우정을 즐겼다고 말했다.

NOTE

Step 1	Survey
Key Words	Gender; friendships; intimacy; expression; relationships
Signal Words	However; while; for example; similarly
Step 2	**Reading**
Purpose	To explain how gender affects friendship patterns
Pattern of Organization	Not clear
Tone	Objective
Main Idea	While gender influences friendship dynamics, particularly in expressions of intimacy and cross-gender interactions, research reveals that the fundamental nature of friendships remains similar across genders.
Step 3	**Summary**
지문 요약하기 (Paraphrasing)	While gender influences friendship dynamics, particularly in expressions of intimacy and cross-gender interactions, research reveals that the fundamental nature of friendships remains similar across genders. Recent studies challenge traditional stereotypes about gendered friendship patterns, demonstrating that men and women share comparable levels of emotional intimacy despite different expressions. While men typically demonstrate affection through shared activities and mutual support rather than explicit verbal or physical gestures, this reflects societal conditioning rather than reduced emotional capacity. Cross-gender friendships exhibit a unique developmental pattern, flourishing in early adulthood and providing distinctive benefits—men often find emotional support, while women appreciate activity-oriented interactions—though these relationships frequently diminish as committed romantic partnerships take precedence.
Step 4	**Recite**
	요약문 말로 설명하기

18 하위내용영역 일반영어 B형 서술형　배점 4점　예상정답률 40%

모범 답안　The word is "complex". Second, conspiracy theories do this <u>by framing events as a clear struggle between good and evil, simplifying complex situations into moral tales that distinguish righteous in-groups from evil out-groups</u>.

채점 기준

+2점 : 빈칸에 들어갈 단어를 "<u>complex</u>"라 정확히 기입하였다. 이외에는 답이 될 수 없다.
+2점 : 음모 이론이 도덕 서사와 어떻게 연관돼 있는가라는 질문에 "(conspiracy theories do this) <u>by framing events as a clear struggle between good and evil, simplifying complex situations into moral tales that distinguish righteous in-groups from evil out-groups</u>"라 서술하였거나 유사하였다.
☞ 다음과 같이 서술하였어도 2점을 준다.
— <u>conspiracy theories often depict a stark contrast between good and evil, presenting the theorists and their followers as the righteous or "good" group fighting against the "evil" conspirators. This moral framing simplifies complex events into easily understandable tales of right and wrong.</u>

한글번역

　　음모 이론은 선과 악, 옳고 그름에 대한 원형적 서사를 바탕으로 한 도덕 이야기이다. "흑백" 세계관을 제공함으로써, 음모 이론은 "타자"에 대한 불관용을 악화시키고, 다른 목소리를 음모의 일부로 간주해 정당성을 박탈함으로써, 집단 내 그룹과 집단 외 그룹 간의 사회적 분열을 조장한다. 극단주의 집단은 음모 이론을 (사람들을) 모집하는 도구로 사용하고, 불확실성, 두려움, 사회경제적 문제, 그리고 정신건강 장애를 겪고 있는 취약한 사람들을 악용해 급진적인 의제를 발전시키려 한다. 최근 몇 년간 우익 극단주의는 음모 이론을 퍼뜨려 사회의 악에 책임이 있다고 지목된 개인이나 그룹을 표적으로 삼는 데 있어 활발하고 효과적으로 활동해 왔다. 대중을 이러한 집단 음모론적 미로에 빠질 위험으로부터 보호하는 것은 음모 이론가들이 극단적 행동과 폭력을 동원하는 능력을 막기 위해 필수적이다.
　　음모 이론은 거의 모든 인간 활동 분야에 영향을 미치는 세계적인 현상이다. 복잡한 역사적 또는 정치적 사건들이, 특히 권위 있는 기관이나 과학 공동체가 명확한 설명을 내놓지 못할 때, 사악한 의도를 가진 소수의 강력한 사람들이 통제하는 비밀 음모의 결과라는 믿음은 사회에서 주류 현상이 됐다. 이러한 음모 이론은 고통스러운 사건에 의미를 부여하고, 그 궁극적인 원인을 밝히며, 이상하거나 의심스럽거나 설명되지 않은 것으로 여겨지는 것들과의 연결점을 찾으려는 시도로 볼 수 있다. 일부 경우에는 음모 이론은 무해하며 민주적 논의의 일부로 간주될 수 있다. 하지만 많은 다른 경우에 음모 이론은 급진적인 행동, 인종차별적 견해, 권위주의적 태도, 그리고 사회에 깊이 부정적인 영향을 미치는 극단주의 이데올로기와 연관될 수 있다.
　　가장 심각한 결과 중 하나는 음모 이론이 극단주의 서사의 매력을 높일 수 있다는 것이고(예 : 양극화된 사건에 대한 매력적인 "흑백" 설명 제공), 또한 정부와 국민 간의 신뢰를 약화시키고(예 : 정부가 그림자 엘리트들에 의해 통제되고 있다는 아이디어를 확산), 증오 발언을 퍼뜨리며(예 : 특정 그룹이나 사람을 죄가 있는 책임자로 지목), 증거에 대한 존중을 무너뜨리고(예 : 전문가와 그들의 지식을 검증할 능력이 없음에도 불구하고 공격), 폭력을 동원하며(예 : 목표물을 지적), 심지어 죽음에 이르게 할 수도 있다(예 : 백신 반대 선전을 통해 백신 접종을 거부하게 함).

COVID-19 팬데믹의 발발은 음모 이론의 촉매 역할을 했다. 바이러스가 눈에 보이지 않기 때문에, 위기 때마다 그랬듯이 음모적 믿음이 번성했다. 극단주의 그룹은 이 기회를 이용해 매우 복잡한 문제에 대해서 간단한 해결책과 답을 제시해 그들의 의제를 발전시키고 추종자를 모집하려 했다. 이러한 상황에서, 우익 극단주의 집단은 유대인과 무슬림에 대한 증오를 퍼뜨리고, 반엘리트, 인종차별적, 반이민 감정을 확산하는 데 중요한 역할을 했다.

NOTE

Step 1	**S**urvey
Key Words	Conspiracy; extremism; misinformation; influence; impact
Signal Words	However; especially; amongst; given that
Step 2	**R**eading
Purpose	To explain how conspiracy theories impact society and fuel extremism
Pattern of Organization	Not clear
Tone	Critical/analytical
Main Idea	Conspiracy theories can have severe societal consequences by amplifying extremist narratives and undermining social trust.
Step 3	**S**ummary
지문 요약하기 (Paraphrasing)	The pervasive influence of conspiracy theories poses severe societal risks by amplifying extremist narratives and eroding institutional trust. These theories create oversimplified "black and white" worldviews that promote radical ideologies, foster distrust in governments, and fuel hate speech against targeted groups. The dangerous consequences became particularly evident during the COVID-19 pandemic, when right-wing extremist groups weaponized public fears to advance their radical agendas, spreading anti-Semitic, anti-Muslim, and anti-immigration rhetoric while systematically undermining scientific expertise and evidence-based discourse.
Step 4	**R**ecite
	요약문 말로 설명하기

19 하위내용영역 일반영어 B형 서술형   배점 4점   예상정답률 40%   본책 p.242

모범 답안 There are two reasons why personality tests are unreliable for assessing potential. First, they are inherently subjective due to their reliance on self-reported data, leading to potentially inaccurate results. Second, these tests oversimplify human behavior by categorizing individuals into fixed types, failing to account for the dynamic and adaptable nature of people. In conclusion, to better assess potential, it is crucial to consider more comprehensive methods that account for the complexity and adaptability of human behavior beyond what personality tests offer.

채점 기준

+1점: 글의 topic sentence를 다음과 같이 서술하였거나 유사하였다.
"There are two reasons why personality tests are unreliable for assessing potential."
또는 "Personality tests are unreliable for assessing potential due to two main reasons."

+2점: 글의 major supporting details를 다음과 같이 서술하였거나 유사하였다.
"First, they are inherently subjective due to their reliance on self-reported data, leading to potentially inaccurate results(1점). Second, these tests oversimplify human behavior by categorizing individuals into fixed types, failing to account for the dynamic and adaptable nature of people(1점)."
☞ 2개 중 2개 모두를 정확하게 요약한 경우 2점, 1개만 요약한 경우 1점, 요약하지 못한 경우 0점을 준다.

+1점: 글의 결론을 "In conclusion, to better assess potential, it is crucial to consider more comprehensive methods that account for the complexity and adaptability of human behavior (beyond what personality tests offer)."라 서술하였거나 유사하였다.

● 감점
• 본문에 나오는 연속되는 5단어 이상을 사용하였다. −1pt
• 문단을 두 개나 그 이상으로 구성하였다. −1pt
• grammar나 영어표현이 합쳐 4개 이상 오류가 있다. −1pt

한글번역

성격 테스트는 고용부터 교육에 이르기까지 다양한 환경에서 개인을 평가하기 위한 인기 있는 도구가 됐다. 그러나 이러한 테스트가 개인의 잠재력을 진정으로 평가하는 데 있어 효과적인지는 매우 의문스럽다. 이러한 테스트가 특정 성격 특성에 대한 통찰력을 제공할 수는 있지만, 미래의 성공이나 성장을 예측하는 데는 근본적으로 한계가 있다.

첫째, 성격 테스트는 자기 보고된 데이터에 의존하기 때문에 본질적으로 주관적이다. 사람들이 이러한 테스트를 받을 때, 그들의 응답은 현재의 기분, 자기 인식, 또는 특정 이미지를 투영하려는 (자신의) 욕구에 의해 종종 영향을 받는다. 예를 들어, 누군가는 자신이 실제로 어떤 사람인지보다는 사회적으로 바람직하다고 생각하거나 자신이 보여주고 싶은 모습에 맞춰 질문에 답할 수 있다. 이러한 주관성은 개인의 진정한 성격이나 잠재력을 반영하지 않는 부정확한 결과를 초래할 수 있다.

둘째, 성격 테스트는 사람들을 특정 유형이나 특성으로 분류하는 경향이 있는데, 이는 인간 행동과 잠재력의 복잡성을 지나치게 단순화하는 것이다. 이러한 테스트는 종종 사람들의 성격이 고정적이고 미리 정해진 범주에 깔끔하게 맞춰질 수 있다는 가정 하에 작동한다. 그러나 인간 행동은 역동적이고 상황에 따라 달라지기 때문에 사람들은 다양한 상황과 환경에 따라 성장하고, 적응하며, 변할 수 있다. 성격 테스트는 개인을 고정된 범주로 몰아넣음으로써 인간 잠재력의 전체 스펙트럼을 포착하지 못한다.

성격 테스트가 개인의 특성에 대한 일부 통찰력을 제공할 수는 있지만, 잠재력을 평가하기에는 궁극적으로 불충분하다. 주관적인 자기 보고에 의존하고 인간 행동을 지나치게 단순화하는 경향 때문에, 성격 테스트는 미래의 성공이나 발전을 예측하는 데 있어 부적절한 도구이다. 잠재력을 진정으로 이해하고 평가하려면, 인간 존재의 역동적이고 다면적인 본질을 고려하는 것이 필수적인데, 성격 테스트는 이점에서 실패한다.

NOTE

Step 1	**S**urvey
Key Words	Personality tests; limitations; subjectivity; behavior; potential
Signal Words	First; second; while; however
Step 2	**R**eading
Purpose	To argue that personality tests are inadequate for assessing potential
Pattern of Organization	Cause/effect; series
Tone	Skeptical/critical
Main Idea	There are two reasons why personality tests are unreliable for assessing potential.
Step 3	**S**ummary
지문 요약하기 (Paraphrasing)	There are two reasons why personality tests are unreliable for assessing potential. First, they are inherently subjective due to their reliance on self-reported data, leading to potentially inaccurate results. Second, these tests oversimplify human behavior by categorizing individuals into fixed types, failing to account for the dynamic and adaptable nature of people. In conclusion, to better assess potential, it is crucial to consider more comprehensive methods that account for the complexity and adaptability of human behavior beyond what personality tests offer.
Step 4	**R**ecite
	요약문 말로 설명하기

20 하위내용영역 일반영어 B형 서술형   배점 4점   예상정답률 40%   본책 p.245

모범 답안 The word is "microbes". Second, (it was made possible by) the evolution of cyanobacteria.

채점 기준

+2점 : 빈칸에 들어갈 단어를 "microbes"라 기입하였다. 이외에는 답이 될 수 없다.
+2점 : 대산화 사건을 야기시킨 것을 "(the evolution of) cyanobacteria"라 서술하였거나 유사하였다.

한글번역

    오늘날 우리는 다양한 동물들이 서로서로를 먹고 사는 공동체 속에 살고 있다는 것을 당연하게 여긴다. 우리 생태계는 범고래가 물개를 먹고, 물개는 오징어를 먹으며, 오징어는 크릴새우를 먹는 것과 같은 먹이 관계로 구조화돼 있다. 이러한 동물들과 다른 동물들은 음식을 통해 에너지를 추출하기 위해 산소가 필요하다. 하지만 지구의 생명체가 항상 이렇지는 않았다.(즉, 현재와는 다르게 과거에는 이렇지 않았다.)

    산소가 없고 메탄이 많은 환경에서, 지구는 그 역사의 대부분 동안 동물들이 살기 좋은 곳이 아니었다. 우리가 알고 있는 가장 초기의 생명체는 미세한 유기체(미생물)였는데, 이들은 약 37억 년 전의 암석에 자기들의 존재를 알리는 신호를 남겼다. 그 신호는 살아있는 생명체에 의해 생산되는 일종의 탄소 분자로 구성돼 있었다.

    이러한 미생물의 증거는 그들이 만든 단단한 구조물("스트로마톨라이트")에도 보존돼 있는데, 이 구조물은 35억 년 전으로 거슬러 올라간다. 스트로마톨라이트는 미생물들이 침전물을 층으로 붙잡아 묶으면서 형성된 끈적한 매트로 만들어진다. 광물이 층 안에서 침전돼 미생물이 하나씩 모두 죽을 때도, 내구성 있는 구조물을 만든다. 과학자들은 오늘날 살아있는 희귀한 스트로마톨라이트 암초를 연구해 지구 초기 생명체를 더 잘 이해하고자 한다.

    약 24억 년 전, 시아노박테리아가 진화했을 때, 이 박테리아는 놀라운 변화를 일으킬 기반을 마련했다. 시아노박테리아는 물과 태양 에너지를 사용해 음식을 만드는 지구 최초의 광합성 생물체가 됐고, 그 결과 산소를 방출했다. 이것이 갑작스럽고 극적인 산소 증가를 촉발해, 산소를 견딜 수 없는 다른 미생물들에게는 이런 환경이 (살아가기에) 덜 적합하도록 만들었다.

    이 대산화 사건(Great Oxidation Event)에 대한 증거는 BIFs라고 불리는 해저 암석의 변화에 기록돼 있다. 산소가 풍부한 얕은 물이 철분이 풍부한 깊은 물과 섞이면, 철분이 산소와 화학적으로 반응해 산화철 광물을 형성한다. 이 광물들은 해저로 가라앉아 암석 내에 어두운 철분이 풍부한 층을 형성하게 된다.

    산소의 초기 약동(급증) 이후, 산소는 이후 몇 십억 년 동안 머물게 될 낮은 수준으로 안정화됐다. 사실, 시아노박테리아가 죽어 물을 통해 내려가면서 그들의 몸의 분해가 아마도 산소 수준을 낮췄을 것이다. 그래서 바다는 여전히 충분한 산소가 필요한 대부분의 생명체에게 적합한 환경이 아니었다.

NOTE

Step 1	**S**urvey
Key Words	Oxygen; life; evolution; microbes; transformation
Signal Words	3.7 billion years ago; 3.5 billion years ago; 2.4 billion years ago; when; after
Step 2	**R**eading
Purpose	To explain how Earth's environment evolved to support diverse life
Pattern of Organization	Time order
Tone	Informative
Main Idea	Earth's evolution from an oxygen-poor to oxygen-rich environment fundamentally transformed the development of life on our planet.
Step 3	**S**ummary
지문 요약하기 (Paraphrasing)	The transformation of Earth's atmosphere from oxygen-poor to oxygen-rich marked a pivotal turning point in the evolution of life. While modern ecosystems thrive with diverse oxygen-dependent organisms, early Earth presented a hostile environment dominated by methane. The first signs of life emerged 3.7 billion years ago as carbon molecules in ancient rocks, followed by microbial stromatolites 3.5 billion years ago. A dramatic shift occurred 2.4 billion years ago when photosynthesizing cyanobacteria triggered the Great Oxidation Event, evidenced in Banded Iron Formations. Yet the subsequent decomposition of these same organisms moderated oxygen levels, maintaining an environment that remained challenging for oxygen-dependent life forms.
Step 4	**R**ecite
	요약문 말로 설명하기

21

모범답안 The word is "timeless". Second, (the author did that) after realizing that his formal education had not taught him how to handle real-life challenges, which led him to seek wisdom on how to live well.

채점 기준

+2점: 빈칸에 들어갈 단어를 "timeless"라 정확히 기입하였다. 이외에는 답이 될 수 없다.
+2점: 글쓴이가 스토아 철학을 공부하고 실천자가 된 핵심 이유를 "after realizing that his formal education had not taught him how to handle real-life challenges, which led him to seek wisdom on how to live well."이라 서술하였거나 유사하였다.

☞ 다음과 같이 서술하였어도 2점을 준다.
- after he realized their formal education had not equipped them with the tools to handle real-life challenges, emotions, and struggles.
- after realizing that despite learning various academic subjects, he felt unprepared for dealing with personal difficulties, which led them to seek out Stoic philosophy as a way to gain practical wisdom on how to live well and navigate life's challenges effectively.

한글번역

스토아 철학을 어떤 방식으로든 접하는 것은 쉬운 일이다. 하지만 정확히 그것이 무엇인지 이해하고 설명하는 것은 까다롭다. 그것이 오늘날 어떻게 관련이 있고, 어떻게 도움이 될 수 있는지를 인식하는 것도 도전적인 일이다. 이를 완전히 이해하고 실천에 옮기는 것은 야심찬 목표이다. 바로 거기에 진정한 가치가 숨겨져 있다.

검투사들이 목숨을 걸고 싸우고 로마인들이 뜨거운 목욕탕에서 사교 활동을 하던 시대에 스토아 철학자들이 가르치고 실천했던 내용이 "왕좌의 게임"과 페이스북의 시대에도 놀랍도록 적용 가능하다. 이 고대 철학의 지혜는 시간을 초월한 가치를 지닌다.

오랜 세월 학교와 대학에서 공부한 후, 나는 학술 서적과 논문을 읽고 현실적인 삶의 가치를 가르쳐 주지 않는 것들에 질려버렸다. 그래서 최종 논문을 제출한 바로 다음 날, 나는 나라를 떠나 7개월간의 세계 여행을 시작했다. 나는 그저 멀리 떠나고 싶었고, 다른 장소와 문화를 보고 싶었다. 하지만 주된 이유는 내 자신을 알아가고, 돌아왔을 때 내가 무엇을 하고 싶은지 알기 위해서였다. 그 마지막 목표는 이루지 못했지만, 대신 나는 다른 것을 깨달았다 : "내가 인생을 사는 방법에 대한 수업을 놓쳤음에 틀림없다?!"

15년 6개월 동안 학교를 다니면서 나는 수학, 물리, 화학, 생물학, 그리고 그 외에 많은 것을 배웠다. 하지만 (삶에서 부딪치는) 힘든 상황을 어떻게 대처해야 하는지 배웠을까? 내 두려움과 고난에 어떻게 맞서야 하는지? 우울한 감정을 어떻게 해결해야 하는지? 친구의 죽음에 어떻게 효과적으로 대처해야 하는지? 내 분노를 어떻게 처리해야 하는지? 어떻게 더 자신감을 가질 수 있는지? 아니, 나는 그런 모든 수업을 놓친 것 같다. 그런데, 고대 세계의 철학 학교들이 가르친 것이 바로 이런 것들이었다. 그곳에서는 어떻게 살아야 하는지를 배웠다. 그리고 이런 학교들은 더 이상 존재하지 않지만, 당신과 나, 그리고 대부분의 사람들은 여전히 과거와 마찬가지로 우리에게 삶을 가르쳐 줄 철학이 필요하다.

한마디로 말해, 나는 내 자신에게 투자하고, 잘 사는 방법을 배우기로 결심했다. 그 후 몇 년간 내가 섭렵한 모든 지혜 중에서, 스토아 철학이 나에게 가장 큰 도움이 됐다. 비록 처음에는 그렇게 시작하지 않았지만 말이다. 이 철학에 대해 잘 (아니, 아무것도) 알기 전에는, 이것이 세상에서 가장 지루한 것이라고 생각했다. 결국, 이 철학의 이름이 스토아 철학이지 "슈퍼맨 철학"도 아니고, 무엇인가 연구할 가치가 있다는 것을 암시하는 다른 이름도 아니었으니까. 어쨌든 시도해 봤고, 빠져들었으며, 그 이후로 나는 스토아 철학의 열렬한 학생이자 실천가가 돼 의미 있는 삶을 인도하는 이 철학의 시간을 초월한 중요성을 발견하게 됐다.

NOTE

Step 1	**S**urvey
Key Words	Stoicism; philosophy; wisdom; life lessons; practice
Signal Words	Not clear
Step 2	**Reading**
Purpose	To explain personal journey of discovering Stoicism's value for modern life
Pattern of Organization	Not clear
Tone	Subjective
Main Idea	The ancient philosophy of Stoicism offers timeless wisdom that remains remarkably relevant for navigating modern life's challenges.
Step 3	**Summary**
지문 요약하기 (Paraphrasing)	The ancient wisdom of Stoicism offers profound insights that remain strikingly relevant in today's world. While modern education systems excel at teaching academic subjects, they often overlook essential life skills for managing emotions, confronting adversity, and finding purpose. Though its name might suggest otherwise, Stoic philosophy provides practical guidance for these fundamental challenges, serving the same vital function as ancient philosophical schools once did: teaching the art of living well. The philosophy's true value emerges not in its theoretical understanding, but in its practical application to contemporary life's complexities.
Step 4	**Recite**
	요약문 말로 설명하기

22

모범 답안 The word is "conservation". Second, theoretical evaluations have seldom considered the economic aspect.

채점 기준

+2점 : 빈칸에 들어갈 단어를 "conservation"이라 정확히 기입하였다. 이외에는 답이 될 수 없다.
+2점 : 내성 관리 전략에 대한 이론적 평가의 한계를 "theoretical evaluations have hardly considered the economic aspect."라 서술하였거나 유사하였다.
 ☞ 다음과 같이 서술하였어도 2점을 준다.
"Theoretical assessments of resistance management strategies have rarely taken economic factors into account."

한글번역

해충과 병원균 집단은 살충제와 항생제에 대한 저항성(내성)을 진화시킨다. 예를 들어, 지난 80년 동안 500종 이상의 곤충에서 300개 이상의 (살충제로 사용되는) 화합물에 대해 거의 8000건의 살충제 저항성이 보고됐다. 마찬가지로, 1700종 이상의 박테리아 중에서 200개 이상의 항생제에 저항성을 부여하는 수만 개의 잠재적인 저항성 대립 유전자가 확인됐다. 원칙적으로, 저항성 진화를 관리하는 한 가지 방법은 새로운 생물 살해제를 계속 개발하는 것이다.

하지만 그것이 지속 가능하지 않을 수도 있다. 현재 새로운 항생제를 개발하는 데 약 10년과 10억 달러가 소요되며, 새로운 살충제나 제초제의 작용 방식이 발견된 지는 이미 수십 년이 지났다. 문제는 해충 집단을 효과적으로 통제할 수 있는 화학적 수단(살충제 등)을 우리가 그것들을 대체하는 것(즉, 더 새롭고 더 효과적인 화학적 수단으로) 보다 더 빠른 속도로 잃어가고 있다는 점이다. 이는 이미 공공 건강과 번영에 큰 타격을 주고 있으며, 더 악화될 수 있다. 항생제의 경우, 한 추정에 따르면 2050년 이전에 유럽, 북미, 호주에서 항균제 저항성으로 인해 240만 명이 사망하고, 세계 경제는 매년 35억 달러의 손실을 입을 것이다. 새로운 생물 살해제를 지속적으로 개발하는 것이 불가능하다면, 현재 가지고 있는 것들(the existing chemical controls, such as pesticides, herbicides, and antibiotics, that are currently in use)을 어떻게 보존할 수 있을까?

분명히 말하자면, 현장에서, 생물 살해제 저항성 진화의 가장 강력한 예측 변수 중 하나는 적용 강도다. (in real-world scenarios (such as agriculture or medicine), the frequency and amount of a chemical (like a pesticide or antibiotic) that is used are among the most significant factors in determining how quickly organisms (such as pests or bacteria) develop resistance to that chemical. In other words, the more intensively a chemical is applied, the more likely it is that resistance will evolve.) 효과적인 생물 살해제 보존은 분명히 그것들을 더 절약해서 사용하고, 통합적인 해충 관리 접근법(즉, 단순히 살충제나 항생제만을 사용하는 것이 아니라, biological control, crop rotation, and cultural practices 등을 적용하는 것)으로 전환하는 것을 수반할 것이다. 하지만 그렇다면 우리가 생물 살해제를 사용할 때, 그것들의 내구성을 최대화하고 따라서 해충 집단이 통제되는 시간을 연장하기 위해 시간과 공간에 걸쳐 어떻게 적용을 다르게 해야 하는 것에 질문이 남는다. 여기에서 우리의 초점이 맞춰진다.

단순하게 생각해서 두 가지 살충제만 가지고 있다고 가정하면, 우리는 네 가지 주요 보존 전략을 고려할 수 있다 : 순차적 적용, 주기적 적용, 모자이크 적용, 그리고 결합 적용이다. 어떤 전략이 가장 좋을까? 선택 환경에 이질성을 추가해 저항성 진화를 지연시키기보다는, 두 가지 살충제를 함께 사용해 가능한 가장 강력한 선택 압력을 일관되게 적용하는 결합 전략이 종종 가장 좋으며, 순차적 전략이 종종 최악이다. 표면적으로 볼 때, 확신이 서지 않을 때, 매니저들은 결합 적용 전략을 사용하는 것이 좋다. 물론, 그것이 경제적이지 않을 수도 있다; 실제로, 저항성 관리 전략에 대한 이론적 평가에서는 경제성을 거의 고려하지 않았다. 즉, 이론적으로 가장 효과적인 것이 실제로 지속 가능하지 않을 수 있다.

NOTE

Step 1	**S**urvey
Key Words	Resistance; evolution; pesticides; antibiotics; strategy
Signal Words	Not clear
Step 2	**R**eading
Purpose	To explain strategies for managing pest resistance to chemicals
Pattern of Organization	Not clear
Tone	Persuasive
Main Idea	Managing the evolution of xenobiotic resistance presents a critical challenge in pest control, with different application strategies offering varying degrees of effectiveness.
Step 3	**S**ummary
지문 요약하기 (Paraphrasing)	The escalating challenge of xenobiotic resistance management represents a critical intersection of biological evolution and public health economics. The rapid emergence of resistance to pesticides and antibiotics has outpaced our ability to develop new compounds, with projections suggesting devastating human and economic costs by 2050. While combined application of multiple xenobiotics proves most effective in theoretical models, practical implementation faces economic constraints. This disconnect between theoretical effectiveness and economic feasibility underscores the urgent need for sustainable resistance management strategies that balance biological control with economic viability.
Step 4	**R**ecite
	요약문 말로 설명하기

23

모범 답안 The word is "modifications". Second, human cumulative culture is distinguished by a "ratchet" effect, which includes life history traits, cognitive capabilities, and social scaffolds that support the improvement, complexification, and diversification of cultural traditions. This contrasts with non-human animals, whose cumulative traditions are often simpler and do not exhibit the same level of cultural evolution.

채점 기준

+2점: 빈칸에 들어갈 단어를 "modifications"라 정확히 기입하였다. 이외에는 답이 될 수 없다.
+2점: 인간의 축적 문화와 비인간 동물의 축적 문화를 구별하는 것을 "human cumulative culture, driven by the "ratchet" effect, enables advanced cultural evolution, unlike the static traditions of non-human animals."라 서술하였거나 유사하였다.

☞ 다음과 같이 서술하였어도 2점을 준다.
- human cumulative culture is distinguished by a "ratchet" effect, which includes life history traits, cognitive capabilities, and social scaffolds that support the improvement, complexification, and diversification of cultural traditions. This contrasts with non-human animals, whose cumulative traditions are often simpler and do not exhibit the same level of cultural evolution.
- (what distinguishes human cumulative culture from that of non-human animals is) the presence of a cultural "ratchet", which includes life history traits, cognitive capabilities, and social structures that support the improvement, complexification, and diversification of cultural traditions. This allows humans to accumulate and build upon cultural knowledge in ways that non-human animals cannot.

☞ 보충설명은 다음과 같다.

An example of modifications as additions, alterations, or replacements of template components could be a **traditional bread recipe** passed down through generations:

1. Original template: The original recipe involves basic ingredients like flour, water, yeast, and salt.
2. Addition (Modification): Over time, someone adds **herbs** like rosemary or thyme to **the original recipe**, enhancing the flavor. This is an addition to the original template.
3. Alteration (Modification): Another generation decides to use **whole wheat flour** instead of **white flour**, making the bread healthier. This is an alteration to the template.
4. Replacement (Modification): Someone else later replaces **yeast** with **sourdough starter** (in order) to create a different texture and flavor. This is a replacement of **one component** of the template.

즉, In each case, **the basic template (a bread recipe) remains**, but **its components are modified**—either by adding new elements, altering existing ones, or replacing them entirely. **These modifications are preserved** over time, resulting in **a cumulative cultural tradition** where the recipe evolves.

한글번역

인간의 생활 방식은 호주에서 북극에 이르고 뜨거운 태양 아래서부터 추운 극지방에 이르기까지 다양하다. 인간이 지구의 다양한 생태계에서 번성하는 방식을 설명할 때, 문화적 진화 연구자들은 축적된 문화적 전통에 주목한다. 이러한 전통은 인간 문화를 구별하고 인간 종의 다양한 적응 생활 방식을 설명하는 데 중요한 요소로 간주된다.

오직 일부 문화적 전통만이 축적되며, 이는 이전에 표현된 특성에 의존해 그 존재와 형태가 유지되는 문화적 특성들의 계보로, 형태 및/또는 기능에 대한 수정이 시간이 지나도 보존되는 전통을 의미한다. 설명을 위해 단순화하면, 특성은 행동을 위한 조직된 (종종 위계적인) 템플릿으로 간주될 수 있다. 수정은 템플릿 구성 요소의 추가, 변경 또는 교체로 이뤄진다. 예를 들어, 특정 요리를 만드는 특성을 생각해보면, 케일을 양배추 대신 사용하는 것은 한 가지 행동을 다른 행동으로 대체하는 것을 의미하며, 여러 층으로 이뤄진 케이크에 또 하나의 층을 추가하는 것은 더 포괄적인 위계 수준에서 행동을 반복하는 것이다. 그러므로 축적된 문화적 전통은 시간에 따라 수정이 보존되는 특성들의 계보인 셈이다.

이런 대략적이고 즉각적인 설명은 문화 진화 학술 문헌(학자들이 사용하는)에서 축적된 문화를 설명하는 개념적 기반을 제공한다. 그러나 이렇게 설명할 경우, 인간과 비인간 동물의 다양한 전통이 축적된 것으로 간주될 수 있다. 예를 들어, 뉴칼레도니아 까마귀(Corvus moneduloides)는 도구를 사용해 음식을 찾는다. 이러한 도구들 중 일부는 반복적인 나뭇잎 절단과 찢기 과정을 거쳐 제작된다. 중요한 것은 이 제작 과정이 사회적으로 전달되고 축적된다는 증거가 있으며, 지역에 따라 나뭇잎 절단과 찢기 행동이 다르게 나타나면서 전통의 수정 사항을 기록으로 남긴다는 점이다. 따라서 이 간단한 개념에 따르면, 이 도구 제작은 축적된 문화적 전통으로 볼 수 있다.

그럼에도 불구하고, 비교 인지 및 문화 진화 문헌에서는 인간의 축적된 문화에서 (다른 동물들과) 구별되는 점이 무엇인지 탐구하고 설명하는 데 중점을 둔다. 사실, 널리 퍼진 설명에 따르면, 축적된 문화의 출현은 진화 역사에서 전환점, 즉 생물학적 진화(동물)에 지배되는 유기체와 문화적 진화(인간)에 지배되는 유기체를 구분하는 '루비콘'을 나타낸다.

인간은, 다른 동물들과 달리, 문화적 '래칫'을 가지고 있다. 이 래칫은 삶의 역사적 특성, 인지 능력, 사회적 구조로 이뤄진 특성 집합으로, 문화 전통을 개선하고, 복잡화하고, 다양화를 가능하게 한다. 따라서 연구자들이 축적된 문화의 개념을 더 발전시킬 때, 종종 동물과 인간 및 그들의 호미닌 조상들의 문화적 전통이나 능력을 구별하는 방식으로 발전시키는 것은 당연하다.

NOTE

Step 1	Survey
Key Words	Cumulative culture; traditions; modifications; traits; ratchet
Signal Words	Not clear
Step 2	**Reading**
Purpose	To explain how cumulative cultural traditions distinguish human adaptation
Pattern of Organization	Not clear
Tone	Analytical
Main Idea	Cultural evolution researchers highlight cumulative cultural traditions as a key differentiator of human adaptability across diverse environments.
Step 3	**Summary**
지문 요약하기 (Paraphrasing)	The remarkable adaptability of humans across diverse environments stems from their unique capacity for cumulative cultural evolution. While both humans and some animals demonstrate the ability to preserve and modify behavioral traditions over time, humans possess a distinctive cultural "ratchet" mechanism. This combination of advanced cognitive abilities, life history traits, and social structures enables humans to continuously improve and complexify their cultural practices, marking a significant evolutionary threshold that separates human cultural evolution from simpler forms of animal cultural transmission. This capacity for cumulative culture has enabled humans to develop and maintain diverse adaptive strategies across the globe's varied ecosystems.
Step 4	**Recite**
	요약문 말로 설명하기

24 하위내용영역 일반영어 B형 서술형   배점 4점   예상정답률 60%

모범 답안 There were two key reasons for the atomic bombings of Hiroshima and Nagasaki. First, Japan's refusal to surrender unconditionally made a costly land invasion likely, which the U.S. sought to avoid. Second, the bombing of Nagasaki was intended to demonstrate American military power and limit Soviet influence in Japan. In conclusion, this decision highlights the devastating effects of war and underscores the need for diplomacy to prevent future conflicts.

채점 기준

+1점: 글의 topic sentence를 다음과 같이 서술하였거나 유사하였다.
"There were two key reasons for the atomic bombings of Hiroshima and Nagasaki."

+2점: 글의 major supporting details를 다음과 같이 서술하였거나 유사하였다.
"First, Japan's refusal to surrender unconditionally made a costly land invasion likely, which the U.S. sought to avoid(1점). Second, the bombing of Nagasaki was intended to demonstrate American military power and limit Soviet influence in Japan(1점)."
☞ 2개 중 2개 모두를 정확하게 요약한 경우 2점, 1개만 요약한 경우 1점, 요약하지 못한 경우 0점을 준다.

+1점: 글의 결론을 "In conclusion, this decision highlights the devastating effects of war and underscores the need for diplomacy to prevent future conflicts."라 서술하였거나 유사하였다.

● **감점**
- 본문에 나오는 연속되는 5단어 이상을 사용하였다. −1pt
- 문단을 두 개나 그 이상으로 구성하였다. −1pt
- grammar나 영어표현이 합쳐 4개 이상 오류가 있다. −1pt

한글번역

    1945년 일본에 원자폭탄을 투하하기로 한 결정은 현대 역사에서 가장 논란이 많고 중요한 행동 중 하나로 남아있다. 이 중대한 결정은 군사적, 정치적, 전략적 요인들이 복잡하게 얽혀 이뤄졌다.
    첫 번째 이유는 일본이 무조건적 항복을 거부했기 때문이다. 일본은 그들의 천황을 유지하고 자기들 스스로 전범 재판을 하길 원했으며, 미군의 점령을 원하지 않았다. 그러나 미국은 무조건 항복을 원했으며, 이는 전쟁의 지속을 의미했다. 일본은 1945년 3월 9-10일 도쿄 대공습과 같은 여러 차례의 소이탄 폭격 이후에도 항복을 거부했다. 도쿄 대공습만으로도 수만 명의 목숨을 앗아갔으며, 이는 종종 역사상 가장 파괴적인 전쟁 행위 중 하나로 언급된다. 미국은 일본 본토를 침공해야 할 가능성이 커졌고, 이는 많은 미국인의 희생을 초래할 수 있었다. 대신, 원자폭탄은 태평양 전쟁을 더 빨리 끝내기 위한 도구로 사용됐다.
    미국이 원자폭탄을 투하한 또 다른 이유는, 특히 나가사키에 두 번째 폭탄을 투하한 이유는 소련과 관련이 있다. 1945년 8월 8일,—히로시마 폭격이 이틀 후—1943년과 1945년 각각 테헤란 회담과 얄타 회담에서 조셉 스탈린이 동의한 바에 따라, 소련은 일본에 선전포고를 했다. 미국 대통령 해리 트루먼은 일본으로 하여금 항복할 것을 더 강요하기 위해서뿐만 아니라, 소련을 일본에서 배제하기 위해서—미국의 군사력을 과시함으로써—나가사키에 원자폭탄을 투하하라고 명령했을 가능성이 있다. 두 초강대국 간의 불신과 경쟁의식은 궁극적으로 냉전으로 이어졌다.
    일본에 원자폭탄을 투하하기로 한 결정은 전쟁의 파괴적인 결과와 정치적, 군사적 전략이 복잡하게 얽혀 있음을 보여준다. 이 역사적 사건은 외교적 노력과 국제적 협력이 이러한 참혹한 갈등을 방지하는 데 필수적이라는 점을 생생히 일깨워준다.

NOTE

Step 1	Survey
Key Words	Atomic bombs; Japan; surrender; Soviet Union; Truman
Signal Words	However; instead; because; another reason; ultimately
Step 2	**Reading**
Purpose	To explain the reasons for dropping atomic bombs on Japan
Pattern of Organization	Cause/effect (showing multiple reasons leading to one decision)
Tone	Analytical/objective
Main Idea	There were two key reasons for the atomic bombings of Hiroshima and Nagasaki.
Step 3	**Summary**
지문 요약하기 (Paraphrasing)	There were two key reasons for the atomic bombings of Hiroshima and Nagasaki. First, Japan's refusal to surrender unconditionally made a costly land invasion likely, which the U.S. sought to avoid. Second, the bombing of Nagasaki was intended to demonstrate American military power and limit Soviet influence in Japan. In conclusion, this decision highlights the devastating effects of war and underscores the need for diplomacy to prevent future conflicts.
Step 4	**Recite**
	요약문 말로 설명하기

25

모범 답안 The real reason is to avoid confrontation. Second, it does so by allowing individuals who assert dominance through confrontation or aggression to succeed without facing significant opposition.

채점 기준

+2점: 실제 이유를 "to avoid confrontation"이라 서술하였거나 유사하였다.
+2점: "by allowing individuals who assert dominance through confrontation or aggression to succeed without facing significant opposition."이라 서술하였거나 유사하였다.
☞ 다음과 같이 서술하였어도 2점을 준다.
- when people avoid conflict or choose not to challenge aggressive actions, they inadvertently give power to those willing to push boundaries. This reinforces the idea that being assertive or forceful can help one get ahead, even at the expense of others, leading to an imbalance of power where the aggressive are rewarded and the passive are left disadvantaged.
- society's passive acceptance of aggressive behaviors allows dominant individuals to impose their will without resistance. This discourages challenges to unfair actions, reinforcing unequal power structures where the assertive continually benefit at others' expense.

한글번역

사람들은 종종 줄을 새치기한다 : "제가 복사기를 사용해도 될까요?"라고 묻는 것만으로 60%의 확률로 새치기가 가능했다. 그들이 급하다고 덧붙이면, 94%의 확률로 새치기를 할 수 있었다. "제가 복사기를 사용해도 될까요? 왜냐하면 복사를 해야 하거든요."라는 문장은 그 이유가 부실함에도 불구하고 거의 비슷한 효과를 보였다.

줄을 새치기할 때, 그 바로 뒤에 있는 사람이 이를 허용할지 말지를 결정하는 경우가 많다. 그 사람이 반대하지 않으면, 줄 선 다른 사람들도 대체로 조용히 있는 경향이 있다.

새치기하는 사람에게 줄 선 사람들이 반대할 확률은 54%이다. 두 명이 새치기를 할 경우, 누군가가 반대할 확률은 91.3%로 증가한다. 새치기하는 사람 뒤에 있는 사람들(즉, 뒤에 있는 모든 사람들)이 반대할 비율은 73.3%이며, 침범 지점 바로 뒤에 있는 사람이 가장 자주 반대한다. 그럼에도 불구하고, 새치기로 인한 신체적 충돌은 드물다.

일부 승객들은 보통 휠체어를 사용하지 않음에도 불구하고, 빠르게 보안 검사를 통과하고 비행기에 먼저 탑승하기 위해 휠체어를 요청한다. 그러나 비행이 끝나면, 이 승객들은 휠체어를 기다리지 않고 비행기에서 먼저 걸어 나가 마지막에 하차하는 것을 피한다.

사람들이 왜 다른 사람들의 새치기를 허용할까? 주요한 설명은 사람들이 더 절실한 요구를 가진 사람들에게 친절하게 대한다는 것이다:

실험자들은 작은 지폐를 가지고 줄을 선 500명에게 다가가 새치기를 하기 위해 최대 10달러까지의 현금을 제공했다. 줄 선 사람들은 그들에게 새치기를 허용했지만 대부분 돈을 받으려 하지 않았다. 이를 통해 사람들은 새치기하는 사람이 시간을 절약해야 할 진정한 필요가 있다고 인식하면 허용할 가능성이 높다고 연구자들은 해석했다.

고객들이 게임을 한 번만 할 때는 선착순이라는 규칙이 유지되고, 새치기는 거부된다. 그러나 플레이어들이 반복적으로 게임에 참여할 때는 패턴이 달라진다. 줄 선 사람들은 더 긴급한 요구를 보이거나 최소한의 서비스 시간을 요구하는 사람들에게 길을 양보한다.

> 이 모든 것이 내겐 숨겨진 동기의 예로 보인다. 우리가 친절을 베풀고 있다 주장하고 싶다 하더라도, 나는 우리가 갈등을 피하려는 것이라 본다. 누군가가 우리의 이익을 침해하며 공격적인 행동을 할 때, 우리는 그들에게 맞서 싸울지 아니면 갈등을 피할지를 선택할 수 있다. 갈등을 피하는 것은 우리가 그 행동을 친절로 해석할 때 훨씬 더 쉬워진다.
>
> 우리는 모두 어떤 식으로든 기꺼이 갈등을 감수하려는 사람들이, 다른 사람의 희생을 치르고라도, 바라는 바를 얻는다는 규범을 받아들이는 것 같다. 우리는 지배하려는 자의 지배를 받아들인다.

NOTE

Step 1	**S**urvey
Key Words	Line cutting; confrontation; social behavior; excuses; dominance
Signal Words	Because; thus; leads to; results in; as a result
Step 2	**R**eading
Purpose	To analyze why people allow line cutting despite social norms against it
Pattern of Organization	Cause/effect (shows how different scenarios and behaviors lead to various outcomes in line-cutting situations, ultimately revealing the underlying cause (avoiding confrontation) that leads to the effect (allowing cuts))
Tone	Analytical/skeptical
Main Idea	The psychology behind line-cutting behavior reveals complex social dynamics between assertiveness and conflict avoidance.
Step 3	**S**ummary
지문 요약하기 (Paraphrasing)	The social dynamics of line-cutting behavior reveal a subtle interplay between assertiveness and conflict avoidance in human interactions. While research suggests that people allow others to cut in line out of consideration for urgent needs, as evidenced by their refusal to accept payment for surrendering their spots, a more compelling explanation may lie in conflict avoidance. The high success rate of simple cutting requests, particularly when accompanied by any justification, suggests that society often rewards those willing to risk confrontation, with most people choosing the path of least resistance under the guise of altruism. This pattern reflects a broader social phenomenon where assertive behavior, even at others' expense, often prevails due to others' reluctance to engage in conflict.
Step 4	**R**ecite
	요약문 말로 설명하기

26

모범답안 The potential drawbacks are that they(traditional power restoration techniques) can be slow and reactive, often requiring manual inspection and repair of damaged infrastructure, which can take a significant amount of time, especially after widespread outages caused by natural disasters. Second, microgrids are important because they enable localized control over electricity generation and distribution, allowing communities to function independently of the main grid during outages.

채점 기준

+ 2점: 잠재적 단점을 "they(traditional power restoration techniques) <u>can be slow and reactive, often requiring manual inspection and repair of damaged infrastructure, which can take a significant amount of time</u>, especially after widespread outages caused by natural disasters."라 서술하였거나 유사하였다.

☞ 다음과 같이 서술하였어도 2점을 준다.
- The potential drawbacks include <u>long delays in restoring power, as communities are dependent on the central utility's infrastructure, which may take time to repair</u>. This dependence can be particularly problematic during extreme weather or disasters when repairs are slow, leading to prolonged outages.
- The potential drawbacks are that <u>the delay in restoration can leave communities without power for extended periods, potentially leading to dangerous situations, especially in critical services like hospitals</u>.

+ 2점: 마이크로그리드가 중요한 이유를 "<u>because they enable localized control over electricity generation and distribution, allowing communities to function independently of the main grid during outages</u>."라 서술하였거나 유사하였다.

☞ 다음과 같이 서술하였어도 2점을 준다.
- <u>because they can utilize alternative energy sources, which enhances system flexibility and resilience, and reduce reliance on long transmission lines, thus improving efficiency and reliability</u>.
- <u>because they can operate independently from the main power grid, using alternative energy sources to provide electricity during outages or when disconnected from the main utility</u>.

한글번역

강풍으로 전선이 끊기면 지역 사회가 몇 시간에서 며칠 동안 전기가 끊기는 상황이 발생하는데, 이는 최악의 경우 위험할 수 있는 불편한 상황이다. UC 산타크루즈의 장 위 교수와 그의 연구실은 전력 시스템의 효율성, 신뢰성, 회복력을 향상시키기 위한 도구를 활용하고 있으며, 정전이 발생했을 때 전력을 복구하기 위해 마이크로그리드를 스마트하게 제어하는 인공지능(AI) 기반 방식을 개발했다.

그들은 그들의 새로운 AI 모델을 설명하며, 이 방식이 전통적인 전력 복구 기술보다 더 우수하다는 것을 보여줬다. 오늘날 마이크로그리드는 산업계와 학계 모두가 미래의 전력 분배 시스템에 집중하고 있는 주제이다.

많은 지역에서는 전력을 지역 발전 회사에 전적으로 의존하고 있다. 이는 재난이나 극한 기상 상황, 혹은 나무가 전선 위로 떨어지는 단순한 상황에서도 전력이 복구될 때까지 정전이 된다는 것을 의미한다. 오늘날 많은 전력 시스템은 컴퓨터와 센서로 상호 연결돼 스마트해졌으며, 종종 옥상 태양광 패널이나 소형 풍력 터빈 같은 지역 재생 에너지원들을 통합하고 있다. 일부 가정과 건물은 백업 발전기나 에너지 배터리에 의존해 전기 수요를 충당한다.

이러한 다양한 전력원들의 혼합은 상류 전력이 복구되기 전에 대체 에너지원들을 사용해 지역적으로 정전을 해결할 기회를 제공한다. 이를 해결하는 한 가지 방법은 마이크로그리드를 사용하는 것이다. 마이크로그리드는 몇 개의 건물이나 마을 같은 작은 지역에 전력을 분배하는데, 마이크로그리드의 크기는 다양할 수 있다.

마이크로그리드는 메인 전력 회사에 연결될 수 있지만, "독립 모드"에서 재생 에너지원이나 발전기, 배터리 같은 대체 에너지원들에 의해 자체적으로 운영되면서 메인 전력 회사의 문제로부터 영향을 받지 않는다. 장 교수의 연구팀은 이러한 다양한 대체 에너지원들을 최적화해 마이크로그리드가 신속하고 정확하게 전력을 복구할 수 있도록 하는 연구에 집중하고 있다.

장 교수는 기본적으로 전력 생산을 수요 쪽으로 더 가까이 가져가 전송선의 길이를 없애고 싶다고 말했다. 이는 전력 품질을 향상시키고 전송선에서 발생하는 전력 손실을 줄일 수 있다. 이렇게 해서 "우리는 그리드를 더 작고 강력하며 더 회복력 있게 만들 것"이라고 그는 덧붙였다.

NOTE

Step 1	Survey
Key Words	Power outages; microgrids; AI; renewable energy; resilience
Signal Words	Not clear
Step 2	**Reading**
Purpose	To explain how AI-controlled microgrids can solve power outage problems
Pattern of Organization	Not clear
Tone	Informative/optimistic
Main Idea	Modern power systems are evolving toward microgrids as a solution to enhance electrical grid resilience and efficiency.
Step 3	**Summary**
지문 요약하기 (Paraphrasing)	The evolution of power systems toward microgrids represents a crucial advancement in electrical infrastructure resilience. UC Santa Cruz researchers have developed an AI-based approach that optimizes microgrid operations, enabling communities to maintain power during outages through local renewable energy sources, batteries, and generators. This shift from traditional utility-dependent systems to decentralized microgrids brings power generation closer to consumers, reducing vulnerability to widespread outages and transmission losses. The innovation promises a more robust and efficient electrical grid that can better withstand disasters and extreme weather events, marking a significant step toward more resilient power distribution systems.
Step 4	**Recite**
	요약문 말로 설명하기

27 하위내용영역 일반영어 B형 서술형　배점 4점　예상정답률 50%　본책 p.265

모범 답안　There are pros and cons in terms of being an outlier. First, regarding the advantages, outliers often drive innovation by thinking outside conventional norms, bringing diverse perspectives that enrich communities and lead to groundbreaking advancements and better decisions. Second, with regard to the downside, outliers may experience isolation and misunderstanding due to their differences, leading to social or professional challenges. In conclusion, however, with supportive environments that value diversity, outliers can thrive and make significant contributions to society.

채점 기준

+1점: 글의 topic sentence를 다음과 같이 서술하였거나 유사하였다.
"There are pros and cons in terms of being an outlier."

+2점: 글의 major supporting details를 다음과 같이 서술하였거나 유사하였다.
"First, regarding the advantages, outliers often drive innovation by thinking outside conventional norms, bringing diverse perspectives that enrich communities and lead to groundbreaking advancements and better decisions.(1점) Second, with regard to the downside, outliers may experience isolation and misunderstanding due to their differences, leading to social or professional challenges.(1점)"
☞ 2개 중 2개 모두를 정확하게 요약한 경우 2점, 1개만 요약한 경우 1점, 요약하지 못한 경우 0점을 준다.

+1점: 글의 결론을 "In conclusion, (however), with supportive environments that value diversity, outliers can thrive and make significant contributions to society."라 서술하였거나 유사하였다.

● 감점
- 본문에 나오는 연속되는 5단어 이상을 사용하였다. −1pt
- 문단을 두 개나 그 이상으로 구성하였다. −1pt
- grammar나 영어표현이 합쳐 4개 이상 오류가 있다. −1pt

한글번역

아웃라이어(outlier)라는 용어를 사용할 때는 흔히 그들의 분야나 사회에서 정상 범위를 크게 벗어나는 특성, 업적, 행동을 보이는 사람들을 지칭한다. 이러한 사람들은 혁신가, 고성취자, 또는 극단적인 성향을 가진 사람들일 수 있다. 데이터의 아웃라이어처럼, 아웃라이어로 여겨지는 사람들은 그들의 환경과 자신에게 긍정적 또는 부정적 영향을 미칠 수 있다.

아웃라이어는 종종 혁신을 주도하는데, 이는 그들이 전통적인 규범 밖에서 사고하고 행동하기 때문이다. 그들의 독특한 관점과 위험을 감수하는 자세는 획기적인 발견, 발명, 예술적 표현을 이끌어낼 수 있다. 또한, 다르게 사고하고 행동하는 사람들을 포함함으로써 커뮤니티나 학문 분야는 다양한 관점과 해결책을 도입하게 되며, 이는 더 강력한 토론, 결정, 결과로 이어질 수 있다.

현저히 다른 존재가 된다는 것은 때로 고립감을 느끼게 할 수 있다. 아웃라이어들은 자신과 관심사나 관점을 공유할 또래를 찾는 데 어려움을 겪을 수 있으며, 이는 외로움이나 소외감을 초래할 수 있다. 또한, 다수의 사람들은 그들의 아이디어나 행동을 괴짜 같거나 급진적이라고 오해할 수 있으며, 이는 갈등이나 의도에 대한 오해, 때로는 사회적 또는 직업적 불이익으로 이어질 수 있다.

아웃라이어가 되는 것은 양날의 검일 수 있다. 아웃라이어의 독특한 속성과 능력은 사회에 중요한 기여를 할 수 있으며 개인적인 성취감을 느낄 수 있게 한다. 그러나 그들이 직면하는 도전은 모든 형태의 다양성을 인식하고 육성하는 지원 환경의 중요성을 강조한다. 다행히도 사회와 기관이 다양성과 포용성의 가치를 점점 더 인식하면서, 아웃라이어들이 성장하고 세상에 긍정적인 영향을 미칠 가능성도 커지고 있다.

NOTE

Step 1	**S**urvey
Key Words	Outliers; innovation; diversity; isolation; perspectives
Signal Words	However; both; while; in addition; also
Step 2	**R**eading
Purpose	To explore both positive and negative aspects of being an outlier
Pattern of Organization	Compare/contrast (discusses advantages and disadvantages of being an outlier, contrasting both sides throughout the text)
Tone	Analytical
Main Idea	There are both positive and negative aspects of being an outlier.
Step 3	**S**ummary
지문 요약하기 (Paraphrasing)	There are pros and cons in terms of being an outlier. First, regarding the advantages, outliers often drive innovation by thinking outside conventional norms, bringing diverse perspectives that enrich communities and lead to groundbreaking advancements and better decisions. Second, with regard to the downside, outliers may experience isolation and misunderstanding due to their differences, leading to social or professional challenges. In conclusion, however, with supportive environments that value diversity, outliers can thrive and make significant contributions to society.
Step 4	**R**ecite
	요약문 말로 설명하기

28

모범 답안 We can infer that avant-garde artists were exploring new territories in art. Second, it is because traditional interpretations of <Fountain> merely view it as a provocative or mocking piece that challenged conventional art, but the writer believes <Fountain> is more profoundly a true contradiction or dialetheia—art that is defined by its essence of not being art, thereby offering a deeper, more controversial philosophical concept.

채점 기준

+2점: 전위파 예술가들의 특성에 관해 추론할 수 있는 것을 "avant-garde artists were exploring new territories in art."라 서술하였거나 유사하였다.

☞ 다음과 같이 서술하였어도 2점을 준다.
- avant-garde artists were accustomed to pushing the boundaries of traditional art forms.
- avant-garde artists were known for their experimental and unconventional approaches.
- avant-garde artists are those who embrace innovation and unconventional approaches to art, as they challenge traditional artistic norms and boundaries.
- avant-garde artists are open to pushing the limits of what is considered art.

+2점: "그것만으로는 충분하지 않다"라 말한 이유를 "because traditional interpretations of <Fountain> merely view it as a provocative or mocking piece that challenged conventional art, but the writer believes <Fountain> is more profoundly a true contradiction or dialetheia—art that is defined by its essence of not being art, thereby offering a deeper, more controversial philosophical concept."라 서술하였거나 유사하였다.

☞ 다음과 같이 서술하였어도 2점을 준다.
- because previous interpretations of <Fountain> focused primarily on its role in shifting art from aesthetics to intellectual engagement or mocking the art world. The writer argues that these views are incomplete, as they fail to acknowledge the deeper philosophical concept of <Fountain> being both art and not art simultaneously, a more radical and controversial interpretation.

한글번역

　1917년, 예술과 철학에 중요한 사건이 일어났다. 마르셀 뒤샹은 알프레드 스티글리츠의 뉴욕 스튜디오에서 그의 예술작 <샘>을 공개했다. 이 작품은 단순히 "R. Mutt"라고 서명된 도자기로 만든 소변기였다.

　<샘>은 당시 아방가르드 예술가들 사이에서도 악명이 높았다. 20세기 내내 가장 많이 논의된 예술 작품 중 하나로 자리 잡았다. 독립예술가협회는 전시비용을 지불한 예술가들의 모든 작품을 전시해야 했음에도, 이 작품을 거부했다. 거의 한 세기 동안, 이 작품은 난해한 예술 작품으로 남아있다. 철학자 존 패스모어는 <샘>을 "예술계를 조롱하는 장난"이라고 표현했으나, 많은 사람들이 이 작품을 매우 진지하게 받아들였다.

　물론 어느 정도 장난기가 있었지만, 뒤샹이 무작위로 소변기를 선택한 것은 아니었다. 그러나 <샘>은 단순히 조롱 이상의 의미를 지닌다. <샘>을 그토록 주목받게 만드는 이유는 그 철학적 기여에 있다.

　비평가들은 자주 이 작품이 개념미술에 끼친 영향을 강조한다. 그리고 이 가장 '공격적인' 기성품이 지속적인 유산을 남겼다는 것은 명확하다. 이 작품은 2004년에 수백 명의 예술 전문가들에 의해 20세기의 가장 중요한 작품으로 선정됐다. 앤디 워홀, 조셉 보이스, 트레이시 에민에 이르기까지, 이 소변기는 예술가들로 하여금 전통적인 예술 작품에 대한 정의를 재고하게 만들었다. 회화와 조각 대신에 예술은 갑자기 브릴로 상자, 정돈되지 않은 침대, 또는 레몬에 꽂힌 전구가 됐다. 즉, 평범한 물건들이, 일부는 기성품으로, 본래의 맥락에서 벗어나 미술관에 전시된 것이다. 예술 비평가 로버타 스미스는 이를 이렇게 요약했다 : "뒤샹은 창작 행위를 놀라울 정도로 기본적인 수준으로 축소했다. 그것은 단 하나의 지적이고 거의 무작위적인 결정으로 이 물체나 활동을 '예술'이라고 명명하는 것이었다." 뒤샹의 선택은 (사실) 전혀 무작위적이지는 않았지만, 스미스의 설명은 뒤샹의 작업이 촉발한 충격을 잘 보여준다 : 만약 이것이 예술이라면, 무엇이든 예술이 될 수 있다.

　그 이후로 학자들은 <샘>이 미학에서 사상으로의 전환을 보여준다고 논의했다. 철학자 노엘 캐롤이 지적했듯이, 마티스의 생생한 그림이나 바바라 헵워스의 장엄한 석조 조각과는 달리, 뒤샹의 작품은 실제로 보지 않고도 생각하는 것만으로도 즐길 수 있다.

　이런 전통적인 관점들은 모두 <샘>에 중요한 요소들이다. 하지만 그것만으로는 충분하지 않다. 이 관점들은 <샘>을 예술로 취급하지만, 일종의 지적 야유로 간주한다. 즉 예술가들이 자신의 분야를 더 학문적으로 조롱하고 비웃도록 자극한 일종의 지적 야유로. 우리의 설명은 더 논란의 여지가 있다 : 우리는 <샘>이 예술이 아닌 한에서만 예술이라고 본다. 그것은 그것이 아닌 것이며, 이것이 바로 그것이 존재하는 이유이다. 다시 말해, 이 작품은 '모순된 진리'를 전달하는데, 이를 '다이알레티아'(철학에서 참된 모순을 의미하는 개념으로, 어떤 명제가 동시에 참이면서 거짓일 수 있다는 것을 의미한다. 전통 논리학에서는 모순된 진술은 항상 거짓이라고 여기지만, 다이알레티아는 이러한 고정된 원칙에 도전하는 개념이다.)라고 부른다. <샘>은 단순히 개념미술을 시작한 것이 아니라, 우리에게 흥미롭고 독특한 개념을 제시했다. 즉, 예술 작품이지만 실제로는 예술이 아닌 것, 그리고 일상적인 물건이지만 단순한 일상적인 물건이 아닌 것이라는 개념이다.

NOTE

Step 1	Survey
Key Words	Fountain; Duchamp; art; contradiction; urinal
Signal Words	Not clear
Step 2	**Reading**
Purpose	To analyze the philosophical significance and impact of Duchamp's Fountain on art
Pattern of Organization	Not clear
Tone	Contemplative
Main Idea	Marcel Duchamp's *Fountain* represents a philosophical watershed moment that challenged fundamental concepts of art and reality.
Step 3	**Summary**
지문 요약하기 (Paraphrasing)	Marcel Duchamp's *Fountain* marks a revolutionary moment in art history that transcends mere artistic provocation. By presenting a signed urinal as artwork, Duchamp not only influenced the development of conceptual art but also introduced a profound philosophical paradox. While the piece is often interpreted as a critique of traditional artistic values, its true significance lies in its dialectical nature—existing simultaneously as both art and non-art. This inherent contradiction challenges fundamental assumptions about artistic categorization and meaning, establishing Fountain as a philosophical concept that continues to provoke deep questions about the nature of art and reality itself.
Step 4	**Recite**
	요약문 말로 설명하기

29 하위내용영역 일반영어 B형 서술형 배점 4점 예상정답률 40% 본책 p.271

모범 답안 The word is "return". Second, this refers to the way these two departments avoid direct confrontation or interaction.

채점 기준

+2점: 빈칸에 들어갈 단어를 "<u>return</u>"이라 정확히 기입하였다. 이외에는 답이 될 수 없다.

☞ 참고해설은 다음과 같다.

Between "return" and "results," the word "return" is the better choice in the context of the passage. This is because "return" specifically relates to the concept of return on investment (ROI), which is a key theme in the passage. The passage discusses the financial effectiveness (or lack thereof) of marketing activities, and "return" directly ties into the financial language and focus of the text.

However, "results" is also a valid option, especially if you want to emphasize general outcomes rather than specifically financial outcomes. But given the passage's focus on the financial aspect, "return" is the stronger choice.

+2점: 밑줄 친 부분이 가리키는 것을 "<u>the way these two departments avoid direct confrontation or interaction.</u>"이라 서술하였거나 유사하였다.

☞ 다음과 같이 서술하였어도 2점을 준다.

- this refers to <u>the tense and disconnected relationship between the sales and marketing departments within a company</u>. It describes a situation where the two groups avoid direct conflict but also fail to collaborate or engage meaningfully, leading to a lack of synergy that can ultimately harm the organization.
- the phrase refers to <u>a situation where the two groups acknowledge each other's existence but choose to ignore or avoid interaction</u>, much like two people passing each other in a hallway without speaking or making eye contact.
- the phrase illustrates <u>the lack of communication and collaboration between the marketing and sales teams</u>, which can lead to inefficiencies and conflicts within the organization.
- it suggests <u>a superficial truce or avoidance rather than a productive, cooperative relationship, highlighting the disconnect and tension that often exists between these departments</u>.

한글번역

마케팅이 망가졌다고 말할 때, 그것은 무엇을 의미할까? 간단히 말해, 마케팅이 더 이상 자기의 본연의 역할을 하지 못하고 있다는 것이다. 마케팅은 판매를 중심으로 이뤄진다. 만약 판매를 시작하거나, 돕거나, 마무리짓지 못한다면, 마케팅은 실패한 것이다. 분명 그것은 실패하고 있다. 대부분의 회사에서 마케팅 지출의 가장 큰 항목은 광고인데, 이는 예산의 4분의 1에서 4분의 3을 차지한다. 일부 산업에서는 마케팅이 매출의 3분의 1을 차지한다. 그럼에도 불구하고 마케팅과 그 결과로 수반되는 매출 간의 연관성은 거의 입증되지 않고 있다. 놀라운 일이다.

마케팅은 20년 전에나 통하던 개념들에 기초해 있다. 충분한 메시지를 뿌리면 그중 일부는 전달될 것이라는 개념. '브랜드 구축'이 돈을 잘 쓴 것이라는 개념. 사람들이 보고 듣는 것을 믿는다는 개념. 최근 웹 2.0 기술을 이용하려는 시도들은 단지 구식 기법을 새로운 매체에 적용하려는 반응일 뿐이다. 마케팅은 자신들이 전달하는 메시지, 메시지를 전달하는 대상, 그리고 사용하는 방법을 재고할 필요가 있다. 많은 기업들이 수백만 파운드의 마케팅 활동에 대해 실질적인 성과가 부족하다고 실망하고 있다. 광고는 여전히 대부분의 회사 마케팅 계획에서 가장 큰 예산 항목이다. 광고는 회사의 연간 지출에서 고정 항목일 수 있지만, 경영진은 점점 더 왜 이러한 지출이 계속되는지 의문을 제기하고 있다.

광고가 판매에 영향을 미친다는 강력한 증거는 없다. 마케팅과 투자 수익률(ROI)에 대한 학문적 연구는 그 수가 적고, 결론도 설득력이 없다. 마케팅 업계 자체에서는 주장들이 많고, 브랜드와 매출 또는 주가 간의 연관성에 대한 몇 가지 주장이 있다. 수익과 이익이 큰 기업은 보통 잘 알려진 브랜드를 가지고 있다는 것은 사실이다. 그러나 브랜드 인지도는 매출 증가의 결과일 수 있으며, 그 반대는 아닐 수 있다. (여기서 it은 sales; driver는 cause의 의미) 구글은 광고를 한 적이 없지만 세계에서 가장 강력한 브랜드가 됐다.

대부분의 회사에서 판매와 마케팅 간에는 단절이 존재한다. 이는 운영 수준에서 영업팀과 마케팅팀이 카풀렛 가문과 몬태규 가문(로미오와 줄리엣의 가문—서로 적대적임)처럼 싸우는 부서 간 전쟁으로 나타나며, 그 결과는 참담하다. 거의 모든 회사 내부에는 마케팅과 판매 간의 큰 간격이 존재한다. 화합은 거의 없으며, 그나마도 가장 좋은 경우에는 서로 반대편 복도를 지나가면서 침묵하는 합의일 뿐이다. 최악의 경우, 조직 전체를 마비시킬 수 있다. 서로 다른 영토를 가지고 있으며, 어느 쪽도 상대방의 관점을 이해하지 못한다.

NOTE

Step 1	**S**urvey
Key Words	Marketing; sales; advertising; ROI; disconnect
Signal Words	Because; yet; thus; when; therefore
Step 2	**Reading**
Purpose	To explain why current marketing practices are ineffective
Pattern of Organization	Cause/effect → The text is explaining why marketing is broken by showing various causes: (Outdated marketing notions/ No proven link between advertising and sales/ Disconnect between sales and marketing departments) → These causes lead to effects: (Marketing failing its job/ Wasted budgets/ Poor ROI/ Organizational paralysis)
Tone	Critical
Main Idea	Modern marketing faces a fundamental crisis of effectiveness, particularly in demonstrating its direct impact on sales and revenue generation.
Step 3	**Summary**
지문 요약하기 (Paraphrasing)	Modern marketing faces a critical crisis of effectiveness, with traditional approaches failing to demonstrate tangible returns on investment. Despite consuming substantial portions of company budgets—sometimes up to a third of revenues—marketing activities, particularly advertising, rarely show clear links to sales outcomes. This disconnect is exacerbated by the operational divide between marketing and sales departments, which often function as opposing forces within organizations. The success of companies like Google, which built global brand dominance without traditional advertising, further challenges conventional marketing wisdom and underscores the need for a fundamental rethinking of marketing strategies and metrics in today's business environment.
Step 4	**Recite**
	요약문 말로 설명하기

30

모범 답안 The word is "intellectualism". Second, it does so by privileging theoretical knowledge over practical skills, it has helped create a division where mental labor is seen as superior to physical labor, influencing the structure of modern labor practices.

채점 기준

+2점: 빈칸에 들어갈 단어를 "intellectualism"이라 정확히 기입하였다. 이외에는 답이 될 수 없다.
+2점: 주지주의적 '~라는 것을 아는 것'에 중점을 두는 것이 어떻게 사회적, 경제적 노동 분업에 기여하는가라는 질문에 "by privileging theoretical knowledge over practical skills, it has helped create a division where mental labor is seen as superior to physical labor, influencing the structure of modern labor practices"라 서술하였거나 유사하였다.

☞ 다음과 같이 서술하였어도 2점을 준다.

- (The intellectualist focus on "knowing-that" contributes to the socio-economic division of labor) by devaluing embodied skills and practical knowledge, which are essential in many forms of labor. This philosophical distinction has reinforced a separation between those who engage in intellectual, theoretical work and those who perform practical, manual tasks.
- by privileging abstract (theoretical) knowledge over practical (embodied) skills, it has helped create a division where mental labor is seen as superior to physical labor, influencing the structure of modern labor practices.

한글번역

릴리는 캔버라가 호주의 수도라는 것을 알고 있다. 아로하는 바이올린을 연주하는 방법을 알고 있다. 이러한 '앎'은—도대체 공통점이란 게 있다면—어떤 공통점이 있을까? 전통적으로 철학자들은 릴리의 앎처럼 명제 속에 담겨 전달될 수 있는 '~라는 것을 아는 것'과, 아로하의 앎처럼 신체에 어느 정도 내재된 '~하는 방법을 아는 것'을 엄격하게 구분해왔다. 이러한 틀 내에서 '~라는 것을 아는 것'은 그 즉시성(마음에 대한 어떤 가정 하에서)과 말하기, 글쓰기, 형식 논리와 같은 추론 기술과의 명확한 접점을 이유로 인식론과 마음 철학의 유일하고 적절한 영역으로 특권을 부여받는 경향이 있었다. (의미 설명 : knowing facts (like "Canberra is the capital of Australia") is **immediate** because it's often thought to involve **clear, logical mental processes** that don't require **physical action or practical skill**. The assumptions about the mind suggest that **propositional knowledge can be quickly recalled or articulated**, unlike "knowing-how," which may involve **more complex, embodied actions that are not as easily accessed or expressed in words**. This **immediacy** is why "knowing-that" is often privileged in traditional epistemology 전통적 인식론.)

이 구분은 아리스토텔레스 시대로 거슬러 올라가지만, 데카르트가 의심할 여지없는 지식을 확립하려는 시도로 정신과 몸을 형이상학적으로 분리하면서 더욱 힘을 얻었다. 이(Descartes' metaphysical separation of mind and body)는 앎을 몸과 분리된 생각이나 '머릿속의 명제'(오늘날 종종 '정신적 내용'이라 불리는)로 이해하는 방식으로 이어졌다. 머릿속의 명제라는 이 은유는 정신이 세상과 상호작용하거나 대처하는 것이 아니라, 주로 세상을 표상하는 것이라는 주지주의적 핵심 사고를 만들어낸다. 이러한 (세상과 상호작용하거나 대처하는 것을 등한시 하고 오직) **표상에 대한 초점(강조)을 맞추는 것은** 철학자들이 가장 정교한 '방법을 아는 것' 조차도 적절한 지식으로 취급하지 않고, 단지 신체적 기술로만 여기는 경향을 더욱 강화시켰다. 신체적 경험을 격하시키는 이 문화적 효과(결과)는, 근대성의 특징인 노동의 사회경제적 분업에도 반영됐을 뿐만 아니라 이를 더욱 심화시켰다.

현상학과 실용주의는 적어도 부분적으로 (이러한) 주지주의를 비판하면서 발전했다. 유명한 현상학자인 후설은 그의 저서 《유럽 학문의 위기와 초월적 현상학》에서 이 문화적이고 정치적인 문제를 논쟁적인 방식으로 제기하며, 주지주의적 이성과 합리성에 대한 이해가 철학, 자연과학 및 인문과학, 그리고 우리 문화 전반에 정당성의 위기를 초래했다고 주장했다. 또한, 실용주의는 주지주의가 의미를 구성하는 데 있어 주체의 역할을 무시하기 때문에 이를 거부한다. 널리 알려져 있는 존 듀이의 언급처럼, 우리는 단순히 현실의 "관찰자"(즉, 표상자)가 아니라, 동시에 "개입자"이기도 하며, 이것이 경험의 개념에 포함돼야 한다.

Step 1	Survey
Key Words	Knowing-that; knowing-how; intellectualism; philosophy; mind-body distinction
Signal Words	Not clear
Step 2	**Reading**
Purpose	To examine different types of knowledge and critique the traditional philosophical distinction between them
Pattern of Organization	Not clear
Tone	Analytical
Main Idea	The philosophical distinction between "knowing-that" and "knowing-how" reflects a deeper intellectual divide in how we understand human knowledge and consciousness.
Step 3	**Summary**
지문 요약하기 (Paraphrasing)	The philosophical divide between propositional knowledge ("knowing-that") and embodied skills ("knowing-how") represents a fundamental tension in our understanding of human consciousness and learning. Rooted in Cartesian dualism, traditional philosophy has privileged propositional knowledge as the primary form of understanding, viewing mindedness primarily through the lens of mental representation. However, phenomenologists and pragmatists challenge this intellectualist approach, arguing that it artificially separates mental and physical aspects of knowledge, creating a crisis in how we understand human experience. Their critique suggests that genuine understanding emerges from the integration of mental representation and physical engagement with the world, challenging the traditional hierarchy that has profoundly influenced both philosophical thought and broader cultural attitudes toward knowledge and skill.
Step 4	**Recite**
	요약문 말로 설명하기

31 하위내용영역 일반영어 B형 서술형 배점 4점 예상정답률 50%

모범 답안 Forest fragmentation, the division of large forests into smaller segments due to human activities, poses significant environmental threats. First, it reduces biodiversity by shrinking habitats, disrupting migration and breeding, and increasing vulnerability to external threats. Second, forest fragmentation weakens ecosystem services like carbon storage, soil conservation, and water regulation, contributing to climate change, soil erosion, and declining water quality. In conclusion, to address these challenges, it is essential to protect large forest areas and restore connections between fragmented patches.

채점 기준

+1점: 글의 topic sentence를 다음과 같이 서술하였거나 유사하였다.
"Forest fragmentation, the division of large forests into smaller segments due to human activities, poses significant environmental threats."
☞ 정의가 들어간 경우 1점, 없으면 0.5점을 준다.

+2점: 글의 major supporting details를 다음과 같이 서술하였거나 유사하였다.
"First, it reduces biodiversity by **shrinking** habitats, **disrupting** migration and breeding, and **increasing** vulnerability to external threats.(2~3개 서술했을 경우 1점; 나머지는 0점)
Second, forest fragmentation **weakens ecosystem services** like carbon storage, soil conservation, and water regulation, (contributing to climate change, soil erosion, and declining water quality)."
☞ 2개 중 2개 모두를 정확하게 요약한 경우 2점, 1개만 요약한 경우 1점, 요약하지 못한 경우 0점을 준다.

+1점: 글의 결론을 "In conclusion, to address these challenges, it is essential to protect large forest areas and restore connections between fragmented patches."라 서술하였거나 유사하였다.

● **감점**
 • 본문에 나오는 연속되는 5단어 이상을 사용하였다. -1pt
 • 문단을 두 개나 그 이상으로 구성하였다. -1pt
 • grammar나 영어표현이 합쳐 4개 이상 오류가 있다. -1pt

한글번역

　산림 파편화라는 용어는 다양한 인간 활동에 의해 숲에 가해지는 경관 수준의 구조적 변화를 요약하는 데 자주 사용된다. 이는 농업, 도시 개발, 인프라 확장과 같은 인간 활동으로 인해 크고 연속적인 숲이 더 작은 조각들로 나뉘는 과정이다. 이는 심각한 환경적 도전 과제를 제기한다. 산림 지역이 점점 더 파편화됨에 따라 이러한 지역의 생태적 통합성이 약화돼 여러 가지 부정적인 결과를 초래한다.
　산림 파편화의 주요 단점 중 하나는 생물 다양성의 손실이다. 숲이 더 작은 조각으로 나뉘면 서식지가 축소되고, 넓고 연속적인 서식지를 필요로 하는 종들은 멸종 위기에 처할 수 있다. 파편화는 또한 이동 및 번식 패턴을 방해하고, 개체군을 고립시키며, 근친 교배 가능성을 높여 유전적 다양성을 더욱 감소시킬 수 있다. 또한 파편화된 숲의 가장자리는 외래종, 오염, 기후 변화와 같은 외부 영향에 더 많이 노출되기 때문에 특히 취약하다.
　산림 파편화의 또 다른 중요한 결과는 생태계 서비스에 미치는 영향이다. 숲은 탄소 격리, 토양 보존, 수질 조절에 필수적이지만, 파편화는 숲의 면적을 줄이고 이를 유지하는 자연 과정을 방해함으로써 이러한 기능을 약화시킨다. 그 결과, 더 작은 산림 조각들은 탄소를 저장하는 데 덜 효과적이 돼 기후 변화를 악화시킨다. 또한, 파편화는 토양 침식을 증가시키고, 더 큰 완전한 숲이 제공하는 여과 과정을 방해하여 수질을 저하시킨다.

산림 파편화는 생물 다양성과 생태계 서비스 제공에 심각한 위험을 초래한다. 이러한 영향을 완화하기 위해서는 큰 연속적인 산림 지역을 보존하고 파편화된 서식지 간의 연결성을 복원하는 보호 노력이 중요하다.

NOTE

Step 1	**S**urvey
Key Words	Fragmentation; biodiversity; forests; habitat; ecosystem
Signal Words	Due to; leads to; as a result; when; therefore
Step 2	**R**eading
Purpose	To explain how forest fragmentation causes environmental problems
Pattern of Organization	Series
Tone	Concerned
Main Idea	Forest fragmentation, the division of large forests into smaller segments due to human activities, poses significant environmental threats.
Step 3	**S**ummary
지문 요약하기 (Paraphrasing)	Forest fragmentation, the division of large forests into smaller segments due to human activities, poses significant environmental threats. First, it reduces biodiversity by shrinking habitats, disrupting migration and breeding, and increasing vulnerability to external threats. Second, forest fragmentation weakens ecosystem services like carbon storage, soil conservation, and water regulation, contributing to climate change, soil erosion, and declining water quality. In conclusion, to address these challenges, it is essential to protect large forest areas and restore connections between fragmented patches.
Step 4	**R**ecite
	요약문 말로 설명하기

32 하위내용영역 일반영어 B형 서술형 배점 4점 예상정답률 50% 본책 p.280

모범 답안 The word is "heat". Second, it does so by reducing the need for air conditioning, thereby lowering energy consumption and decreasing carbon emissions.

채점 기준
+ 2점: 빈칸에 들어갈 단어를 "heat"라 기입하였다. 이외에는 답이 될 수 없다.
+ 2점: 냉각 유리의 개발이 어떻게 기후 변화 대응을 위한 글로벌 노력과 부합하는가라는 질문에 "by reducing the need for air conditioning, thereby lowering energy consumption and decreasing carbon emissions"라 서술하였거나 유사하였다.

☞ 다음과 같이 서술하였어도 2점을 준다.
- the cooling glass helps reduce the need for air conditioning, which in turn lowers energy consumption and carbon emissions. This aligns with global efforts to fight climate change by promoting energy efficiency and reducing our carbon footprint.
- by reducing energy consumption and lowering carbon emissions. By reflecting solar radiation and emitting heat into space, the cooling glass reduces the need for air conditioning, thus decreasing the reliance on electricity and cutting down on overall energy use, contributing to a reduction in carbon footprints.
- by reducing the need for energy-intensive air conditioning. This leads to lower energy consumption and a decrease in carbon emissions, which are key factors in addressing climate change and reducing the global carbon footprint.
- by lowering the demand for air conditioning that consumes a lot of energy.

한글번역

　지구 온난화 문제에 맞서기 위해 노력하는 메릴랜드 대학의 연구원들은 우주의 차가운 깊이를 활용해 전기 없이 실내의 열을 낮출 수 있는 새로운 "냉각 유리"를 개발했다. 새로운 기술인 미세한 구멍이 있는 유리 코팅은 <사이언스> 저널에 발표된 논문에서 설명됐으며, 한낮에 그(미세한 구멍이 있는 유리 코팅) 아래에 있는 재료의 온도를 섭씨 3.5도 낮출 수 있고, 중층 아파트 건물의 연간 탄소 배출량을 10% 줄일 잠재력을 가지고 있다.
　이 코팅 기술은 두 가지 방식으로 작동한다. 첫째, 태양 복사의 최대 99%를 반사해 건물이 열을 흡수하는 것을 막는다. 더 흥미로운 점은 이 코팅이 열을 장파 적외선 복사 형태로 방출해, 온도가 절대 영도에서 몇 도 위인 약 -270도의 차가운 우주로 열을 내보낸다는 것이다. '복사 냉각'으로 알려진 이 현상은 우주가 건물의 열을 흡수하는 열 싱크(주변으로부터 열을 흡수해 다른 곳으로 전달하거나 분산시키는 것) 역할을 한다. 그들은 새로운 냉각 유리 디자인과 함께 이른바 대기 투과 창—대기의 온도를 올리지 않고 통과하는 전자기 스펙트럼의 일부인—을 이용해 막대한 양의 열을 끝없는 차가운 우주로 방출한다.
　"이것은 건물을 시원하면서 에너지 효율적으로 유지하는 방법을 단순화한 획기적인 기술입니다,"라고 연구의 주 저자인 신평 자오 연구원이 말했다. "이 기술은 우리의 생활 방식을 바꾸고, 우리가 살고 있는 집과 지구를 더 잘 돌볼 수 있게 해줄 것입니다." 이전의 냉각 코팅 시도들과 달리, 메릴랜드 대학교에서 개발한 이 새로운 유리는 환경적으로 안정적인데, 물, 자외선, 먼지, 심지어 불에도 견딜 수 있으며, 최대 1,000도까지 견딜 수 있다. 이 유리는 타일, 벽돌, 금속과 같은 다양한 표면에 적용할 수 있어, 이 기술을 매우 확장 가능하고 널리 채택할 수 있게 만든다.
　연구팀은 고운 유리 입자를 결합제로 사용해 폴리머(분자가 반복적으로 결합된 긴 사슬 형태의 화합물로, 일반적으로 플라스틱, 고무, 섬유 등과 같은 재료에서 사용된다. 이 글에서의 연구팀은 폴리머 대신 미세하게 분쇄된 유리 입자를 접착제로 사용함으로써 폴리머를 피하고, 야외에서의 장기적인 내구성을 향상시켰다고 설명하고 있다.)를 피하고 야외에서의 장기적인 내구성을 향상시켰다. 또한 그들은 적외선 열 방출을 극대화하면서 동시에 태양광을 반사하기 위해 입자 크기를 선택했다. 냉각 유리의 개발은 에너지 소비를 줄이고 기후 변화를 해결하려는 전 세계적인 노력과 일치한다. 냉각 유리는 (어떤) 새로운 재료 이상의 것으로, 기후 변화를 해결할 핵심 요소다. 에어컨 사용을 줄임으로써, 우리는 에너지 사용을 줄이고 탄소 발자국을 감소시키는 데 큰 진전을 이룰 수 있다. 이것(냉각유리)은 새로운 기술이 어떻게 더 시원하고 친환경적인 세상을 만드는 데 기여할 수 있는지를 보여준다.

NOTE

Step 1	Survey
Key Words	Cooling glass; radiative cooling; temperature; emissions; technology
Signal Words	Not clear

Step 2	Reading
Purpose	To explain how new cooling glass technology provides a solution to building temperature control and climate issues
Pattern of Organization	Not clear
Tone	Objective/optimistic
Main Idea	University of Maryland researchers have developed an innovative "cooling glass" that passively reduces indoor temperatures by harnessing the cold of outer space.

Step 3	Summary
지문 요약하기 (Paraphrasing)	University of Maryland researchers have developed a groundbreaking "cooling glass" that harnesses the cold of outer space to reduce indoor temperatures without electricity. This microporous glass coating achieves cooling through two mechanisms: reflecting nearly all solar radiation and emitting heat into the cosmic void through radiative cooling, utilizing the atmospheric transparency window. The technology's significance lies not only in its impressive cooling capability—reducing surface temperatures by 3.5 degrees Celsius—but also in its environmental durability and versatile application across different building materials. By potentially reducing building carbon emissions by 10%, this innovation represents a crucial advancement in sustainable architecture and climate change mitigation.

Step 4	Recite
	요약문 말로 설명하기

33 하위내용영역 일반영어 B형 서술형　배점 4점　예상정답률 45%　　본책 p.283

모범 답안　The word is "stolen". Second, (they have done this) by exploiting social media and technology. Criminals now use platforms like Telegram to buy stolen checks online, and they can buy bank accounts, phone numbers and electronic devices to deposit them.

채점 기준

+2점 : 빈칸에 들어갈 단어를 "stolen"라 정확히 기입하였다. 이외에는 답이 될 수 없다.
+2점 : 최근 몇 년 동안 수표 사기에 사용되는 방법들이 어떻게 더 발전했는가라는 질문에 "(they have done this) by exploiting social media and technology. Criminals now use platforms like Telegram to buy stolen checks online, and they can purchase bank accounts, mobile phone numbers, and devices to deposit them."이라 서술하였거나 유사하였다.

한글번역

　　한때 일상적인 지불 방법이었던 것—즉, 주방 테이블에서 수표를 손으로 쓰고, 길에 있는 파란 우편함에 봉투를 넣는 것—이 이제는 고위험 활동이 됐다. 이것(the act of handwriting paper checks and sending them through the mail as a method of paying bills)은 저급 사기꾼들과 정교한 범죄 조직에 원재료를 제공해 금융 기관에 수십억 원의 손실을 입히고 있다. 이로 인해 은행들은 높은 경계 태세를 유지하고 있지만, 사기를 잡기 위한 그들의 노력은 종종 무고한 고객들을 연루시켜, 그 과정에서 금융 기관이 고객 계좌를 갑자기 동결하거나 해지하게 만들기도 한다. 많은 사기꾼들은 아무런 처벌도 받지 않고 사라지고는 한다.
　　수표 사용이 지난 몇 십 년 동안 급격히 감소했음에도 불구하고, 수표 사기는 특히 팬데믹 이후 급증했다. 사기는 종이 조각을 훔치는 것으로 시작되지만, 기술과 소셜 미디어를 활용해 더 큰 규모의 사기로 이어진다고 은행 내부 관계자들과 사기 전문가들은 말한다. 과거에는 범죄자들이 도난당한 수표가 거래되는 다크웹 시장에 접속하기 위해 특수한 인터넷 브라우저가 필요했고, 때로는 신뢰를 보증해줄 사람도 필요했다. 그러나 이제는 텔레그램 같은 메시징 앱 계정만 있으면 된다.
　　"서명도 완벽하게 돼 있는 수표를 인터넷에서 45달러에 살 수 있고 돈을 돌려주겠다는 보증을 제공하는 웹사이트도 있습니다. 마치 노드스트롬 같아요."라고 SQN Banking Systems의 사업 개발 이사인 존 라비타는 말했다. 이 회사는 수표 사기 탐지 소프트웨어를 제공한다.
　　최근 우편 절도 급증으로 인해 재무부 산하의 금융범죄단속네트워크(FinCEN)가 올해 경고를 발령했다. 도둑들은 우편배달부를 공격하거나 특정 지역 내 우편함을 열 수 있는 배달부의 화살표 열쇠(마스터키)를 훔쳐서 판다. 수표는 우편물에서 도난당하고, 범죄자들은 고전적인 사기를 수행한다. : 손톱 리무버 같은 기본적인 도구로 수표를 '세척'해 서명은 그대로 남기고 나머지를 지운다. 다른 범죄자들은 오래된 수표를 스캔하고 수정해 새로운 수표를 '제작'하기도 한다.
　　일부 범죄자들은 자신의 계좌에 수표를 입금하고, 다른 범죄자들은 이를 판매한다. 그러나 이 사기 수법은 더욱 정교해지고 있다. 도둑들은 도난당한 수표를 구매할 뿐만 아니라, 입금할 은행 계좌와 그 계좌를 생성하는 데 사용된 휴대전화 번호와 기기까지 함께 구매할 수 있다.

NOTE

Step 1	**S**urvey
Key Words	Check fraud; theft; technology; criminals; banking
Signal Words	Not clear
Step 2	**Reading**
Purpose	To explain how check writing has become dangerous and how modern technology enables fraud
Pattern of Organization	Not clear
Tone	Alarming/investigative (uses words and phrases that emphasize growing danger and sophistication of fraud)
Main Idea	Traditional paper check payments have evolved from a routine transaction method into a significant security risk, fueling sophisticated fraud schemes and financial crimes.
Step 3	**S**ummary
지문 요약하기 (Paraphrasing)	The transformation of paper check payments from a routine transaction method into a major security risk illustrates the evolving landscape of financial crime. Despite the overall decline in check usage, fraud has surged dramatically, particularly since the pandemic, as criminals combine traditional theft techniques with modern technology and social media platforms. The accessibility of stolen checks through messaging apps like Telegram, coupled with sophisticated fraud techniques ranging from simple "washing" to complex digital alterations, has created a thriving criminal marketplace. While financial institutions struggle to combat these threats, their protective measures often inadvertently disrupt legitimate customer accounts, highlighting the complex challenge of balancing security with customer service in an era where traditional payment methods face modern criminal exploitation.
Step 4	**R**ecite
	요약문 말로 설명하기

34 하위내용영역 일반영어 B형 서술형 배점 4점 예상정답률 40% 본책 p.286

모범 답안 The word is "conventional". Second, quantum computing is superior to conventional computing due to two key factors: superposition and entanglement. (Superposition allows qubits to be in multiple states simultaneously, enabling parallel processing of information, while entanglement allows qubits to be interconnected, leading to faster and more efficient computations. These properties allow quantum computers to process more data and solve complex problems that would take conventional computers much longer to handle.)

채점 기준
+2점: 빈칸에 들어갈 단어를 "conventional"이라 기입하였다.
☞ "current"라 했으면 1점을 준다.
+2점: 두 요소를 "superposition and entanglement"라 서술하였거나 유사하였다.

한글번역

양성자와 전자 같은 미시 입자를 연구하는 과학인 양자역학을 컴퓨팅, 통신, 감지에 적용하려는 경향이 증가하고 있다. 양자 컴퓨팅은 양자역학의 원리를 사용해 정보의 처리와 전송을 이해하려는 학제 간 연구 분야다. 양자 컴퓨팅은 중첩(superposition)과 얽힘(entanglement) 같은 양자 상태의 특성을 활용해 계산을 수행하는 것이다. 양자 계산을 수행하는 장치를 양자 컴퓨터라고 한다. 양자 기술은 컴퓨팅 기술에서 엄청난 패러다임 전환을 일으키고 있다. Industry 4.0과 같은 오늘날 주요 산업의 흐름은 디지털 혁명을 물리적 세계에 통합하고 있으며, 인공지능, 양자 컴퓨팅, 나노 기술 같은 새로운 기술을 촉진하고 있다. 비록 아직 완전한 규모의 양자 컴퓨터는 개발되지 않았지만 Industry 4.0의 동인 중 하나는 양자역학의 개념을 활용해 계산을 수행하는 양자 컴퓨팅일 수 있다.

양자 기술은 전 세계적으로 20년 넘게 개발돼 왔으며, 유망한 결과와 진전을 이뤄왔다. 양자 기술의 주요 연구 주제는 양자역학과 정보통신기술(ICT)의 학제 간 연구다. 양자 정보 기술은 양자역학의 원리를 사용해 정보의 처리와 전송을 이해하려는 다학제적인 분야다. 이는 양자 물리학과 계산에서 이론적 연구와 실험적 연구를 포함하며, 양자 물리학의 양자 효과를 ICT와 결합한 기술이다. 현재 양자 정보 기술은 양자 물리학과 ICT를 결합한 첨단 기술로 간주되며, 주로 양자역학의 기본 원리와 ICT에 기반해 급속히 발전한 신흥 학제 간 연구 분야로 자리 잡고 있다.

기존의 컴퓨팅에서는 비트가 컴퓨팅과 통신에서 정보의 기본 단위(가장 작은 단위)다. 비트는 두 가지 가능한 값 중 하나를 가지고 있는 논리적 상태(A "logical state" refers to a condition or value that is used in decision-making within a system, often represented by true or false in logic. In computing, these states are simplified to 1 (which usually represents "true" or "on") and 0 (which usually represents "false" or "off"). So, when we say a bit represents a logical state, it means that **the bit can exist in either of these two conditions, which are fundamental to how computers process and store data.**)를 나타낸다. 이 값들은 "1" 또는 "0"으로 표현된다. 기존의 컴퓨팅 기술은 0과 1의 비트를 채택하며, 계산은 이러한 비트에 의해 수행된다. 양자 컴퓨팅은 기존 컴퓨팅을 대체하는 새로운 패러다임으로, 양자 이론을 사용해 계산을 수행한다. 양자 컴퓨팅은 양자 상태의 집합적 특성을 활용해 계산을 수행한다. 양자 컴퓨팅은 0과 1로 구성된 기존의 데이터보다 더 많은 데이터를 처리할 수 있다.

앞서 언급한 바와 같이, 기존 시스템에서 비트는 한 상태에 있거나 다른 상태에 있어야 한다. 반면, 큐비트(양자 비트)는 양자 컴퓨팅에서 양자 정보의 기본 단위다. 양자역학은 큐비트가 두 상태의 중첩 상태에 동시에 있을 수 있게 하며, 이는 양자역학과 양자 컴퓨팅의 기본 특성이다. 양자 컴퓨터는 양자 중첩을 사용해 정보를 병렬로 처리하며, 이는 기존 컴퓨터에 비해 근본적인 계산적 이점을 제공한다.

NOTE

Step 1	Survey
Key Words	Quantum computing; qubits; superposition; technology; computing
Signal Words	Not clear
Step 2	**Reading**
Purpose	To explain quantum computing by contrasting it with conventional computing methods
Pattern of Organization	Not clear
Tone	Technical/explanatory
Main Idea	Quantum computing represents a revolutionary paradigm shift in information technology by leveraging quantum mechanical principles to achieve unprecedented computational capabilities.
Step 3	**Summary**
지문 요약하기 (Paraphrasing)	Quantum computing represents a revolutionary advancement in information technology by harnessing fundamental quantum mechanical principles to achieve unprecedented computational capabilities. This emerging interdisciplinary field combines quantum physics with information and communication technology, transcending traditional binary computing limitations through the use of qubits—quantum bits that can exist in multiple states simultaneously through superposition. While conventional computers process information using binary bits (0 or 1), quantum computing's ability to leverage quantum states for parallel processing promises exponentially greater computational power. Though full-scale quantum computers remain under development, two decades of research have established quantum computing as a cornerstone of Industry 4.0 and the future of information processing.
Step 4	**Recite**
	요약문 말로 설명하기

35 하위내용영역 일반영어 B형 서술형　배점 4점　예상정답률 50%　본책 p.289

모범 답안　There are two types in digital humanities, which is a field combining computing with humanities. First, computational analysis employs data processing skills as well as algorithms to process large data sets, revealing patterns and insights that are otherwise difficult to detect. Second, digital archiving preserves cultural artifacts by digitizing them and making them globally accessible, promoting collaboration and democratizing access to rare items. In conclusion, these two approaches will play a significant role in advancing broader academic fields as technology continues to evolve.

채점 기준

+1점: 글의 topic sentence를 다음과 같이 서술하였거나 유사하였다.
"There are two types in digital humanities, which is a field combining computing with humanities."

+2점: 글의 major supporting details를 다음과 같이 서술하였거나 유사하였다.
"First, computational analysis employs data processing skills as well as algorithms to process large data sets, revealing patterns and insights that are otherwise difficult to detect(1점). Second, digital archiving preserves cultural artifacts by digitizing them and making them globally accessible, promoting collaboration and democratizing access to rare items(1점)."
☞ 2개 중 2개 모두를 정확하게 요약한 경우 2점, 1개만 요약한 경우 1점, 요약하지 못한 경우 0점을 준다.

+1점: 글의 결론을 "In conclusion, these two approaches will play a significant role in advancing broader academic fields as technology continues to evolve."라 서술하였거나 유사하였다.

● **감점**
- 본문에 나오는 연속되는 5단어 이상을 사용하였다. −1pt
- 문단을 두 개나 그 이상으로 구성하였다. −1pt
- grammar나 영어표현이 합쳐 4개 이상 오류가 있다. −1pt

한글번역

　　디지털 인문학은 컴퓨팅과 인문학 분야가 교차하는 지점에 있는 학문으로, 다양한 활동과 접근 방식을 포괄한다. 이 중 두 가지 주요 유형이 두드러진다. 각각은 인문학적 탐구를 위한 기술의 독특한 응용을 나타내며, 고유한 이점을 제공한다.
　　첫 번째 유형인 계산 분석은 대규모의 텍스트적, 시각적 또는 청각적 데이터를 분석하기 위해 알고리즘과 데이터 처리 기술을 사용하는 것을 포함한다. 이런 접근법은 학자들로 하여금 수작업으로는 감지할 수 없는 패턴과 통찰을 발견할 수 있게 해준다. 예를 들어, 텍스트 마이닝과 자연어 처리는 서로 다른 시기의 문학에서 주제적 흐름을 밝혀내고, 사회적 네트워크 분석은 역사적 인물들 간의 관련성과 영향을 추적할 수 있다. 따라서 계산 분석은 이전에는 상상할 수 없었던 규모와 세부 수준에서 질문을 던지고 답을 찾을 수 있는 새로운 연구 기회를 열어준다. ("Granularity"는 "세밀함" 또는 "정밀도"를 의미한다. 어떤 데이터를 분석하거나 처리할 때, 그것을 얼마나 세부적으로 나눠볼 수 있는지를 가리키는 말로, 예를 들어, 더 높은 "granularity"는 더 작은 단위로 세부적인 분석을 가능하게 한다는 뜻이다.)
　　두 번째 유형인 디지털 아카이빙은 문화적 유물을 디지털 형식으로 보존하고 접근할 수 있게 하는 것에 중점을 둔다. 여기에는 원고, 예술품, 그리고 다른 자료들을 디지털화하는 것과 이를 전 세계에서 접근할 수 있는 온라인 저장소에 보관하는 것이 포함된다. 디지털 아카이브는 희귀하거나 손상되기 쉬운 자료를 보존하고, 정보 접근을 민주화하며, 전 세계 학자들 간의 협력을 촉진한다. 예를 들어, 사해 문서의 디지털화는 전 세계 연구자들이 이동할 필요 없이 이 고대 문서를 연구할 수 있게 한다.

계산 분석과 디지털 아카이빙은 디지털 인문학의 두 가지 기본 유형을 나타내며, 각각 이 분야에 중요한 기여를 한다. 계산 분석은 연구 능력을 향상시키기 위해 기술을 활용하는 반면, 디지털 아카이빙은 문화유산의 보존과 접근성을 보장한다. 이 두 접근 방식은 인문학을 풍부하게 해 인간 경험을 탐구할 새로운 도구와 방법을 제공한다. 기술이 계속 발전함에 따라, 디지털 인문학이 학문을 변혁할 가능성도 점점 커질 것이며, 이러한 두 가지 유형의 중요성은 더 넓은 학문적 환경에서 더욱 부각될 것이다.

NOTE

Step 1	**S**urvey
Key Words	Digital humanities; computational analysis; digital archiving; technology; research
Signal Words	First; second; while; two types; each
Step 2	**R**eading
Purpose	To explain and compare two main types of digital humanities
Pattern of Organization	Series/definition
Tone	Informative
Main Idea	There are two types in digital humanities, which is a field combining computing with humanities.
Step 3	**S**ummary
지문 요약하기 (Paraphrasing)	There are two types in digital humanities, which is a field combining computing with humanities. First, computational analysis employs data processing skills as well as algorithms to process large data sets, revealing patterns and insights that are otherwise difficult to detect. Second, digital archiving preserves cultural artifacts by digitizing them and making them globally accessible, promoting collaboration and democratizing access to rare items. In conclusion, these two approaches will play a significant role in advancing broader academic fields as technology continues to evolve.
Step 4	**R**ecite
	요약문 말로 설명하기

36 하위내용영역 일반영어 B형 서술형   배점 4점   예상정답률 50%

모범 답안 The word is "culture". Second, (the purpose of personal color analysis is) to help people determine which colors best complement their skin tones and complexions, guiding them in choosing appropriate makeup, clothing, and accessories to enhance their appearance.

채점 기준

+2점 : 빈칸에 들어갈 단어를 "culture"라 정확히 기입하였다. 이외에는 답이 될 수 없다.
+2점 : 개인 컬러 분석의 목적을 "to help people determine which colors best complement their skin tones and complexions"이라 서술하였거나 유사하였다.

한글번역

앙지 쉬에는 항상 한국을 여행하고 싶었기 때문에 캘리포니아에서 왕복 항공권을 600달러에 구할 수 있는 것을 보고 즉시 예약했다. "지금 아니면 절대 못 갈 것 같았어요."라고 전화 통화에서 그녀는 회상한다. 쉬에가 그다음으로 한 계획은? 그녀가 바이럴 영상을 통해 알게 된 서울에서 개인 컬러 분석 예약을 잡는 것이었다.

개인 컬러 분석은 개인의 피부 톤과 안색을 바탕으로 그들에게 잘 어울리는 색상을 지정하는 것을 목표로 하며, 이는 의류, 메이크업, 액세서리 선택에 도움을 줄 수 있다. 이 과정은 60분이 걸릴 수 있으며, 컬러 컨설턴트는 수백 가지 옷감의 샘플을 고객의 어깨에 걸쳐 얼굴을 밝게 해주는지, 다크서클이나 주름을 강조하는지 세심하게 살펴본다.

수십 년 동안 정치인, 최고경영자, 사회 엘리트들이 자신을 가장 잘 보여주기 위한 방법으로 개인 컬러 분석을 사용해 왔다. 이제 틱톡 열풍에 힘입어 이 트렌드는 캘리포니아에서 뉴욕까지 확산되고 있으며, Z세대는 그 절차(the process of personal color analysis)를 버킷리스트 상위에 올리며 점점 더 서울로 이 절차를 받으러 가고 있다.

미국에서는 뉴욕 브루클린의 House of Colour 같은 곳에서 3시간 동안 세션을 받는 데 545달러가 들 수 있지만, 대부분의 한국 스튜디오에서는 요금이 80달러에서 160달러 사이이다. 특히 문제는 서울에서 예약을 잡는 것인데, 쉬에는 자신과 남자친구를 위한 예약을 하려고 30곳 이상에 전화를 걸어 겨우 자리를 잡을 수 있었다. 하지만 그녀의 컬러 컨설턴트가 영어를 할 줄 몰랐기 때문에 시간당 50달러를 더 내고 통역사를 고용해야 한다고 경고를 받았다.

개인 컬러에 대한 열풍은 코로나19가 한국을 강타하기 전부터 붐을 일으키고 있었다. 이제 국제 방문객이 다시 증가하면서 다시 떠오르고 있다. 코로나 동안 많은 외국인들이 한국 드라마와 영화를 시청했는데, 그 프로그램들에서 개인 컬러에 대한 이야기가 자주 언급되면서 외국인들에게 큰 관심을 끌게 됐다.

컬러 분석은 의심할 여지없이 대중문화의 한 순간을 차지하고 있다. "Personal Color Analysis Korea"를 검색하면 이 주제가 3억 7,500만 틱톡 조회수를 기록했으며, 콘텐츠 제작자들이 그들의 경험을 포스팅하고, 서비스 예약 방법과 방문 장소에 대한 세부 단계별 설명을 포함하고 있다. 대단한 인기의 K팝 그룹 블랙핑크의 멤버 지수가 자신의 개인 컬러 분석 결과를 자세히 설명한 바이럴 영상은 유튜브에서만 260만 조회수를 기록했다.

개인 컬러 분석은 한국 문화의 큰 부분이 됐다. 아마도 자신의 개인 컬러를 모르면 적절한 메이크업이나 옷을 쇼핑하기 어렵고, 젊은 세대와 대화하는 데도 어려움을 겪을 수 있다.

NOTE

Step 1	Survey
Key Words	Personal color analysis; Korea; trend; social media; fashion
Signal Words	Not clear
Step 2	**Reading**
Purpose	To explain how personal color analysis became a global trend, particularly through Korean influence
Pattern of Organization	Not clear
Tone	Journalistic/objective
Main Idea	Personal color analysis has evolved from an elite service to a viral trend, particularly drawing international visitors to South Korea for affordable consultations.
Step 3	**Summary**
지문 요약하기 (Paraphrasing)	Personal color analysis has transformed from an elite service into a global beauty phenomenon, with South Korea emerging as its new epicenter. This systematic approach to identifying flattering colors through fabric draping has gained massive popularity through social media, particularly TikTok and K-pop culture, attracting international visitors to Seoul for consultations that cost a fraction of Western prices. Despite challenges like language barriers and limited availability, the service has become so integrated into Korean beauty culture that young tourists like Angie Xue are willing to navigate multiple obstacles to access it. This shift reflects both the democratization of previously exclusive beauty services and the growing influence of Korean beauty standards globally.
Step 4	**Recite**
	요약문 말로 설명하기

37 하위내용영역 일반영어 B형 서술형　배점 4점　예상정답률 40%

모범 답안　The words are "street smarts". Second, the words are "unconscious realm".

채점 기준

+2점: 빈칸에 들어갈 단어를 "street smarts"라 정확히 기입하였다. 이외에는 답이 될 수 없다.
+2점: 밑줄 친 부분과 상응하는 두 단어를 "unconscious realm"이라 정확히 서술하였다. 이외에는 답이 될 수 없다.

한글번역

　　이것은 당신이 읽은 것들 가운데 가장 행복한 이야기다. 이 이야기는 놀랍도록 충만한 삶을 영위했던 두 사람에 대한 것이다. 그들은 마음을 사로잡는 경력을 가졌고, 친구들의 존경을 받았으며, 지역 사회, 국가, 그리고 세상에 중요한 기여했다. 그리고 흥미로운 점은 그들이 천재로 태어난 것이 아니라는 것이다. 그들은 SAT나 IQ 테스트에서 괜찮은 성적을 받았지만, 특별한 신체적 혹은 정신적 재능은 없었다. 그들은 잘생겼지만 아름답지는 않았다. 그럼에도 불구하고 그들은 성공을 이뤘고, 그들을 만난 모든 사람은 그들이 축복받은 삶을 살고 있다는 것을 느꼈다.

　　그들이 어떻게 이런 성공적이고 충만한 삶을 살 수 있었을까? 그들은 경제학자들이 '비인지적 기술'이라고 부르는 것을 가지고 있었다. 이는 쉽게 계산되거나 측정될 수 없는 숨겨진 자질의 범주로, 실제 삶에서 행복과 충만함으로 이끄는 요소다.

　　첫째, 그들은 좋은 품성을 지니고 있었다. 그들은 활기차고, 정직하며, 신뢰할 수 있는 사람들이었다. 그들은 역경을 겪은 후에도 끈기 있게 노력했고, 자신의 실수를 인정할 줄 알았다. 그들은 위험을 감수할 만큼의 자신감과 약속을 지킬 수 있을 만큼의 성실함을 가지고 있었다. 그들은 자신의 약점을 인식하려고 노력했고, 자신의 잘못을 속죄하며, 최악의 충동을 억제하려고 했다.

　　마찬가지로 중요한 건, 그들은 세상물정에 밝은 거리의 지혜를 가지고 있었다는 점이다. 그들은 사람, 상황, 그리고 아이디어를 읽는 법을 알고 있었다. 그들을 군중 앞에 세우거나 수많은 보고서 속에 파묻어 놓아도, 그 상황을 직관적으로 파악할 수 있었다. 무엇이 함께 어우러질 수 있고, 무엇이 절대 어우러지지 않을 것인지, 어떤 길이 결실을 맺을 것이며, 어떤 길이 결코 결실을 맺지 않을 것인지 알 수 있었다. 마치 대양을 항해하는 숙련된 선원의 기술처럼, 그들은 세상을 항해하는 능력을 가지고 있었다.

　　수세기 동안 성공하는 방법에 관한 수많은 책들이 쓰여져 왔다. 하지만 이러한 이야기들은 보통 삶의 표면적인 부분에서 다뤄진다. 사람들은 어떤 대학에 들어가는지, 어떤 전문 기술을 습득하는지, 어떤 의식적인 결정을 내리는지, 그리고 관계를 맺고 성공하기 위해 어떤 팁과 기술을 사용하는지에 대해 설명한다. 이러한 책들은 종종 IQ, 부, 명성, 세속적인 성취와 관련된 외적인 성공에 초점을 맞춘다. 하지만 이 이야기는 한 단계 더 깊이 들어간다. 이 성공 이야기는 내면의 마음, 즉 감정, 직관, 편견, 갈망, 유전적 성향, 성격 특성, 사회적 규범과 같은 무의식적인 영역의 역할을 강조한다.

　　이 영역은 성품이 형성되고 실전 지혜가 자라는 곳이다. 우리는 의식에 대한 혁명의 한가운데에 살고 있다. 지난 몇 년간 유전학자, 신경과학자, 심리학자, 사회학자, 경제학자, 인류학자 등은 인간 번영의 기초를 이해하는 데 큰 진전을 이뤘다. 그들의 연구의 핵심 발견은 우리가 기본적으로 의식적 사고의 산물이 아니라는 것이다. 우리는 기본적으로 인식의 수준 아래에서 일어나는 사고의 산물이다.

NOTE

Step 1	Survey
Key Words	Success; character; noncognitive skills; happiness; unconscious mind
Signal Words	First; just as important
Step 2	**Reading**
Purpose	To explain how noncognitive skills and character traits lead to success and happiness
Pattern of Organization	Series; cause/effect (demonstrates how specific character traits and abilities (causes) lead to success and fulfillment(effects))
Tone	Instructive/uplifting (uses storytelling to teach life lessons with an emphasis on wisdom and positive outcomes)
Main Idea	Success and fulfillment stem more from personal qualities and intuitive skills than from measurable intelligence or conventional achievements.
Step 3	**Summary**
지문 요약하기 (Paraphrasing)	Success and fulfillment stem more from personal qualities and intuitive skills than from measurable intelligence or conventional achievements. This truth is illustrated through the story of two ordinary individuals who achieved extraordinary lives not through exceptional talent or intelligence, but through their mastery of less measurable qualities—integrity, persistence, emotional intelligence, and intuitive understanding of their environment. Their narrative challenges traditional success literature by highlighting how human flourishing emerges primarily from unconscious elements: character traits, emotional intelligence, and intuitive capabilities. This perspective is increasingly supported by cross-disciplinary research, suggesting that our unconscious mind, rather than conscious thinking, primarily shapes our path to success and happiness.
Step 4	**Recite**
	요약문 말로 설명하기

38

모범 답안 The words are "hormonal health". Second, Kaytee Hadley used a "food-first approach" with her client, focusing on adding nourishing and gut-friendly foods, addressing vitamin deficiencies, and establishing a consistent eating schedule.

채점 기준

+2점: 빈칸에 들어갈 단어를 "hormonal health"라 정확히 기입하였다. 이외에는 답이 될 수 없다.

+2점: 헤들리가 호르몬 불균형을 겪는 고객을 돕기 위해 사용한 접근법을 "a "food-first approach" (with her client, focusing on adding nourishing and gut-friendly foods, addressing vitamin deficiencies, and establishing a consistent eating schedule.)"라 서술하였거나 유사하였다.

한글번역

뉴욕 RMA의 생식 내분비학자이자 불임 전문의인 타라네 나젬 박사는 최근 매일 생 카카오를 먹으면 호르몬이 완전히 균형을 이루고 생리 전 증후군을 치료할 수 있다는 틱톡에 올라온 한 영상을 봤다. "그 영상 제작자는 그 어떠한 과학적 근거도 없이 무차별적인 주장을 했고, 댓글에는 대량 섭취 시 불면증과 불안을 유발할 수 있다는 카카오의 알려진 위험에도 불구하고, 이를 시도하고자 하는 사람들로 가득 차 있었다."라고 나젬은 말한다.

소셜 미디어에는 호르몬 건강을 증진하고 에너지 부족, 수면 장애, 여드름 등 여러 문제를 해결할 수 있다는 슈퍼푸드와 보충제를 권장하는 게시물이 넘쳐난다. 매일 또 다른 틱톡 인플루언서가 슈퍼푸드가 우리의 호르몬 균형을 바꿀 수 있다고 주장한다. 특히 나젬을 짜증나게 만드는 신화들은 다음과 같다. 사과식초가 다낭성 난소 증후군을 앓고 있는 여성들에게 도움이 된다; 녹차가 인슐린 감수성을 개선하는 비결이다; 버터는 건강한 에스트로겐 수치를 유지하는 데 도움이 된다.

많은 사람들이 소셜 미디어에서 해시태그로 홍보하는 것처럼, 정말로 '호르몬 균형을 맞출' 필요가 있을까? 전문가들은 어떤 음식이 호르몬 건강에 어떤 영향을 미칠 수 있는지, 또 미칠 수 없는지 공유한다. 그러나 한 개인이 가지고 있는 전반적인 식습관이—즉 그들이 식단에 포함한 특정 음식이 아니라—호르몬 건강에 진정한 영향을 미칠 수 있다. 가공식품과 포화지방이 많이 포함된 건강에 해로운 식단은 대사 증후군, 당뇨병, 다낭성 난소 증후군과 같은 질환으로 이어질 수 있다. 왜냐하면 단 음식, 유제품, 정제된 곡물, 붉은 고기, 가공식품이 많이 포함된 식단은 체지방 증가로 인해 에스트로겐 수치를 높이고 인슐린 저항성을 촉진할 수 있기 때문이다.

또한 식단을 전면적으로 개선함으로써 호르몬 기반의 의학적 문제를 해결할 수 있는 경우도 있다. 기능성 영양사 케이티 헤들리는 최근 소화기 문제, 불규칙한 생리 주기, 생리 전 증후군, 그리고 정기적으로 터져 극심한 통증을 유발하는 난소 낭종을 겪고 있는 한 젊은 여성과 함께 일했다. 이 낭종은 정기적으로 파열돼 극심한 통증을 유발했다. "그녀가 호르몬 불균형을 겪고 있다는 것은 명확했다."라고 헤들리는 말한다. 몇 가지 검사를 한 후 그 여성이 또한 영양 결핍과 불량한 장 건강이 이 문제들을 악화시키고 있다는 것도 확인됐다.

헤들리는 이 고객에게 "음식 우선 접근법"을 통해 더 많은 영양과 장 건강에 좋은 음식을 추가하고, 비타민 결핍 문제를 해결하며, 그녀가 좋아하는 음식을 포함한 일관된 식사 일정을 개발하도록 했다. 6개월도 채 되지 않아, 고객은 생리 전 증후군이나 낭종 증상이 더 이상 나타나지 않았고, 여드름이 사라졌으며, 생리 주기도 더 규칙적으로 바뀌었다.

그러나 이 성공 사례가 평균적인 사람에게 적용되지는 않는다. 그리고 틱톡에서 홍보되는 어떤 "마법 같은" 슈퍼푸드도 이러한 효과를 낼 수 없다. 성 호르몬 불균형을 "치료한" 것은 그 여성이 더 자주 먹게 된 콩이나 두부 같은 음식이 아니라, 건강한 식단, 운동, 스트레스 감소 기법, 수면 개선에 중점을 둔 생활 방식의 전반적인 변화였다.

> [!NOTE]

Step 1	Survey
Key Words	Hormones; diet; social media; health claims; misinformation
Signal Words	Not clear
Step 2	**Reading**
Purpose	To warn about misleading hormonal health claims on social media and provide accurate medical information
Pattern of Organization	Not clear
Tone	Critical
Main Idea	While social media promotes superfoods as miracle cures for hormonal issues, experts emphasize that overall dietary patterns, not individual foods, influence hormonal health.
Step 3	**Summary**
지문 요약하기 (Paraphrasing)	While social media promotes superfoods as miracle cures for hormonal issues, experts emphasize that overall dietary patterns, not individual foods, influence hormonal health. The proliferation of superfood remedies for hormonal health on social media platforms reflects a dangerous oversimplification of complex medical issues. While influencers promote specific foods as miracle cures for hormonal imbalances, medical experts like Dr. Nazem emphasize that hormonal health is influenced by overall dietary patterns and lifestyle choices rather than individual "superfoods." Although targeted dietary modifications can help address diagnosed hormonal conditions, as demonstrated by Hadley's successful case study, meaningful improvements come from comprehensive lifestyle changes encompassing balanced nutrition, regular exercise, stress management, and proper sleep—not from trending supplements or foods promoted on TikTok.
Step 4	**Recite**
	요약문 말로 설명하기

39 하위내용영역 일반영어 B형 서술형 　배점 4점 　예상정답률 50% 　　　본책 p.301

모범 답안 There are several reasons why humans exhibit violent behavior. First, evolutionarily, aggression was essential for survival and continues to influence modern behavior. Psychological factors, such as mental health issues and intense emotions like fear, can trigger violent actions. Second, environmental and societal factors, including early exposure to violence, cultural norms, and economic inequality, further shape violent tendencies. In conclusion, addressing violence requires understanding and mitigating these diverse contributing factors to reduce its prevalence in society.

채점 기준

+1점: 글의 topic sentence를 다음과 같이 서술하였거나 유사하였다.
"There are several reasons why humans exhibit violent behavior."

+2점: 글의 major supporting details를 다음과 같이 서술하였거나 유사하였다.
"First, **evolutionarily**(0.5점), aggression was essential for survival and continues to influence modern behavior. **Psychological factors**(0.5점), such as mental health issues and intense emotions like fear, can trigger violent actions. Second, **environmental**(0.5점) and **societal**(0.5점) factors, including early exposure to violence, cultural norms, and economic inequality, further shape violent tendencies."
☞ 2개 중 2개 모두를 정확하게 요약한 경우 2점, 1개만 요약한 경우 1점, 요약하지 못한 경우 0점을 준다.

+1점: 글의 결론을 "In conclusion, addressing violence requires understanding and mitigating these diverse contributing factors to reduce its prevalence in society."라 서술하였거나 유사하였다.
☞ 다음과 같이 서술하였어도 1점을 준다.
"In conclusion, addressing violence requires a comprehensive approach that considers its evolutionary, psychological, and societal origins in order to mitigate its occurrence in society."

● **감점**
　• 본문에 나오는 연속되는 5단어 이상을 사용하였다. -1pt
　• 문단을 두 개나 그 이상으로 구성하였다. -1pt
　• grammar나 영어표현이 합쳐 4개 이상 오류가 있다. -1pt

한글번역

인간이 왜 폭력적인지에 대한 질문은 수 세기 동안 철학자, 심리학자, 인류학자들의 관심을 끌어왔다. 폭력은 개인적이든 사회적이든 복잡한 행동이며, 다양한 선천적 및 환경적 요인 모두에 의해 영향을 받는다. 이러한 요인들을 이해함으로써 문명과 도덕이 발전했음에도 불구하고 왜 인간 사회에서 폭력이 여전히 존재하는지 더 잘 이해할 수 있다.

인간의 폭력은 생존을 위해 공격이 필요했던 진화적 역사에 깊이 뿌리를 두고 있다. 초기 인류는 자신을 방어하고, 자원을 확보하며, 사회적 지위를 확립하기 위해 공격성을 사용했으며, 이러한 특성은 세대를 거쳐 전해져 내려왔다. 비록 공격성이 나타나는 방식은 진화했지만, 이러한 내재된 행동은 여전히 현대 인간의 상호작용에 영향을 미친다. 또한, 심리적 요인들도 폭력에 기여한다. 성격 장애와 같은 정신건강 문제는 개인이 공격적 행동을 보일 가능성을 높이며, 특히 위협을 느끼거나 무력감을 느끼는 상황에서 분노나 두려움과 같은 강렬한 감정이 폭력을 유발할 수 있다.

환경적 요인들도 폭력적 행동을 형성하는 데 영향을 미친다. 어린 시절 폭력이나 방치에 일찍 노출되면 이러한 공격적 성향이 성인이 돼서도 지속될 수 있다. 또한, 공격성을 미화하는 문화적 규범, 경제적 불평등, 정치적 불안정과 같은 사회적 요인들이 폭력을 부추기는 중요한 역할을 한다. 예를 들어, 불평등이 심하고 평화로운 갈등 해결 기회가 적은 사회는 더 높은 폭력 발생률을 보일 가능성이 크다.

인간의 폭력은 진화적 역사에 뿌리를 두고 있으며, 사회적, 환경적 요인에 의해 형성되고 심리적 상태에 의해 영향을 받는 다차원적인 문제이다. 폭력을 해결하기 위해서는 이러한 모든 측면을 고려해 폭력적 행동의 원인과 기회를 줄이는 총체적인 접근이 필요하다.

NOTE

Step 1	**S**urvey
Key Words	Violence; aggression; evolution; psychology; society
Signal Words	Why; because; leads to; influences; contributes to; results in
Step 2	**R**eading
Purpose	To explain multiple causes of human violence
Pattern of Organization	Cause/effect (demonstrates how various factors(evolutionary, environmental, social) lead to human violence)
Tone	Objective/analytical
Main Idea	There are several reasons why humans exhibit violent behavior.
Step 3	**S**ummary
지문 요약하기 (Paraphrasing)	There are several reasons why humans exhibit violent behavior. First, evolutionarily, aggression was essential for survival and continues to influence modern behavior. Psychological factors, such as mental health issues and intense emotions like fear, can trigger violent actions. Second, environmental and societal factors, including early exposure to violence, cultural norms, and economic inequality, further shape violent tendencies. In conclusion, addressing violence requires understanding and mitigating these diverse contributing factors to reduce its prevalence in society.
Step 4	**R**ecite
	요약문 말로 설명하기

40

모범 답안 The word is "weak". Second, Japanese people feel embarrassed or ashamed when tourists from less wealthy or smaller countries express excitement or satisfaction about how affordable things are in Japan. (This reaction is tied to the weak yen, which makes Japan appear inexpensive to foreign visitors. For the Japanese, this is a painful reminder of their currency's poor performance and the economic challenges the country is facing.)

채점 기준

+2점: 빈칸에 들어갈 단어를 "weak"라 정확히 기입하였다. 이외에는 답이 될 수 없다.

+2점: 밑줄 친 부분의 의미를 "Japanese people feel embarrassed or ashamed when tourists from less wealthy or smaller countries express excitement or satisfaction about how affordable things are in Japan"라 서술하였거나 유사하였다.

☞ 다음과 같이 서술하였어도 2점을 준다.

Japanese people feel a sense of embarrassment or shame when visitors from countries with smaller economies express joy over how inexpensive things are in Japan. (This is because the weak yen makes Japan's prices unusually low for foreign visitors, highlighting Japan's economic challenges and contributing to a sense of national frustration.)

한글번역

매년 가장 많은 방문객을 맞이하면서 기뻐하던 일본이 이제는 과잉 관광 문제로 고민하고 있다. 외국인 방문객을 위한 가격과 현지인을 위한 더 낮은 가격이라는 이중 가격제가 바람직한지, 차별적인지, 또는 자멸적인지에 대해 의견이 분분하다. 모든 것을 피하기보다는, 한때 가고 싶은 곳을 마음대로 다니던 일본 국민들은 머무르기로 선택해 일본인의 해외여행은 코로나 이전 수준의 60%에 그치고 있다.

그러나 이 모든 상황 속에서 마침내 진짜 위기, 즉 교역 조건의 악화와 통화 취약성이라는 위기가 확인됐다. 이번 주 일본은행이 주관하는 통화정책회의의 사전 준비기간은 혼란스러웠으나, 중앙은행이 엔화에 대해 전달한 메시지는 그 이전과 비교해 보면, 오랜만에 더욱 명확하고 솔직했다. 임금과 물가 사이에 선순환이 강화되고 있다는 일본은행의 언급과 데이터가 이를 뒷받침할 때만 움직이겠다는 일본은행의 이전의 약속에도 불구하고, 기준금리를 0.25%로 인상하기로 한 결정은 결코 쉬운 일이 아니었다.

통화정책위원회 위원 중 두 명은 반대했는데, 이 중 한 명은 경제 데이터가 아직 (금리) 인상을 뒷받침하는지에 대한 직접적인 의문을 제기했다. 일부 분석가들은 수요일의 결정이 최근 일본은행이 내린 결정 가운데 가장 논란이 많은 결정 중 하나로 기억될 수 있다고 주장했다. UBS 은행의 수석 일본 경제학자는 이것(0.25% 기준금리를 인상한 것)을 "매우 실망스러운" 결정이라고 말하면서, 이것이 이미 불안정한 일본 경제의 정상화를 더더욱 불안정하게 만들었다고 경고했다.

그리고 명확하게 수치로 표현하기 힘든 취약성의 신호들이 있는데—그중에서도 위에서 언급된 관광 관련 현상들이 두드러진다. 일본 해외여행 붕괴와 관련해 엔화 약세가 가장 핵심적인 이유라고 많은 사람들이 지적하고 있다. 즉, 엔화는 2024년 (세계의) 주요 통화 중 최악의 성과를 기록했고, 6월에는 37년 만의 최저치를 기록했다.

마찬가지로, 이중 가격제에 대한 논쟁은 또 다른 미완의 경제 과제를 부각시킨다. 일본의 수십 년간 이어진 디플레이션과의 싸움은 끝났을지 몰라도, 상품 및 서비스의 가격 책정 권한은 여전히 미약하다. 일본이 관광객들에 대한 높은 비용을 정책 문제로 논의하는 것은, 여전히 일본이 시장의 자연스러운 기능으로서의 가격 책정 습관을 회복하지 못했기 때문인데, 이것은 동시에 일본이 자신감을 회복하지 못했기 때문이다. (자신감이 있다면 수요와 공급이라는 시장의 자연스런 법칙(습관)에 맡겼을 텐데, 그런 자신감이 없기에 정부가 직접 개입해서 가격을 책정한다는 의미이다.)

마지막으로, 과잉 관광에 대한 일본인의 불만은 부분적으로 약한 엔화와 관련이 있다. 즉, 일본보다 경제적으로 작은 국가(즉, 일본보다 못사는 나라)에서 온 방문객들이 (일본의) 모든 것이 얼마나 저렴한지 즐거워하는 소리를 듣는 것에 굴욕감을 느끼고 있다. 하지만 경제적인 측면에서의 좌절도 존재한다. 일본인들이 자신의 나라를 (외국에서 온) 관광객들만큼 자유롭게 즐길 수 있는 경제적 여유와 안정을 가지고 있다면, 혼잡함(즉, 과잉 관광)이 자신들의 마음을 덜 아프게 했을 것이다.

Step 1	Survey
Key Words	Japan; tourism; economy; yen; monetary policy
Signal Words	Not clear
Step 2	Reading
Purpose	To analyze how Japan's currency and economic issues affect its tourism and broader economy
Pattern of Organization	Not clear
Tone	Critical/analytical
Main Idea	Japan's current economic landscape reveals complex challenges beneath its tourism boom and monetary policy shifts.
Step 3	Summary
지문 요약하기 (Paraphrasing)	Japan's current economic landscape reveals complex challenges beneath its tourism boom and monetary policy shifts. While celebrating record visitor numbers, the country grapples with overtourism concerns and controversial two-tier pricing proposals, symptoms of deeper economic vulnerabilities. The Bank of Japan's contested decision to raise interest rates to 0.25%, coupled with the yen's historic weakness, highlights ongoing structural challenges. These issues, manifesting in reduced overseas travel and pricing power difficulties, suggest that despite emerging from deflation, Japan still struggles to achieve genuine economic normalization and market confidence.
Step 4	Recite
	요약문 말로 설명하기

41. 하위내용영역 일반영어 B형 서술형 배점 4점 예상정답률 50% 본책 p.307

모범 답안 The word is "flourished". Second, the phrase means that addressing deep inequalities in healthcare and education is crucial to ensuring cities thrive; without solutions, cities risk falling into decline, worsening public health, and facing significant social and economic challenges.

채점 기준

+ 2점: 빈칸에 들어갈 단어를 "<u>flourished</u>"라 정확히 기입하였다. 이외에는 답이 될 수 없다.
+ 2점: 밑줄 친 부분의 의미를 "<u>addressing deep inequalities in healthcare and education is crucial to ensuring cities thrive; without solutions, cities risk falling into decline, worsening public health, and facing significant social and economic challenges.</u>"라 서술하였거나 유사하였다.

한글번역

위대한 도시학자와 공중보건 전문가 두 사람이 손을 잡고 팬데믹이 가속화시킨 실존적 위협 속에서 도시가 어떻게 변화하고 있는지를 고찰한다. 도시는 우리를 병들게 할 수 있다. 늘 그래왔다. 많은 사람들이 밀집된 공간에 모여 살면 질병은 더 쉽게 퍼진다. 그리고 질병은 도시 밀집이 초래하는 유일한 문제도 아니다. 도시는 소돔과 고모라 시대부터 방탕과 범죄의 온상으로 악명 높았다. 그럼에도 불구하고 도시는 번영해 왔다. 왜냐하면 도시는 인류 최고의 발명품이자, 창의성과 혁신, 부(富), 그리고 연결의 필수 동력이기 때문이다. 문명의 직물을 짜는 베틀이 바로 도시다.

하지만 도시는 지금 갈림길에 서 있다. 세계적인 코로나 위기 동안, 사람들은 재택근무를 하거나 아예 일하지 못하면서 도시는 침묵에 잠겼다. 평소의 사회적 교류는 멈췄다. 이 변화들은 얼마나 영구적인가? 디지털 기술의 발전으로, 많은 사람들이 그 어느 때보다도 도시 생활에서 벗어날 수 있게 됐다. 실제로 사람들은 그렇게 할까? 우리는 탈도시(post-urban) 시대의 문턱에 서 있나? 도시 생활은 살아남겠지만, 개별 도시들은 엄청난 위험에 직면해 있고, 도시 실패의 물결은 재앙적일 수 있다. 친밀감과 영감을 주는 공간으로서 도시는 대체 불가능하다.

위대한 도시는 언제나 훌륭한 운영을 요구해 왔다. 그리고 현재의 위기는 우리가 제대로 도시를 관리할 수 있는 능력에 심각한 결함이 있다는 점을 드러냈다. 팬데믹 여부와 관계없이 도시는 몰락할 수 있다. 글레이저와 커틀러는 이미 진행 중인 도시의 진화를 분석하고, 앞으로 우리가 맞이할 수 있는 여러 미래를 제시한다. 번영하는 도시와 그렇지 못한 도시를 구분하는 요소는 무엇인가? 미국에서는 보건과 교육 분야의 심각한 불평등이 도시의 미래를 위협하는 핵심 요인이다. 이 문제들을 해결하는 것이 우리의 집단적 건강을 보장할지, 아니면 훨씬 어두운 미래로의 하향 나선을 탈지, 그 갈림길이 될 것이다.

NOTE

Step 1	**S**urvey
Key Words	Cities; health; urbanization; pandemic; future
Signal Words	Not clear
Step 2	**R**eading
Purpose	To examine challenges facing modern cities and potential solutions for their survival
Pattern of Organization	Not clear
Tone	Analytical
Main Idea	Cities, despite their historical vulnerability to disease and social problems, stand as humanity's most transformative invention, yet face unprecedented challenges in the post-pandemic era.
Step 3	**S**ummary
지문 요약하기 (Paraphrasing)	Cities, despite their historical vulnerability to disease and social problems, stand as humanity's most transformative invention, yet face unprecedented challenges in the post-pandemic era. While digital technology and remote work capabilities now offer alternatives to urban living, cities remain irreplaceable centers of creativity, innovation, and human connection. However, their continued vitality hinges on addressing critical challenges in governance, particularly the deep inequities in healthcare and education that plague American urban centers. The future of cities—and by extension, civilization itself—depends on how effectively we manage these fundamental issues, balancing the risks of urban density with its essential role in human progress.
Step 4	**R**ecite
	요약문 말로 설명하기

42 하위내용영역 일반영어 B형 서술형　배점 4점　예상정답률 40%　　본책 p.309

모범 답안　The phrase suggests that as concerns about excessive media use grow, discussions and texts about ways to reduce or manage media consumption, like digital detoxes, increase simultaneously. Second, the writer mentions them to illustrate how the impact of digital media on behavior has led to the creation of new vocabulary that reflects the challenges and solutions associated with media overuse.

채점 기준

+ 2점: 밑줄 친 부분에서 저자가 주장하는 바를 "<u>as concerns about excessive media use grow, discussions and texts about ways to reduce or manage media consumption, like digital detoxes, increase simultaneously</u>"이라 정확히 기입하였다. 이외에는 답이 될 수 없다.
+ 2점: 저자가 그 단어들을 언급한 이유를 "<u>to illustrate how the impact of digital media on behavior has led to the creation of new vocabulary that reflects the challenges and solutions associated with media overuse.</u>"라 서술하였거나 유사하였다.
  ☞ 다음과 같이 서술하였어도 2점을 준다.
  － <u>to illustrate how society has developed new terms and concepts to describe the psychological and social effects of excessive smartphone and digital media use. These terms represent the evolving ways people experience and respond to the challenges of constant connectivity.</u>

한글번역

문제는 디지털 미디어 과부화라는 공통된 경험과 온라인 미디어나 스마트폰 사용이 개인과 기관에 우려를 불러일으키고 있다는 징후에 있다. 문제의 정확한 본질과 그 범위를 파악하기는 어렵지만, 이러한 우려는 수치, 미디어 텍스트, 그리고 여러 논의에서 드러난다.

세계적으로 인터넷이 발달한 국가들의 조사와 통계에 따르면, 상당한 비율의 사람들이 '나는 휴대폰을 너무 많이 사용한다'는 주장에 명시적으로 동의한다. 노르웨이가 타당한 사례인데, 세계에서 디지털 연결이 가장 잘 이뤄진 국가 중 하나이며, 북유럽 사람들(여기선 노르웨이 국민)을 대상으로 한 연구에서도 온라인 과사용에 대한 인식이 널리 퍼져 있음을 확인할 수 있기 때문이다. 그러나 다른 주요 시장의 조사에서도 이러한 우려가 공통적으로 나타난다. 영국과 미국에서는 성인 인구의 3분의 1에서 절반 사이가 휴대폰에 너무 많은 시간을 보낸다고 답한다.

증가하는 수치와 더불어 오프라인 조치에 관한 미디어 텍스트도 급증하고 있다. 글로벌 뉴스 데이터베이스인 Factiva에 따르면, 디지털 디톡스라는 용어가 처음 언급된 것은 2006년이었지만, 2010년까지 널리 사용되지 않았다. 2013년에는 디지털 디톡스가 옥스퍼드 온라인 사전에 추가됐고, 그 해에 언급 횟수가 눈에 띄게 증가했다. 2019년 중반까지 이 데이터베이스에 기록된 디지털 디톡스 관련 항목 수는 9,000건에 빠르게 근접했다. 디지털 디톡스에 대해 가장 많이 언급한 나라는 영국이었고, 그 다음으로 독일, 미국, 호주, 인도가 뒤를 이었다. 가장 많이 언급된 산업은 단연 스마트폰과 소셜 미디어였으며, 그중에서도 페이스북이 가장 자주 언급된 기업이었다. 또한 미디어 및 엔터테인먼트 산업뿐만 아니라 디지털 디톡스 호텔과 관광 산업에 대한 언급도 포함됐다.

수치와 텍스트는 과도한 사용과 미디어 사용 제한이 중요한 화두가 됐음을 보여준다. 이 주제는 소셜 미디어, 블로그, 가족 모임, 학교, 직장에서 논의되고 있다. 새로운 용어와 격언들이 우리의 어휘를 풍부하게 한다. FOMO는 "놓칠까 두려워하는 마음"을 나타내는 신조어로, 스마트폰과 소셜 미디어 사용을 부추기는 힘으로 여겨진다. 반대로 JOMO는 "놓침의 기쁨"을 의미하며, 디지털 디톡스를 실천하는 사람들이 추구하는 목표로, 화면이 아닌 현재 이 순간의 삶을 즐기는 태도를 말한다. Phubbing은 "휴대폰으로 무시하기"를 의미하는 줄임말로, 상대방을 차단하기 위해 휴대폰을 사용하는 것을 가리킨다. Screen wall도 역시 같은 의미를 전달하는 표현이다. screen time(스크린 시간)은 가족들 간 협상의 중요한 주제로 부상하고 있다. 이미 2008년에 영국 우체국은 1,300만 명의 영국인이 노모포비아, 즉 휴대폰이 방전되거나 분실됐을 때 느끼는 스트레스로 고통받고 있다고 언급했다. 디지털 디톡스는 새로운 용어이지만, 미디어 사용을 논의할 때 의학적 용어를 활용하는 오랜 전통에 서있다(오랜 전통을 따르고 있다).

NOTE

Step 1	Survey
Key Words	Digital detox; overuse; smartphones; media consumption; social impact
Signal Words	Not clear
Step 2	**Reading**
Purpose	To explain how digital media overuse has become a widespread concern and led to new social phenomena
Pattern of Organization	Not clear
Tone	Aanlytical/concerned
Main Idea	Growing concerns about digital media overuse have evolved into a global phenomenon, particularly in technologically advanced societies.
Step 3	**Summary**
지문 요약하기 (Paraphrasing)	Growing concerns about digital media overuse have evolved into a global phenomenon, particularly in technologically advanced societies. Surveys from internet-rich countries reveal widespread anxiety about excessive phone use, with up to half of adults acknowledging concerns about their digital consumption habits. This cultural shift is reflected in the rising prominence of "digital detox" in media discourse since 2006, and the emergence of new vocabulary—such as FOMO (Fear of Missing Out), JOMO (Joy of Missing Out), and "phubbing" (Phone Snubbing)—that captures modern digital anxieties. The medicalization of digital behavior through terms like "nomophobia" further highlights society's growing recognition of and concern about digital overconsumption's impact on well-being.
Step 4	**Recite**
	요약문 말로 설명하기

43

모범 답안 Wigs have historically served as symbols of status and fashion, evolving across different eras. First, Ancient Egyptians and Romans wore wigs for both aesthetic and social purposes, while England's Queen Elizabeth I used wigs to conceal hair loss. Then, in the 17th century, French kings, particularly Louis XIII and Louis XIV, popularized elaborate wigs as signs of power and prestige. In conclusion, today, people continue this tradition through synthetic wigs and hair extensions, achieving similar elegance with less effort.

채점 기준

+1점: 글의 topic sentence를 다음과 같이 서술하였거나 유사하였다.
"Wigs have historically served as symbols of status and fashion, evolving across different eras."

+2점: 글의 major supporting details를 다음과 같이 서술하였거나 유사하였다.
"First, Ancient Egyptians and Romans wore wigs for both aesthetic and social purposes, while England's Queen Elizabeth I used wigs to conceal hair loss(1점). Then, in the 17th century, French kings, particularly Louis XIII and Louis XIV, popularized elaborate wigs as signs of power and prestige(1점)."
☞ 2개 중 2개 모두를 정확하게 요약한 경우 2점, 1개만 요약한 경우 1점, 요약하지 못한 경우 0점을 준다.

+1점: 글의 결론을 "In conclusion, today, people continue this tradition through synthetic wigs and hair extensions, achieving similar elegance with less effort."라 서술하였거나 유사하였다.
☞ 다음과 같이 서술하였어도 1점을 준다.
- "Today's interest in hair and fashion draws from historical traditions, with modern alternatives like synthetic wigs offering style without the upkeep of older designs."

감점
- 본문에 나오는 연속되는 5단어 이상을 사용하였다. -1pt
- 문단을 두 개나 그 이상으로 구성하였다. -1pt
- grammar나 영어표현이 합쳐 4개 이상 오류가 있다. -1pt

한글번역

"머리가 높을수록 신에게 가까워진다"는 말은 돌리 파튼의 말로 알려져 있지만, 프랑스의 루이 14세는 이보다 300년 앞서 비슷한 생각을 했을지도 모른다. 가발은 지중해와 유럽 지역에서 수천 년 전부터 존재해 왔다.

역사상 가장 오래된 가발 중 일부는 고대 이집트 상류층이 생전이나 사후에 착용했던 것이다. 몇몇 미라의 머리에서 가발이 발견됐고, 고대 무덤에는 다른 개인 물품들과 함께 가발 상자도 함께 묻혀 있다. 이후 로마의 상류층도 유행하는 가발을 착용했으며, 부유한 여성들은 독일에서 수입된 금발 머리카락을 선호했다. 영국의 엘리자베스 1세 여왕(재위 : 1558~1603)은 머리숱이 줄어드는 것을 감추기 위해 80개가 넘는 붉은색 가발을 소장했다. 가발 wig의 고어체인 "periwig"는 프랑스어 "perruque(페루크)"에서 유래됐으며, 1590년대 윌리엄 셰익스피어의 초기 희곡『베로나의 두 신사』에 처음 등장한 기록이 있다.

이러한 영국의 가발문화는 17세기 중반이 되면서 프랑스로 주도권이 넘어가게 되는데, 이는 1624년 23살 먹은 프랑스의 국왕이 조기에 대머리가 됐을 때였다. 머리카락이 빠지기 전, 루이 13세 국왕은 그의 자연스러운 머리카락을 풍성하고 길게 기르고 있었는데, 이는 건강과 남성성의 상징이었다. 당시 머리숱이 적거나 대머리인 것은 병약함과 연관됐는데, 매독 환자들이 수은 치료를 받으면서 부작용으로 머리카락이 빠지는 경우가 많았기 때문이다. 루이 13세가 가발 유행을 시작했다면, 그 뒤를 이은 루이 14세는 이를 절정으로 끌어올렸다. 1643년, 4살에 즉위한 루이 14세는 자라면서 길고 웨이브진 갈색 머리를 길렀고, 30대에 이르러서는 타협을 버리고, 촘촘한 곱슬머리로 된 길고 밑부분이 풍성한 가발을 착용했다.

가발은 오랫동안 지위와 유행의 상징으로, 시대에 따라 크게 변화해 왔다. 이러한 역사적 맥락에서 볼 때, 오늘날의 헤어스타일과 패션에 대한 열광도 이처럼 풍부한 전통에서 영감을 얻을 수 있다. 고품질의 합성 가발이나 헤어 익스텐션 같은 현대적인 대안은 과거처럼 무겁고 관리가 복잡한 전통 가발 없이도 비슷한 스타일과 품위를 연출할 수 있게 해준다.

NOTE

Step 1	Survey
Key Words	Wigs; history; royalty; fashion; status
Signal Words	Before; later; in the 1590s; then; by the mid-17th century
Step 2	Reading
Purpose	To trace the historical evolution of wigs as symbols of status and fashion
Pattern of Organization	Time order (chronological)
Tone	Objective/informative
Main Idea	Wigs have historically served as symbols of status and fashion, evolving across different eras.
Step 3	Summary
지문 요약하기 (Paraphrasing)	Wigs have historically served as symbols of status and fashion, evolving across different eras. First, Ancient Egyptians and Romans wore wigs for both aesthetic and social purposes, while England's Queen Elizabeth I used wigs to conceal hair loss. Then, in the 17th century, French kings, particularly Louis XIII and Louis XIV, popularized elaborate wigs as signs of power and prestige. In conclusion, today, people continue this tradition through synthetic wigs and hair extensions, achieving similar elegance with less effort.
Step 4	Recite
	요약문 말로 설명하기

44 하위내용영역 일반영어 B형 서술형 배점 4점 예상정답률 35%

모범 답안 The underlined part means that instead of boosting someone's ego and making them overly proud or arrogant (swelling them up and spoiling them), one should humble them and moderate their self-perception (drawing in their sails). Second, it is because, regardless of the outcome, singing eulogies can backfire—if the pursuit succeeds, the praise appears self-congratulatory, and if it fails, the lover becomes vulnerable to ridicule for extolling someone who did not return the affection.

채점 기준

+ 2점: 밑줄 친 "돛을 부풀리는 대신 걷어들이게 하라"의 의미를 "instead of boosting someone's ego and making them overly proud or arrogant (swelling them up and spoiling them), one should humble them and moderate their self-perception (drawing in their sails)"라 서술하였거나 유사하였다.
+ 2점: 플라톤의 저서 『라이시스(Lysis)』 속 히포탈레스와의 대화에서 소크라테스가 연인에게 찬가(송가)를 부르는 것이 사랑을 표현하는 올바른 방식이 아니라고 주장하는 이유를 "because, regardless of the outcome, singing eulogies can backfire—if the pursuit succeeds, the praise appears self-congratulatory, and if it fails, the lover becomes vulnerable to ridicule for extolling someone who did not return the affection"이라 서술하였거나 유사하였다.

☞ 다음과 같이 서술하였어도 2점을 준다.

- (Socrates argues that singing eulogies is improper) because it risks either self-glorification if successful or public ridicule if rejected.
- (Socrates argues that singing eulogies to a beloved is not the proper way to demonstrate love) because it can lead to negative outcomes regardless of the success of the romantic pursuit. If the lover's suit succeeds, the eulogies end up praising the lover himself for winning such a desirable person, which can appear self-congratulatory. If the suit fails, the lover will seem foolish for having extolled the virtues of someone who did not reciprocate the affection, leading to ridicule.

한글번역

플라톤은 사랑(에로스)과 우정(필리아)을 주로 두 가지 대화편인 『리시스』와 『심포지움』에서 논한다. 비록 『파이드로스』도 그의 (사랑과 우정에 대한) 견해에 중요한 기여를 하지만 각각의 저서에서 소크라테스는 두 가지 방식으로 중심 인물로 등장한다. 첫째, 그는 지혜(소피아)와 대화(로고스)를 사랑하는 철학자로서 등장하고, 둘째, 그는 기존의 에로틱한 규범을 뒤흔드는 인물로 나타난다. 플라톤의 사랑에 대한 관점은 소크라테스와 그의 철학적 대화가 사람들을 매혹하고 사로잡으며 교육시키는 힘에 대한 성찰이다.

소크라테스는 (플라톤의 저서인) 『심포지움』에서 "내가 안다고 말할 수 있는 유일한 것은 사랑에 대한 기술이다."라고 말한다. 이 말을 문자 그대로 받아들인다면 믿기 어려운 주장이다. 과연 자신의 재판에서 자신을 큰 의미든 작은 의미든 지혜롭지 않다고 고백한 사람이 사랑의 기술을 안다고 주장했을까? 사실 이 주장은 단순한 말장난 이상의 의미를 담고 있다. 이는 명사 에로스(erôs, 사랑)와 동사 에로탄(erôtan, 질문하다)이 마치 어원적으로 연결된 듯한 뉘앙스를 활용한 것이다. 소크라테스가 사랑의 기술을 안다는 것은—그러나 오직 그만큼의 의미에서만—그가 질문하는 법과 반대논증적 대화하는 법(우리가 흔히 소크라테스적 대화법-하버드대학교에서 사용한다고 알려져 있는-이라 말하는 것으로, 이는 상대방의 믿음이나 주장에서 모순을 발견하기 위해 일련의 질문을 던지는 대화 방식이다. 이런 대화는 단순히 상대방을 반박하는 데 목적이 있는 것이 아니라, 비판적 사고와 자기 성찰을 유도하고 진리에 도달하도록 돕는 것이 목표이다.)을 안다는 점에서이다.

그 의미가 얼마나 깊은지는 우리가 『리시스』에서 발견하게 되는데, 여기서 소크라테스는 비슷한 주장을 한다. 히포탈레스는 소크라테스처럼 아름다운 소년들과 철학적 대화를 사랑한다. 하지만 그는 사랑의 기술을 알지 못해 자신이 사랑하는 소년인 리시스에게 어떻게 말해야 할지 모른다. 히포탈레스가 하는 일은 리시스를 찬양하는 노래를 부르는 것이며, 소크라테스는 이것이 능숙한 연인이 결코 하지 않을 행동이라고 주장한다. 왜냐하면, 만약 구애가 성공한다면, "네가 말하고 노래한 모든 것이 그러한 연인을 얻은 승리자로서 자신을 찬양하는 것으로 드러나겠지만," 실패한다면, "그의 아름다움과 선함을 더 많이 칭찬할수록 네가 잃은 것이 더 커 보이고 더 많은 조롱을 받게 될 것이다." 따라서, "사랑의 기술에 능숙한 사람은 상대를 얻기 전까지는 연인을 칭찬하지 않는다. 그는 미래가 어떻게 될지 두려워하기 때문이다." 설득된 히포탈레스는 소크라테스에게 "어떻게 해야 사랑하는 소년이 자신을 사랑하게 만들 수 있는지"를 알려달라고 요청한다. 소크라테스는 드물게도 솔직하게 말한다. "그 아이가 나와 대화하도록 한다면, 내가 그와 대화를 어떻게 이어가는지 시범을 보여줄 수 있을 것 같다." 그 뒤로 리시스에 대한 반대논증적 탐구가 이어진다. 우리는 소크라테스의 사랑에 대한 가르침이 곧 반대논증적 가르침, 즉 질문하고 대답하는 법에 관한 가르침임을 추론할 수 있다.

탐구가 끝날 무렵, 소크라테스는 자신의 성과를 이렇게 설명한다. "히포탈레스, 연인들에게 이렇게 이야기해야 하네. 그들을 겸손하게 하고 돛을 부풀리는 대신 걷어들이게 해야지, 자네가 하듯 우쭐하게 만들어 망쳐서는 안 되네." 이렇게만 보면 단순히 훈계처럼 들린다. 하지만 사랑을 욕망으로, 욕망을 결핍으로 보는 (즉, 사랑은 우리가 가지지 못한 것에 대한 욕망에서 나온다고 바라본다.) 『리시스』의 전체 맥락에서는 훨씬 더 깊은 의미를 지닌다.

NOTE

Step 1	Survey
Key Words	Socrates; love; philosophy; dialogue; questions
Signal Words	Not clear
Step 2	Reading
Purpose	To analyze how Socrates connects love with philosophical questioning, contrasting his approach with traditional views of love
Pattern of Organization	Not clear
Tone	Analytical
Main Idea	Plato's exploration of love through Socrates reveals the profound connection between philosophical dialogue and erotic relationships in ancient Greek thought.
Step 3	Summary
지문 요약하기 (Paraphrasing)	Plato's exploration of love through Socrates reveals the profound connection between philosophical dialogue and erotic relationships in ancient Greek thought. In key dialogues like the Lysis and Symposium, Socrates' claim to know "the art of love" emerges as a sophisticated wordplay linking erôs (love) with erôtan (questioning), suggesting that true love manifests through philosophical discourse rather than conventional romantic gestures. This understanding is demonstrated in Socrates' guidance to Hippothales, where successful courtship requires not flattering praise but rather engaging in transformative dialogue that humbles and enlightens. Through this lens, Plato presents love as fundamentally intertwined with the pursuit of wisdom through questioning, redefining romantic relationships as vehicles for philosophical growth.
Step 4	Recite
	요약문 말로 설명하기

2S2R

유희태 일반영어 ② 유형
● 모범답안 및 번역

초판 1쇄	2014년 3월 13일	
2쇄	2014년 3월 29일	
2판 1쇄	2015년 2월 17일	
2쇄	2015년 2월 23일	
3쇄	2016년 2월 25일	
3판 1쇄	2017년 3월 10일	
2쇄	2018년 2월 20일	
3쇄	2018년 12월 15일	
4판 1쇄	2020년 2월 10일	
2쇄	2020년 12월 10일	
5판 1쇄	2022년 1월 10일	
2쇄	2023년 1월 5일	
3쇄	2024년 9월 5일	
6판 1쇄	2026년 1월 15일	

저자와의
협의하에
인지생략

저자 유희태 **발행인** 박 용 **발행처** (주)박문각출판
표지디자인 박문각 디자인팀
등록 2015. 4. 29. 제2019-000137호
주소 06654 서울시 서초구 효령로 283 서경 B/D
팩스 (02) 584-2927
전화 교재 문의 (02) 6466-7202 동영상 문의 (02) 6466-7201

이 책의 무단 전재 또는 복제 행위는 저작권법 제136조에 의거, 5년 이하의 징역 또는 5,000만원 이하의 벌금에 처하거나 이를 병과할 수 있습니다.

정 가 39,000원 (분권 포함)
ISBN 979-11-7519-463-2
ISBN 979-11-7519-461-8(세트)